Les Chevaliers d'Émeraude

TOME VII

L'enlèvement

Du même auteur

Parus

- *Qui est Terra Wilder ?*
- *Les Chevaliers d'Émeraude*

  tome I : Le feu dans le ciel
  tome II : Les dragons de l'Empereur Noir
  tome III : Piège au Royaume des Ombres
  tome IV : La princesse rebelle
  tome V : L'île des Lézards
  tome VI : Le journal d'Onyx
  tome VIII : Les dieux déchus
  tome IX : L'héritage de Danalieth
  tome X : Représailles
  tome XI : La justice céleste
  tome XII : Irianeth

Anne Robillard

Les Chevaliers d'Émeraude

TOME VII

L'enlèvement

Éditions de Mortagne

Catalogage avant publication de Bibliothèque et Archives nationales du Québec et Bibliothèque et Archives Canada

Robillard, Anne, 1955-

Les Chevaliers d'Émeraude
Éd. originale: 2002-

Sommaire : t. 7. L'enlèvement

ISBN 978-2-89074-776-0 (v. 7)

I. Titre. II. Titre: L'enlèvement.

PS8585.O325C43 2008 C843'.6 C2008-940698-2
PS9585.O325C43 2008

Édition
Les Éditions de Mortagne
Case postale 116
Boucherville (Québec)
J4B 5E6

Distribution
Tél. : 450 641-2387
Téléc. : 450 655-6092
Courriel : info@editionsdemortagne.com

Dépôt légal
Bibliothèque et Archives Canada
Bibliothèque et Archives nationales du Québec
Bibliothèque Nationale de France
3e trimestre 2009

ISBN : 978-2-89074-776-0

1 2 3 4 5 – 09 – 13 12 11 10 09

Imprimé au Canada

Nous reconnaissons l'aide financière du gouvernement du Canada par l'entremise du Programme d'aide au développement de l'industrie de l'édition (PADIÉ) et celle du gouvernement du Québec par l'entremise de la Société de développement des entreprises culturelles (SODEC) pour nos activités d'édition. Gouvernement du Québec – Programme de crédit d'impôt pour l'édition de livres – Gestion SODEC.

Membre de l'Association nationale des éditeurs de livres (ANEL)

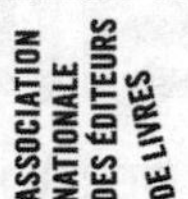

REMERCIEMENTS

Un gros merci à tous les professeurs qui se servent de cette saga pour intéresser les jeunes à la lecture. Je reçois beaucoup de messages de vos élèves qui vous prodiguent des louanges. J'apprécie énormément votre collaboration.

Merci à mes Elfes : Claudia, Élise, Shushe, Patrick, Raymond, Vivianne, Catherine, Annie, Christian, Katy, Marco, Marie-Soleil, Steve, Nicolas, Rachel et Bianka et à mes amis partout dans le monde. Votre aide est inestimable. Toute ma reconnaissance aussi à Elizabeth, Louise, Cédric, Fred et Faeria. Merci également à Max, Caroline et Alexandra des Éditions de Mortagne pour leur bon travail. Mille mercis à Prologue qui permet à des milliers de lecteurs de suivre les aventures des Chevaliers d'Émeraude. Et surtout, une grosse bise à ma famille qui m'encourage depuis le début de cette belle aventure.

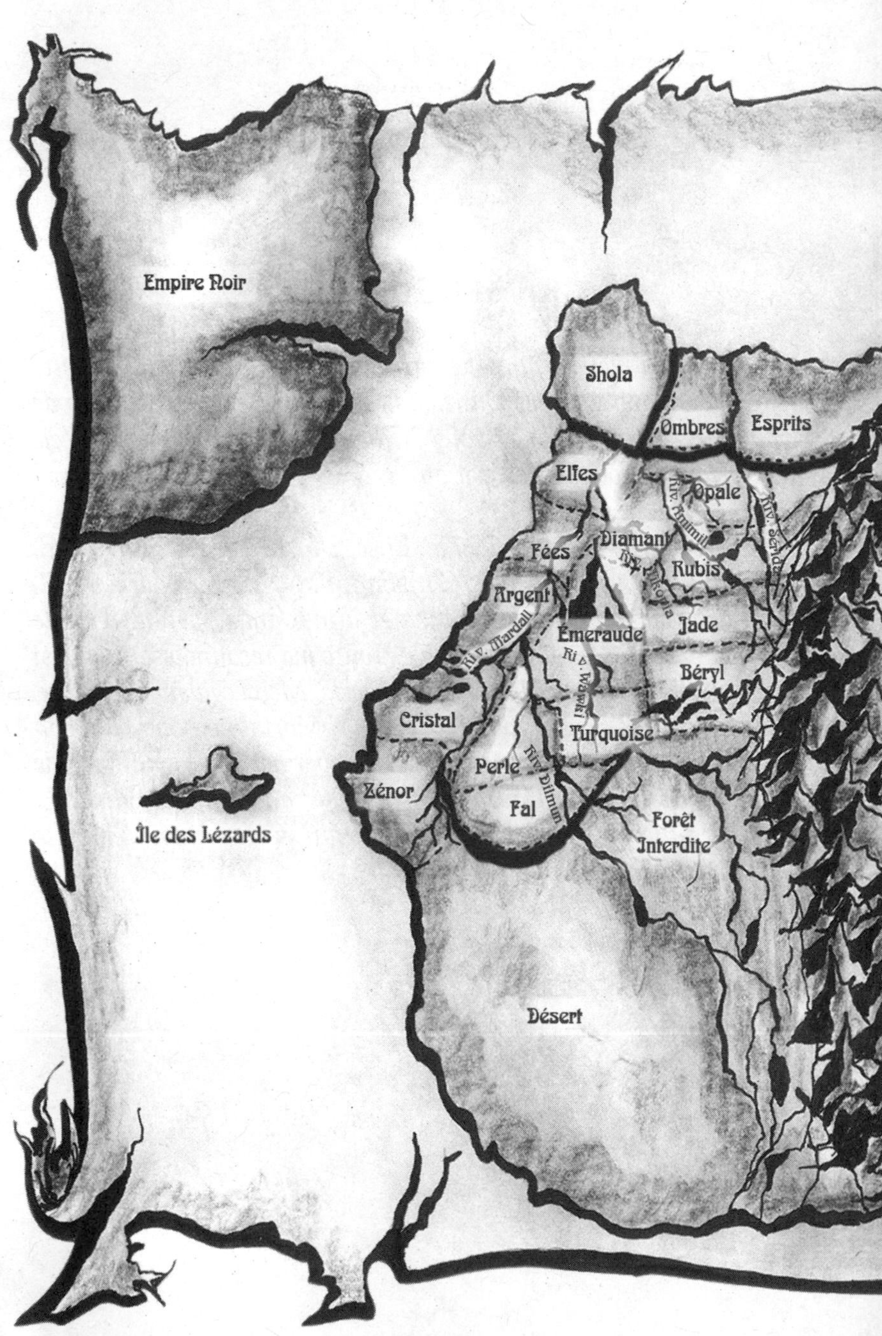
Empire Noir
Shola
Ombres
Esprits
Elfes
Opale
Diamant
Fées
Rubis
Argent
Jade
Émeraude
Ri v. Mardall
Ri v. Wawki
Béryl
Cristal
Turquoise
Perle
Riv. Dilmun
Zénor
Fal
Forêt
Interdite
Île des Lézards
Désert

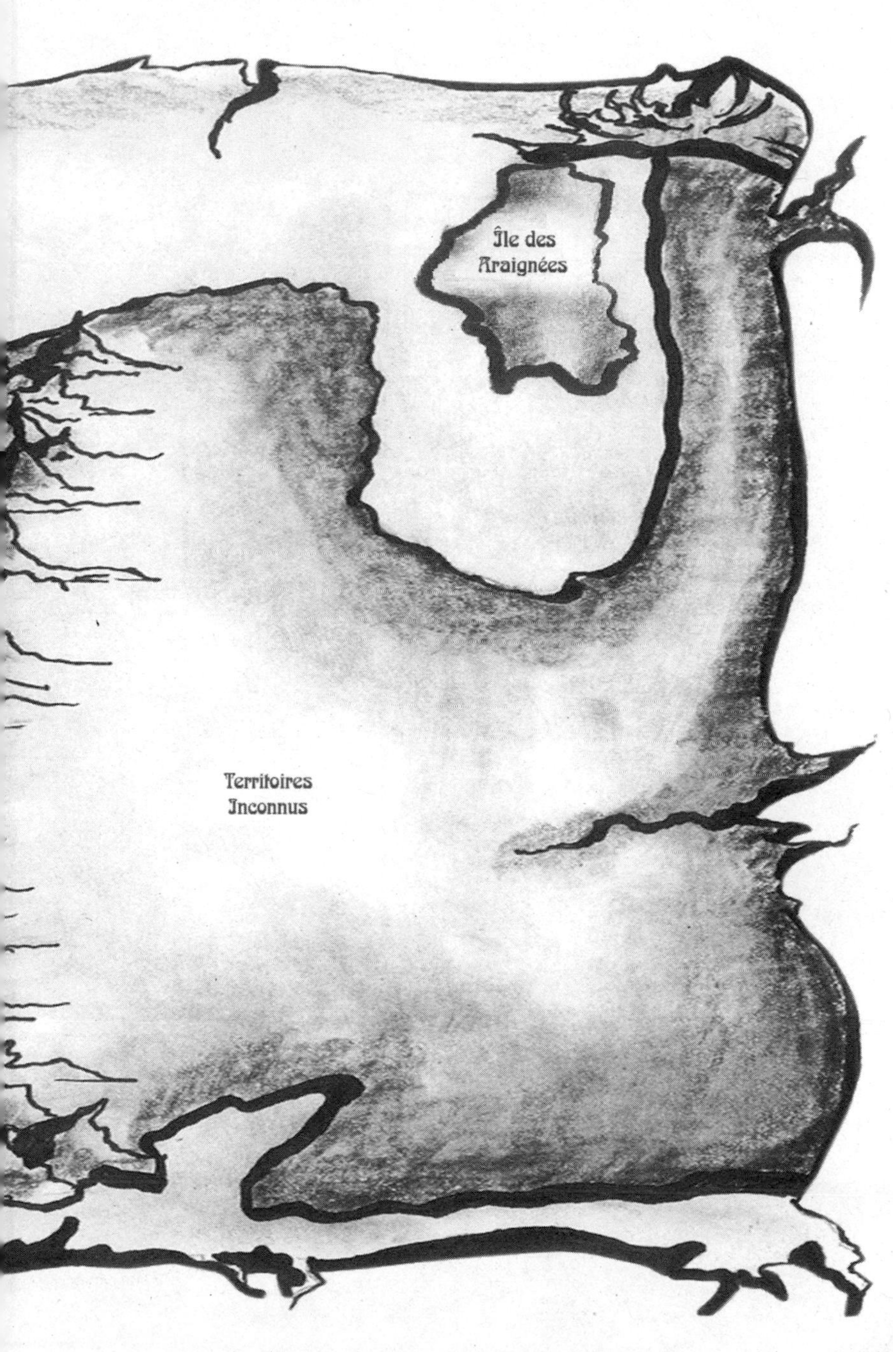
Île des
Araignées
Territoires
Inconnus

L'ordre
première génération des chevaliers d'Émeraude

Chevalier Bergeau

✧

Chevalier Chloé

✧

Chevalier Dempsey

✧

Chevalier Falcon

Chevalier Jasson

✧

Chevalier Santo
Écuyer Mann

✧

Chevalier Wellan

L'ordre
Deuxième génération des Chevaliers d'Émeraude

Chevalier Bridgess

Chevalier Kerns

Chevalier Kevin

Chevalier Nogait

Chevalier Wanda

Chevalier Wimme

L'Ordre

Troisième génération des Chevaliers d'Émeraude

Chevalier Ariane

Chevalier Brennan
Écuyer Jonas

Chevalier Colville
Écuyer Stone

Chevalier Corbin
Écuyer Harrison

Chevalier Curtis
Écuyer Nurick

Chevalier Derek
Écuyer Radama

Chevalier Hettrick
Écuyer Bankston

Chevalier Kagan

Chevalier Kira

Chevalier Milos
Écuyer Honsu

Chevalier Morgan

Chevalier Murray
Écuyer Sagwee

Chevalier Pencer
Écuyer Gibbs

Chevalier Sage

Chevalier Swan

L'ordre

quatrième génération des chevaliers d'émeraude

chevalier akers
✧
chevalier alisen
✧
chevalier amax
écuyer lavann
✧
chevalier arca
écuyer koshoff
✧
chevalier atall
écuyer polass
✧
chevalier bailey
écuyer dansel
✧
chevalier bianchi
écuyer kelly
✧
chevalier botti
écuyer phelan
✧
chevalier brannock
✧
chevalier callaan
écuyer linney
✧
chevalier candiell
✧
chevalier carlo

chevalier chesley
écuyer dunkel
✧
chevalier daiklan
✧
chevalier davis
✧
chevalier dienelt
✧
chevalier dillawn
écuyer drew
✧
chevalier drewry
✧
chevalier dyksta
✧
chevalier fabrice
✧
chevalier fallon
✧
chevalier fossell
écuyer francis
✧
chevalier gabrelle
écuyer terri
✧
chevalier heilder
✧
chevalier herrior
écuyer moher

Chevalier Hiall
Écuyer Yancy

✧

Chevalier Jana

✧

Chevalier Joslove
Écuyer Camilla

✧

Chevalier Kisilin
Écuyer Ivy

✧

Chevalier Kowal
Écuyer Nelson

✧

Chevalier Kruse

✧

Chevalier Kumitz
Écuyer Dean

✧

Chevalier Lornan
Écuyer Franklin

✧

Chevalier Madier
Écuyer Pierce

✧

Chevalier Maïwen

✧

Chevalier Offman
Écuyer Fayden

✧

Chevalier Prorok

✧

Chevalier Randan

✧

Chevalier Reiser

Chevalier Robyn
Écuyer Ellie

✧

Chevalier Romald
Écuyer Rupert

✧

Chevalier Salmo

✧

Chevalier Sheehy

✧

Chevalier Sherman
Écuyer Benson

✧

Chevalier Silvess

✧

Chevalier Ursa
Écuyer Rainbow

✧

Chevalier Volpel
Écuyer Quill

✧

Chevalier Winks
Écuyer Ada

✧

Chevalier Yamina
Écuyer Mara

✧

Chevalier Yann
Écuyer Alwin

✧

Chevalier Zane

✧

Chevalier Zerrouk
Écuyer Aidan

~

BRIDGESS

PROLOGUE

Dans le premier tome, *Le feu dans le ciel,* le Roi Émeraude Ier ressuscite un ancien ordre de chevalerie afin de protéger le continent d'Enkidiev contre les nouvelles tentatives d'invasion d'Amecareth, empereur du continent d'Irianeth et seigneur des hommes-insectes. Dotés de pouvoirs magiques, les nouveaux Chevaliers d'Émeraude sont enfin prêts à combattre l'ennemi.

La Reine Fan de Shola se présente au château qui les abrite et confie à Émeraude Ier sa fille Kira, l'enfant mauve alors âgée de deux ans. Wellan, le chef des Chevaliers, tombe amoureux de Fan, mais le Royaume de Shola subit le premier les attaques féroces des dragons de l'Empereur Noir et tous les Sholiens, y compris la belle reine, sont massacrés.

Les Chevaliers parcourent alors Enkidiev afin de trouver des volontaires pour creuser les pièges qui stopperont l'assaut des monstres.

Le deuxième tome, *Les dragons de l'Empereur Noir,* commence sept années plus tard. Maintenant âgée de neuf ans, Kira désire plus que tout au monde devenir Écuyer. Mais pour l'empêcher de devenir une cible facile pour Amecareth, Wellan et le magicien Élund refusent sa candidature.

Décidant de prendre son destin en main, la princesse mauve conjure le défunt Roi Hadrian d'Argent, jadis chef des anciens Chevaliers d'Émeraude, afin qu'il lui apprenne le maniement des armes.

Pendant ce temps, les dragons d'Amecareth s'infiltrent sur le territoire d'Enkidiev sous forme d'œufs flottants jusqu'aux berges de ses nombreuses rivières, où ils éclosent. Au même moment, Asbeth, le sorcier recouvert de plumes de l'empereur, s'attaque aux Chevaliers.

Comprenant qu'il ne pourra pas le vaincre à l'aide de ses seuls pouvoirs, Wellan se rend au Royaume des Ombres pour y recevoir l'enseignement des maîtres magiciens. Il y découvre des hybrides conçus par Amecareth et protégés par l'Immortel Nomar qui veut s'assurer que leur père insecte ne les retrouve jamais.

Pendant que Wellan apprend à maîtriser de nouvelles facultés magiques, ses frères et ses sœurs d'armes traquent Asbeth dans les forêts du continent. Le sorcier s'empare alors du corps d'un jeune Elfe et conduit les Chevaliers sur le bord de l'océan pour les y anéantir. Mais, de retour de son exil dans le monde souterrain, Wellan fait échouer les plans de l'homme-oiseau.

Dans le troisième tome, *Piège au Royaume des Ombres*, Kira a quinze ans et ressent les premiers frémissements de l'adolescence. Elle réalise son rêve le plus cher : elle devient enfin Écuyer d'Émeraude.

Ressentant le besoin de s'unir à une compagne, Jasson et Bergeau se marient, imitant ainsi leurs compagnons Dempsey, Chloé et Falcon.

Au moment où Wellan visite le Royaume d'Argent, une magnifique pluie d'étoiles filantes signale la naissance du porteur de lumière, personnage central de la prophétie qui prédit la fin du règne d'Amecareth. L'Immortel Abnar, chargé par les dieux de veiller sur les humains, ramène aussitôt le bébé à Émeraude afin de s'occuper de lui.

Sur la plage d'Argent, la Reine Fan apparaît à Wellan pour l'avertir que les troupes d'Amecareth convergent vers Zénor. Tous les Chevaliers s'y rassemblent en vitesse. C'est après avoir éliminé seule les dragons de l'ennemi que Kira découvre finalement ses origines. Mais elle n'a pas le temps de s'apitoyer sur son sort, car les Chevaliers doivent répondre à un appel de détresse en provenance du Royaume des Ombres.

Aux abords du cratère de ce vaste pays recouvert de glace, Wellan succombe à un sortilège d'Asbeth, qui a survécu à leur dernier duel et qui entend se venger. Ayant incendié le sanctuaire des hybrides, le sorcier poursuit impitoyablement la princesse mauve dans les galeries. Au moment où elle s'échappe sur les plaines enneigées de Shola, Asbeth est finalement neutralisé par la puissante magie de Nomar.

Ayant accompli leur mission, les Chevaliers rentrent à Émeraude, sans se rendre compte que le jeune Sage qu'ils ramènent avec eux est possédé par l'esprit vengeur du Chevalier Onyx. Sous les traits du jeune paysan innocent, le renégat prononce le serment d'Émeraude dans le château où il a jadis failli perdre la vie et rassemble les objets qui lui redonnent ses pouvoirs d'antan.

Dans le quatrième tome, Kira, âgée de 19 ans, devient enfin Chevalier et épouse Sage d'Émeraude, ignorant qu'il est possédé par l'esprit du renégat Onyx. Lorsque ce dernier se décide enfin à se venger d'Abnar, Wellan et les Chevaliers d'Émeraude doivent déployer toutes leurs forces pour l'empêcher de détruire leur allié immortel. Ils sont alors stupéfiés de constater la puissance qu'Abnar a jadis accordée aux anciens soldats de l'Ordre.

Une fois redevenu lui-même, Sage doit faire face à une vie dont il n'a aucun souvenir, mais Kira lui apprend patiemment tout ce qu'il doit savoir. Soumis à nouveau aux épreuves magiques d'Élund, le jeune guerrier démontre qu'il a toujours de grands pouvoirs, mais qu'il ne sait pas comment les utiliser. Il reviendra donc à Wellan de le guider.

Au milieu des célébrations organisées en l'honneur de Parandar, le chef des dieux, un homme agonisant s'introduit dans la grande cour du Château d'Émeraude et annonce aux Chevaliers que des créatures inconnues déciment la côte. N'écoutant que leur cœur, les valeureux soldats se précipitent au secours des villages éprouvés. Ils découvrent que des hommes-lézards ont enlevé les femmes et les fillettes du Royaume de Cristal et qu'ils continuent de remonter la côte. Les Chevaliers leur tendent donc un piège au Royaume d'Argent et les repoussent vers la mer.

De retour au château, Wellan épouse enfin Bridgess. Après la grande fête donnée en leur honneur, ils s'échappent d'Émeraude pour aller passer quelques jours seuls au bord de l'océan.

Dans le cinquième tome, n'écoutant que leur courage et leur sens de la justice, les Chevaliers d'Émeraude se lancent au secours des femmes et des fillettes kidnappées au Royaume de Cristal par les lézards et emportées sur leur île lointaine.

Wellan n'emmène avec lui que quelques-uns de ses hommes, consternant les autres qui devront rester de garde à Zénor. Les Chevaliers d'Émeraude s'embarquent donc pour cette périlleuse mission, accompagnés du Magicien de Cristal.

Pendant ce temps, dans les ruines du Château de Zénor, Dempsey prend en charge les jeunes Chevaliers et les Écuyers. Ils y affrontent un nouveau serviteur de l'Empereur Noir, encore plus cruel que le sorcier Asbeth. Wellan ayant défendu à ses soldats de communiquer avec lui tandis qu'il s'infiltre sur l'île des Lézards, Dempsey et ses frères d'armes affrontent seuls cette nouvelle menace.

Dans le sixième tome, *Le journal d'Onyx*, le Chevalier Wellan découvre grâce à Kira le journal du renégat Onyx, dans lequel il apprend le sort qui sera réservé à ses propres soldats si l'Empereur Noir décide d'adopter la même stratégie militaire que jadis. Effrayé, il tente d'acculer le Magicien de Cristal au pied du mur afin d'obtenir de plus grands pouvoirs magiques.

Pendant ce temps, des abeilles géantes lancées par le sorcier Asbeth attaquent Enkidiev et les Chevaliers doivent une fois de plus se porter au secours des habitants de toute la côte. Durant l'opération de sauvetage, Wellan règle définitivement ses comptes avec le Roi des Elfes. C'est aussi dans cette belle forêt que les dieux offrent à Bridgess et Wellan l'enfant qu'ils ne pouvaient concevoir.

De retour de cette campagne militaire, c'est un conflit diplomatique qui attend le grand chef de l'Ordre au Château d'Émeraude, car le Chevalier Nogait est amoureux de la Princesse des Elfes.

1

Le prédateur

Le Royaume de Béryl était situé dans les montagnes au sud d'Enkidiev, où les forêts se faisaient rares et dégarnies. On y bâtissait donc des maisons de pierre. D'ailleurs, les Bérylois ne coupaient jamais d'arbres et le bois nécessaire à la fabrication des meubles et au chauffage était plutôt importé du Royaume de Turquoise.

Le magicien Mori avait choisi de creuser le roc, au faîte du plus haut pic, pour y abriter ses manuscrits et ses potions. Personne ne gardait l'entrée de cette grotte, car le vieil homme n'avait pas d'ennemis.

L'étroit couloir, taillé à la rivelaine, s'ouvrait sur une caverne qui aurait pu être spacieuse si elle n'avait pas été encombrée d'une multitude d'étagères en granit. Les tablettes regorgeaient de grimoires, de rouleaux de parchemin, de petites bouteilles de toutes les couleurs, de creusets, de fragments de roches brillantes et d'objets plus difficilement identifiables. Au centre se dressait une table en chêne massif dont la surface avait été maintes fois abîmée par le déversement de certaines potions. En effet, les mains de Mori n'étaient plus aussi sûres depuis qu'il avait atteint l'âge vénérable de deux cent cinq ans.

Jadis, un grand nombre de mages conseillaient les rois et les reines d'Enkidiev. La plupart s'étaient éteints sans avoir trouvé d'apprentis pour poursuivre leur grande œuvre. Il n'en restait plus que deux sur le continent. Tout en consignant ses dernières observations dans l'énorme bouquin ouvert devant lui, Mori pensa à son confrère Élund qui transmettait sa science à Hawke. Dans ses nombreuses lettres, le magicien d'Émeraude ne cessait de vanter le talent de ce jeune Elfe.

– Qui aurait pensé qu'un jour le peuple des forêts accepterait de laisser l'un de ses enfants étudier sous la tutelle d'un humain, marmonna Mori en trempant sa plume dans l'encrier.

Il fallait posséder de grandes qualités et des aptitudes particulières pour devenir enchanteur. Que les Chevaliers triés sur le volet par Émeraude Ier fussent tous de puissants magiciens dépassait déjà l'entendement.

– Malheureusement, ils se servent de leurs pouvoirs pour faire la guerre, déplora le vieil homme qui avait pris l'habitude de parler tout seul.

Aucun de ces soldats ne pensait à s'isoler et à observer les astres nuit après nuit afin d'y déchiffrer les messages des dieux.

– Tous des louveteaux sans aucune patience...

Mori inscrivit la date en haut de la grande page de papyrus. La nuit précédente, il avait relevé des signes troublants entre l'étoile du Nord et la constellation du Bouclier. Dès qu'il aurait noté ses remarques, il écrirait une longue lettre à Élund pour l'en informer.

« Une étrange lueur est apparue à quelques degrés à peine d'Istanria, l'étoile des mises en garde. Je l'ai contemplée jusqu'au matin, car elle se déplaçait lentement vers le Bouclier. Nous savons tous que ce secteur du ciel annonce des catastrophes. C'est d'ailleurs à cet endroit que nous avons vu passer l'étoile de feu il y a plusieurs années.

« J'étais sur le point de me retirer, mes vieux yeux ne pouvant plus rester ouverts, lorsque la masse gazeuse a pris la forme d'un crocodile. C'est un animal très ancien qui a disparu des rivières d'Enkidiev avant l'instauration des dynasties. Mais au dire de mon défunt maître, un certain nombre de ces bêtes carnivores se sont réfugiées dans la Forêt Interdite. Il existe très peu de références sur cette espèce de reptile dans les livres de symboles célestes, car il n'a pas été souvent observé dans le ciel. Sa dernière mention remonte à la deuxième dynastie, au moment de la grande famine, tandis que nos ancêtres étaient aux prises avec des hordes de dragons qui tentaient de les dévorer, faute de nourriture.

« J'ai relu mes observations des derniers mois afin de voir si cet animal avait un lien avec la nouvelle invasion de l'Empereur Noir. Le déplacement de cette bête lumineuse en sens inverse de l'étoile funeste de Shola me laisse perplexe. Sa couleur blanche également. C'est comme si le danger provenait à la fois d'Irianeth et des mondes célestes. »

– Bravo ! le félicita une voix inconnue.

Saisi, Mori sursauta et renversa l'encrier qui éclaboussa la page qu'il venait de remplir. Il pivota sur son tabouret et aperçut un homme à l'entrée de la grotte. Les quelques chandelles disposées sur la table éclairaient à peine son visage. Le magicien ne le reconnut pas comme étant un habitant de Béryl. Ses traits étaient indéfinissables et ses yeux, froids comme la mort.

– Mais qui êtes-vous ? articula enfin Mori.

– Un mage qui ne sait pas reconnaître ses maîtres ? ricana le visiteur. Est-ce votre âge qui brouille votre vision ?

– Un Immortel... ici ?

Nomar s'avança lentement, sa longue tunique soulevant la fine couche de poussière sur le plancher de la caverne.

– Vous n'êtes pas le Magicien de Cristal..., constata Mori en fronçant ses sourcils broussailleux.

– Très juste.

– Pourquoi les dieux nous envoient-ils un autre de leurs serviteurs ? Est-il arrivé malheur à Abnar ?

– Disons qu'il n'est pas libre de se déplacer en ce moment.

– Pourquoi Parandar vous a-t-il demandé de visiter mon humble demeure ?

– Mais il ne m'a rien demandé de tel, mon pauvre homme. En fait, je ne suis même pas l'un de ses arrogants Immortels. Je leur suis en tous points supérieur, comme vous le constaterez bientôt.

– Je ne comprends pas ce que vous me dites.

Nomar marcha nonchalamment le long d'un rayon chargé d'opuscules en fixant le mage d'un regard brillant de cruauté.

– Je suis la dernière erreur de Parandar, expliqua-t-il finalement. Il y a fort longtemps, il m'a condamné pour l'éternité au gouffre sans fin.

– Vous êtes l'une des divinités déchues ! s'exclama Mori, effrayé d'apprendre que l'une d'elles avait échappé à son châtiment.

– Cessez de trembler, vieillard. J'ai éliminé tous les autres parias, parce que j'étais cent fois plus fort qu'eux.

– Mais que me voulez-vous ?

– Je me suis réfugié dans votre monde et j'ai appris à l'aimer malgré toutes ses tares. J'ai donc décidé de m'y établir afin de défier celui qui est responsable de mes souffrances.

– Parandar ? Mais il ne vous laissera jamais mettre ce plan à exécution ! l'avertit Mori.

– Il ne sait pas ce qui se passe dans ce merveilleux paradis qu'il a créé pour plaire à son épouse. J'irais jusqu'à dire qu'il s'en moque.

– C'est faux ! Il veille sur les humains depuis leur premier souffle. Les magiciens qui lui sont encore fidèles le mettront en garde.

– Pas s'ils ont tous été éliminés.

– La colère du ciel sera terrible lorsque les dieux apprendront cette trahison !

Mori tendit la main et son bâton de chêne noueux vola jusqu'à sa paume. Mais il n'eut pas le temps de s'en servir. Un éclair fulgurant s'échappa des doigts de Nomar, frappant le mage en pleine poitrine. Il étouffa un cri de douleur et s'effondra sur le sol.

Le dieu détrôné promena un regard tranquille sur tous les ouvrages que le vieil homme avait accumulés au fil des ans.

– Quel dommage, soupira-t-il.

D'un geste de la main, il enflamma les parchemins. Le feu se répandit rapidement aux grimoires et lécha les pots de verre qui éclatèrent un à un.

– Maintenant, il ne me reste qu'un seul magicien à détruire. Comme il habite le même château que le porteur de lumière, ce sera un magnifique coup double. Ensuite, je m'emparerai de la fille de l'empereur et j'écraserai le grand seigneur des insectes.

Nomar se dématérialisa tandis que les flammes dévoraient le travail de toute une vie.

2

UN CALME INQUIÉTANT

Depuis l'attaque des abeilles géantes sur la côte ouest du continent, plus de trois ans s'étaient écoulés. L'inaction d'Amecareth angoissait Wellan, car il craignait que l'Empereur Noir n'en soit finalement rendu à jeter ses véritables guerriers dans la mêlée. Incapable d'oublier les descriptions qu'en faisait le journal d'Onyx, le grand Chevalier sondait continuellement Enkidiev pour s'assurer qu'on ne le prenne pas au dépourvu.

Malgré la menace qui continuait de planer sur les humains, le Château d'Émeraude connut plusieurs événements heureux : Kerns épousa la jeune Jana et Wimme se décida enfin à s'unir à Kagan, après qu'il lui eut fait la cour pendant des années. Swan, Amayelle et Catania donnèrent naissance, chacune à leur tour, à trois beaux garçons en santé, nommés respectivement Nemeroff, Cameron et Kiefer. Puis, Swan surprit ses compagnons avec une seconde grossesse et l'arrivée d'un fils qu'elle appela Atlance.

Falcon et Wanda allaient également bientôt devenir parents pour la première fois. La femme Chevalier, enceinte de plusieurs mois, rayonnait. « Si les choses se poursuivent à ce rythme-là, il y aura bientôt plus d'enfants que de soldats parmi les Chevaliers d'Émeraude », pensa Wellan, lui-même papa. Sa petite Jenifael venait d'avoir quatre ans, mais elle atteignait presque la taille de Liam et de Lassa, qui avaient huit et neuf ans. Le magicien Élund avait accepté de l'intégrer à ses nouvelles classes, car elle savait lire et elle maîtrisait déjà ses pouvoirs.

Une quarantaine d'adolescents avaient finalement répondu à l'appel du Roi d'Émeraude tandis que les Chevaliers étaient en mission sur l'île des Lézards. Même s'il aurait préféré commencer leur éducation magique à un plus jeune âge, Élund les avait accueillis au château. Avec l'aide de Hawke, il avait accéléré leur formation. Les Chevaliers étant nombreux, lorsque vint le temps pour ces élèves de devenir Écuyers, la moitié des soldats se retrouvèrent malheureusement sans apprentis.

Contrairement à son habitude, Élund ne les imposa pas aux soldats d'Émeraude. Il demanda plutôt à ceux qui désiraient éduquer un enfant de le lui faire savoir, puis il les attribua en conséquence. Parmi les aînés, seul Santo émit le désir de recevoir un gamin. Aucun Écuyer ne fut imparti aux Chevaliers de l'âge de Bridgess, puisque la plupart d'entre eux s'étaient récemment mariés ou étaient parents de petits bébés dont ils désiraient s'occuper. Ce furent surtout les soldats célibataires dans la vingtaine qui exprimèrent le vœu de former la prochaine génération de Chevaliers. Alors le nombre des vaillants défenseurs du continent augmenta à un peu plus de cent.

Tout comme l'avait jadis fait Hadrian d'Argent, Wellan divisa ses hommes en six groupes commandés par ceux de ses frères qui possédaient des bracelets magiques. De cette façon, chaque troupe pouvait venir en aide aux autres en se déplaçant rapidement. Il institua ensuite des tours de garde de quarante jours pour chaque unité dans les Royaumes d'Émeraude, des Elfes, des Fées, d'Argent, de Cristal et de Zénor, pour que la côte soit constamment gardée. Les divisions patrouillaient leur territoire durant la période convenue puis, lors du changement d'affectation, elles rentraient toutes au Château d'Émeraude pour un souper commun avant de repartir en mission. Les Chevaliers et leurs conjoints se montrèrent fort satisfaits de cette façon de procéder qui leur permettait de se retrouver périodiquement chez eux.

Wellan avait longtemps réfléchi afin de partager ses hommes de la façon la plus équitable possible. Santo commandait un groupe de onze Chevaliers, soit Kerns, Pencer, Brennan, Jana, Kumitz, Yann, Gabrelle, Hiall, Romald, Zane et Silvess, ainsi que huit Écuyers : Gibbs, Jonas, Dean, Alwin, Terri, Mann, Rupert et Yancy.

Chloé et Dempsey s'occupaient ensemble d'un autre groupe, formé des Chevaliers Nogait, Murray, Swan, Derek, Herrior, Maïwen, Offman, Ursa, Kisilin, Reiser et Dillawn et des Écuyers Sagwee, Radama, Moher, Fayden, Rainbow, Ivy et Drew.

Pour sa part, Falcon se retrouvait à la tête de douze Chevaliers, ses camarades Kevin, Wanda, Chesley, Lornan, Candiell, Davis, Dyksta, Prorok, Fallon, Kruse, Salmo et Carlo, mais de seulement deux Écuyers, Dunkel et Franklin.

Le grand chef avait assigné un total de quinze Chevaliers chacun à Bergeau et Jasson, qui savaient maîtriser les plus bouillants jeunes soldats. Bergeau dirigeait donc Wimme, Colville, Kagan, Arca, Kowal, Sherman, Izzly, Heider, Sheehy, Drewry, Daiklan, Akers, Atall, Morgan et Randan ainsi que les Écuyers Stone, Koshoff, Nelson, Benson et Polass.

Quant à Jasson, il guidait Ariane et son mari, le capitaine, Kardey, Corbin, Sage, Kira, Yamina, Joslove, Botti, Amax, Dienelt, Brannock, Alisen, Madier, Fossell et Fabrice ainsi que sept Écuyers, soit Harrison, Mara, Camilla, Phelan, Lavann, Pierce et Francis.

Wellan avait choisi pour lui-même un groupe de onze Chevaliers ayant presque tous des apprentis. Il s'agissait de Bridgess, Hettrick, Curtis, Milos, Bailey, Volpel, Zerrouk, Bianchi, Callaan, Winks et Robyn ainsi que des dix Écuyers Bankston, Nurick, Honsu, Danse, Quill, Aidan, Kelly, Linney, Ada et Ellie.

Ses compagnons s'étaient moqués de lui en disant qu'il s'entourait de tous ces apprentis parce qu'il était devenu père et qu'il ne pouvait plus se passer des enfants. Le grand Chevalier n'avait pas réagi à leurs railleries, car ils avaient probablement raison. D'ailleurs, tout comme Élund le lui avait prédit plusieurs années auparavant, ses Écuyers lui avaient effectivement ouvert le cœur et enseigné la confiance, la compassion et le pardon.

Ce jour-là, les Chevaliers étaient tous au Château d'Émeraude pour banqueter ensemble avant de repartir sur la côte. Wellan laissa ses soldats rejoindre leurs conjoints en exigeant qu'ils soient tous présents au repas du soir. Satisfait, il alla chercher sa fillette pour la reconduire à la tour du magicien d'Émeraude. Même s'ils conservaient un contact télépathique constant, Wellan trouvait rassurant de pouvoir prendre la petite main de Jenifael dans la sienne de temps en temps.

L'homme et l'enfant s'arrêtèrent dans le couloir du palais menant à la tour d'Élund, devant la porte de l'escalier de pierre qui grimpait à l'antre du magicien. La gamine se retourna vers son père. Même si Wellan et Bridgess ne l'avaient pas conçue eux-mêmes, Jenifael leur ressemblait. Ses cheveux blonds étaient plus roux que ceux de ses parents Chevaliers, mais elle possédait leur front volontaire et elle atteindrait certainement une grande taille. De Bridgess, elle avait la forme du visage et les magnifiques lèvres légèrement boudeuses. Mais dans ses yeux noisette brillaient souvent de petites flammes qui leur rappelaient qu'elle était d'abord et avant tout la fille de la déesse de Rubis.

– Je préférerais rester avec toi aujourd'hui, geignit Jenifael. Tu n'es presque jamais là.

– Ton éducation est importante, mon cœur, répondit Wellan en s'agenouillant devant elle. Dans quarante jours, ta mère et moi serons de garde au Royaume d'Émeraude, alors nous passerons beaucoup de temps ensemble.

– Tu m'emmèneras à cheval jusqu'à la rivière ?

– Oui.

– Tu me liras des histoires pour m'endormir ?

– Oui.

– Tu m'enseigneras à me battre à l'épée comme toi ?

– Nous ferons tout ce que tu voudras.

Jenifael se pendit à son cou et le serra avec force en lui transmettant une vague d'amour comme elle seule savait le faire.

– C'est injuste que je sois ainsi séparée de vous, se lamenta-t-elle en appuyant sa joue contre l'épaule de son père.

– Injuste ? s'étonna Wellan. Je pense, au contraire, que tu as beaucoup de chance. Quand j'étais moi-même étudiant d'Émeraude, j'étais à des lieues de ma famille. Je n'ai pas revu mes parents avant l'âge de vingt ans. De plus, puisqu'ils ne possédaient pas le don de communiquer avec leur esprit comme toi et moi, j'ai passé quinze ans sans nouvelles d'eux.

– Comme c'est cruel...

– Mais nécessaire pour former de bons soldats. Je t'ai déjà expliqué tout ça. Tu essaies seulement de gagner du temps ce matin.

– Tu ne peux pas me reprocher de me sentir bien dans les bras de mon père que j'aime !

– Ou de le manipuler avec brio ?

Jenifael s'esclaffa. Son rire cristallin réchauffa le cœur de Wellan. Il l'éloigna doucement au bout de ses bras pour contempler son air fripon. Elle était intelligente et exigeante comme lui, mais aussi belle que sa mère.

– Est-ce que je t'ai déjà dit ce que le vieux magicien fait aux enfants qui se présentent en retard en classe ? demanda-t-il en fronçant les sourcils.

Jenifael écarquilla les yeux, se rappelant l'image qu'il avait imprimée dans son esprit du bâton de bois crachant des étincelles brillantes et douloureuses sur la peau des élèves désobéissants. Elle tourna prestement les talons et courut dans l'escalier. Un sourire attendri apparut sur le visage de Wellan tandis qu'il se levait lentement. Lui aussi aurait aimé passer le reste de sa vie avec sa fille unique, mais il devait d'abord et avant tout s'acquitter de son devoir de soldat et protéger Enkidiev.

3

UN TRISTE DÉPART

Lorsque Jenifael arriva au premier étage de la tour, ses amis étaient assis à leur place habituelle autour des tables de travail, mais elle n'aperçut nulle part le magicien. La fillette faisait partie des plus jeunes, dont le nombre dépassait cent. Leurs aînés ayant terminé leur éducation, son groupe devait maintenant étudier dès les premières heures du matin.

Elle se glissa en silence entre Liam et Lassa, presque devenus ses frères depuis qu'elle habitait le château. Elle tendit les mains de chaque côté et les garçons y glissèrent leurs doigts avec amitié.

Les deux gamins étaient fort différents. Lassa était le plus âgé, mais le plus timide aussi. On parlait de lui dans une prophétie quelconque, mais Jenifael n'y avait jamais prêté attention, car le titre de porteur de lumière ne lui disait rien du tout. Pour la fillette, Lassa était un confident attentif et un ami en qui elle avait confiance. Ses cheveux blonds, raides comme de la paille, touchaient à peine ses épaules. Ses yeux bleus n'étaient ni pâles ni sombres, plutôt de la couleur des saphirs qui décoraient certains des beaux bijoux de la collection privée du roi. De sa voix douce comme celle des Elfes, il chantait des chansons qu'il composait sur les exploits de Kira, son idole. Lassa se perdait souvent dans ses pensées durant les cours d'histoire et de magie. Jenifael devait donc le rappeler discrètement à l'ordre pour lui éviter le courroux d'Élund. Elle ignorait encore, à cette époque, que le vieux magicien n'aurait jamais osé réprimander ce protégé des Immortels.

Plus jeune et plus petit, Liam surpasserait sans doute Lassa en muscles et en force. Déjà, à huit ans, il savait fort bien se servir de ses armes de bois. Son courage frôlait la témérité et menaçait même de lui attirer de gros ennuis dans la vie. Il avait de longs cheveux bruns bouclés et des yeux vert clair limpides où rien ne restait caché bien longtemps. Il ne savait ni mentir ni faire preuve de tact. Bien que ces garçons fussent comme le jour et la nuit, Jenifael les aimait autant l'un que l'autre.

– As-tu vu ton père ? chuchota Liam, risquant de se faire punir pour avoir enfreint la consigne qui voulait que les enfants méditent dès leur entrée en classe.

– Oui. Arrête de parler, intima Jenifael.

Ils attendirent en silence pendant de longues minutes, se demandant s'il s'agissait d'un nouveau test de la part d'Élund.

Tous les compagnons de classe de la fillette avaient vu le jour en même temps que Lassa pendant une pluie d'étoiles filantes et chacun d'eux avait manifesté de grands pouvoirs magiques. Très nombreux, ils avaient été divisés en deux groupes. Le premier étudiait avec Élund dans sa tour et le second, avec le magicien Elfe Hawke dans une tour qui servait jadis de garde-manger supplémentaire.

Au bout d'une heure, les élèves commencèrent à remuer sur leurs bancs de bois et à échanger des regards inquiets. Ils savaient que le vieil homme aimait consulter les étoiles la nuit. Il avait souvent du mal à se lever le matin, mais jamais il n'arrivait en retard pour ses cours.

– Je pense qu'on devrait aller voir en haut ce qui se passe, suggéra Liam.

Effrayés, les enfants le dévisagèrent, aucun d'entre eux ne voulant oser un geste aussi audacieux.

– Moi, je pense qu'on devrait attendre encore un peu, protesta Lassa.

– Est-ce que vous ressentez sa présence au-dessus de nous ? demanda Jenifael en levant les yeux au plafond.

Ils sondèrent tous l'appartement supérieur, mais n'y captèrent aucun signe de vie. Où était donc Élund, sinon dans sa tour, à cette heure matinale ? Ayant reçu un enseignement supérieur à ses camarades auprès du Magicien de Cristal lorsqu'il était petit, Lassa étendit ses recherches à tout le château. Il savait que le Roi d'Émeraude nécessitait parfois la présence de son magicien de façon urgente.

– C'est étrange, fit-il en se tournant vers ses amis. Il n'est nulle part.

– Mais c'est impossible, Lassa ! s'exclama Jenifael en bondissant sur ses pieds.

Son geste servit aussitôt d'encouragement au bouillant fils de Jasson, qui fonça vers l'escalier.

– Liam, nous n'avons pas le droit d'aller là-haut ! s'alarma Lassa.

– Je veux seulement jeter un coup d'œil ! Il n'est pas là, de toute façon ! répliqua le gamin espiègle.

Il se mit à gravir les marches sous les regards consternés des autres élèves. Jenifael se précipita derrière lui. Pas question de le laisser écoper seul de la punition à laquelle il s'exposait. Son père lui répétait souvent que les Chevaliers étaient tous frères et qu'ils n'hésitaient jamais à s'entraider. Puisque Liam serait un jour son propre compagnon d'armes...

Lassa les regarda disparaître et hésita : il avait promis à tout le monde, et surtout à Abnar, de bien se tenir dans la classe du magicien d'Émeraude.

– Attendez-moi ! s'écria-t-il finalement en s'élançant dans les marches.

Il s'arrêta à l'étage supérieur et avisa ses acolytes, debout près du lit d'Élund. À sa grande surprise, le vieux magicien était encore couché.

– Comment se fait-il que nous n'ayons pas ressenti sa présence alors qu'il est ici ? demanda innocemment le Prince de Zénor.

– C'est parce qu'il n'est plus vivant, Lassa, répondit Liam en lui décochant un regard aigu.

– Il est mort ! Mais qu'est-ce qu'on fait ?

– Je n'en sais rien, avoua Jenifael, mais mon père, lui, le saura.

Elle ferma les yeux pour entrer en communication avec Wellan tandis que Liam tendait la main pour toucher la peau glaciale du vieil homme.

Wellan brossait son cheval à l'écurie lorsqu'il entendit l'appel de sa fille. Jenifael ne précisa pas pourquoi elle voulait le voir sur-le-champ, mais elle lui parut plutôt inquiète. Il conduisit donc le cheval dans sa stalle, puis croisa ses bracelets magiques pour se retrouver quelques secondes plus tard dans la chambre d'Élund.

Les trois enfants pivotèrent vers lui en même temps, les yeux remplis d'interrogation. Wellan vit le magicien sur son lit, le visage blafard. En le sondant, il se heurta à un grand vide. Faisant taire la peine qui s'emparait de son cœur, il passa une main lumineuse au-dessus de son vieux maître.

– Il est mort, n'est-ce pas ? s'attrista Jenifael.

– Les dieux sont venus le chercher durant la nuit, expliqua Wellan en s'agenouillant pour être à la hauteur des enfants.

– Est-ce qu'il a souffert ? s'enquit Liam.

– Non, mon petit. Il s'est éteint dans son sommeil.

– Est-ce que nous mourrons tous comme lui ? s'effraya le Prince de Zénor.

– Il n'y a que les Immortels qui ne meurent pas, Lassa, répondit Jenifael à la place de son père.

Wellan scruta les traits impassibles d'Élund. Il n'y vit aucune trace de lutte ou de désespoir : il était parti pour le monde des morts dans la sérénité. Mais comme son décès était survenu au milieu de la nuit, le vieil homme n'avait pas eu le temps d'appeler qui que ce soit à son chevet pour faire connaître ses dernières volontés. « Peut-être Hawke les connaît-il déjà ? » supposa Wellan.

Les yeux du grand chef parcoururent la pièce circulaire. Rien n'avait été déplacé. Les chats, encore couchés sur les tablettes des nombreuses étagères qui encombraient la pièce, les observaient avec méfiance.

– Il n'y aura pas de cours aujourd'hui, décida Wellan. Emmenez vos camarades dehors, mais ne leur parlez pas de ce qui est arrivé à Élund. C'est mon devoir de l'annoncer au peuple.

Obéissants, ils hochèrent la tête. « Ils seront de bons Écuyers », se dit Wellan.

– Surtout, ne quittez pas l'enceinte du château, ajouta-t-il.

Ils traînèrent les pieds jusqu'à l'escalier tandis que le grand chef se recueillait près de la dépouille de son mentor. Il avait déjà lu un passage sur les cérémonies entourant la mort d'un magicien dans un vieux grimoire de la bibliothèque. Il n'y avait pas prêté beaucoup d'attention car, à l'époque, il pensait qu'Élund ne les quitterait jamais. Il lui faudrait retrouver ce bouquin, à moins que Hawke ne connaisse déjà ces rites.

Wellan recommanda l'âme d'Élund aux dieux. Il se rendit ensuite aux appartements du roi, après avoir vérifié que les élèves se trouvaient bien dans la cour.

4

Les rites

Avant de franchir les grandes portes dorées des appartements royaux, Wellan inspira profondément. Il pria Theandras, la déesse de Rubis, de mettre dans sa bouche des mots qui ne blesseraient pas le vieux roi, qui avait, pour ainsi dire, grandi avec Élund.

Émeraude Ier était encore en chemise de nuit lorsque le chef des Chevaliers entra dans sa chambre. Les deux serviteurs qui l'aidaient à marcher parurent bien surpris de cette intrusion. Mais le sage souverain comprit, en discernant l'expression grave de son soldat, que quelque chose de terrible venait de se produire. Il exigea que ses valets l'aident à s'asseoir et attendit bravement que le Chevalier pose un genou en terre.

– Qu'y a-t-il, Wellan ? s'inquiéta-t-il d'une voix fatiguée.

– Votre Majesté a perdu ce matin l'un de ses plus précieux collaborateurs, lui apprit le grand chef en levant sur lui un regard triste.

– Élund...

Wellan se contenta de hocher lentement la tête. Émeraude Ier demeura silencieux un moment. Le soldat se demanda ce qui se passait derrière ses iris immobiles.

– Comment est-ce arrivé ? soupira finalement le monarque.

– Il s'est éteint dans son sommeil, sire. Je suis venu m'enquérir de votre volonté au sujet des rites funéraires à observer.

– Je suis le Roi d'Émeraude, mais je ne sais pas tout. J'ignore ce que nous devons faire lorsqu'un magicien quitte notre monde, mais je veux que mon vieil ami soit inhumé convenablement avec tout le respect qui lui est dû.

– Dans ce cas, laissez-moi m'en occuper pour vous.

Émeraude Ier accepta avec un soupir de lassitude, puis ses yeux se remplirent de larmes. Alors Wellan sut qu'il devait partir. Il se redressa et recula de quelques pas avant de pivoter et de quitter la pièce. Il se rendit au hall des Chevaliers, où la plupart de ses compagnons mangeaient à cette heure de la journée. Lorsque Bridgess aperçut l'air sombre de son époux, elle craignit que leur fille ne fût en difficulté.

– Que se passe-t-il ? s'angoissa-t-elle en se levant.

Wellan arrêta le geste de Bridgess d'un regard. Le cœur lourd, il s'immobilisa au bout des deux longues tables parallèles. Le silence tomba sur la joyeuse assemblée.

– C'est certainement quelque chose de très grave, fit Volpel, car il connaissait fort bien le grand Chevalier qui avait été son maître pendant ses années d'apprentissage.

– J'ai une triste nouvelle à vous annoncer, confirma Wellan. Élund est retourné auprès des dieux cette nuit.

Le vieillard avait été le premier mentor de la plupart de ces soldats. Ils baissèrent la tête avec respect. Ils savaient bien qu'aucun homme ne vivait éternellement et que les grandes plaines de lumière les attendaient tous à la fin d'une vie bien remplie, mais ils ne pouvaient s'empêcher d'être affligés d'avoir perdu leur ancien maître.

– Que doit-on faire lorsqu'un magicien quitte cette vie ? demanda Santo.

– Des rites sont prévus dans les grimoires et je vais me renseigner sans délai, assura Wellan. Il va sans dire que notre départ pour la côte est retardé de quelques jours.

– Que pouvons-nous faire pour t'aider ? offrit Falcon.

– Certains de nos compagnons ne sont pas ici ce matin. J'aimerais qu'ils soient mis au courant de la situation sans que nous nous servions de nos pouvoirs, car je ne veux pas alarmer inutilement les enfants magiques.

– Ils finiront bien par se rendre compte que quelque chose ne tourne pas rond, lui fit remarquer Dempsey.

– Certes, mais à ce moment-là, je serai prêt à répondre à leurs questions.

Ses frères et sœurs quittèrent la pièce, à la recherche des Chevaliers absents. Wellan serra Bridgess dans ses bras pendant un moment pour la rassurer.

– Est-ce que Jeni le sait ?

– C'est elle qui l'a trouvé, l'informa le grand chef.

– Alors, nous devrons avoir une discussion à ce sujet avec elle.

– Je suis d'accord, mais d'ici là, nous avons fort à faire. Je crois que ce serait une bonne idée que tu supervises les activités des élèves à l'extérieur pendant que je m'instruis de la procédure funéraire. J'ai demandé à Jenifael, Lassa et Liam de ne pas parler du décès d'Élund à leurs camarades pour l'instant, mais si jamais la nouvelle venait à se savoir, fais de ton mieux pour calmer leurs jeunes esprits.

Elle accepta ses ordres et ils sortirent du hall ensemble. Tandis qu'elle se dirigeait vers la cour, Wellan poursuivit sa route vers l'antre du magicien Hawke. En longeant le couloir de l'étage inférieur du palais, il sonda le bâtiment circulaire avant d'y entrer. Il capta les pensées de l'Elfe : ce dernier ignorait le décès du vieux magicien.

Le grand chef grimpa lentement les marches de la tour de pierre où résonnaient les mots de Hawke, des mots que le Chevalier avait si souvent entendus prononcés par Élund.

– Comme vous le savez déjà, vous possédez tous de puissantes facultés que les dieux vous ont accordées à la naissance. Mais même le plus grand des magiciens a dû, à un moment ou un autre, apprendre à manipuler les forces invisibles qui sont à sa disposition, et ce, jusqu'à ce qu'il les maîtrise. Ce n'est qu'en pratiquant votre art tous les jours que vous deviendrez de grands mages.

Wellan atteignit l'étage. Il s'arrêta sur le seuil, attendri par le spectacle de tous ces enfants assis par terre sur des tapis de laine. L'Elfe tenait une petite boule de bois au creux de sa main et promenait un regard attentif sur ses élèves.

– Qui veut commencer ?

Une fillette tendit le bras. Le globe s'éleva mollement dans les airs, aussi léger qu'une plume. À tour de rôle, les enfants firent valser l'objet au-dessus de leurs têtes avec beaucoup d'adresse. C'est en suivant la course de la sphère que le magicien avisa le Chevalier. Il choisit cependant de ne pas briser la concentration des petits avant la fin de l'exercice. Lorsque le globe revint finalement à lui, Hawke pointa la porte.

– Nous avons un illustre visiteur ce matin, déclara-t-il en masquant son inquiétude, car il avait perçu la tristesse du grand chef.

Toutes les têtes se tournèrent vers le Chevalier légendaire. Wellan tendit la main. La sphère décolla de la paume de leur maître à une vitesse vertigineuse pour aller se loger dans celle du héros. Les enfants écarquillèrent les yeux en murmurant leur admiration.

– Je me suis beaucoup exercé, expliqua Wellan avec amusement.

– Que nous vaut cet honneur, sire ? s'informa l'Elfe.

– J'ai besoin de vous parler, maître.

– Maintenant ?

Le grand Chevalier hocha sèchement la tête en lui bloquant ses pensées. « Il s'agit donc d'une mauvaise nouvelle qu'il ne veut pas annoncer aux enfants », comprit le magicien.

– Les élèves de maître Élund jouent dans la cour en ce moment, annonça Wellan en suggérant subtilement à l'Elfe de laisser les siens les y rejoindre.

– C'est une bonne idée de se délier les jambes durant la journée, acquiesça Hawke avec un sourire aimable. Avez-vous envie d'y aller ?

La réponse joyeuse des enfants ne se fit pas attendre. Bien qu'ils fussent tous de jeunes prodiges, ils aimaient bien s'amuser aussi. Leur maître les laissa donc partir et attendit qu'ils aient quitté le palais pour s'avancer vers Wellan.

– Qu'y a-t-il, sire ? demanda Hawke en croisant ses bras et en cachant ses mains dans les manches de sa tunique.

– Maître Élund est retourné vers les dieux cette nuit.

– Cette nuit ? Mais je n'ai rien ressenti du tout !

– Personne n'a capté son départ, maître Hawke, mais il est mort paisiblement. Le roi le sait et les Chevaliers aussi, mais pas les enfants. Je crois que nous devrions le leur annoncer ensemble.

– Oui, vous avez raison.

– Ce qui me préoccupe surtout ce matin, c'est leur avenir, avoua Wellan. À moins de trouver un apprenti pour vous venir en aide, vous devrez assumer seul leur éducation.

– C'est une lourde tâche pour un magicien qui n'enseigne son art que depuis peu, mais je ferai de mon mieux. Je doute de pouvoir trouver un autre mage sur le continent... à moins que vous réussissiez à persuader maître Abnar de revenir parmi nous.

– Le Magicien de Cristal ne répond plus à nos requêtes depuis longtemps.

L'Elfe se perdit dans ses pensées. Wellan ne le pressa pas. Il attendit que ses yeux verts se posent de nouveau sur lui avant de poursuivre.

– Élund vous a-t-il fait part de ses dernières volontés ? voulut savoir le Chevalier.

– Nous n'avons jamais vraiment discuté de la mort, sauf à une occasion, lorsque j'étais plus jeune, après le meurtre de votre Écuyer Cameron. Il m'a alors dit que l'homme est un esprit incarné dans un corps et que la crémation est la seule façon de le libérer de son enveloppe physique. J'ai donc compris que votre apprenti vivait désormais dans une autre dimension. Mon maître ne m'a malheureusement rien dit sur la façon de disposer de son propre corps.

– J'ai déjà lu un passage sur ce qu'on doit faire lorsqu'un mage quitte ce monde, fit Wellan, mais si Élund a exprimé des volontés différentes, je les observerai.

– Je suis désolé, il ne m'a rien dit. Je pourrais par contre vérifier s'il a laissé des documents à cet égard dans sa tour.

– Je vous en serais reconnaissant.

Les deux hommes descendirent dans la cour où les élèves s'amusaient sous la surveillance de Bridgess : une véritable marée de cheveux blonds, roux, bruns et noirs et de peaux blanches, brunes et dorées. Le Chevalier, elle-même maman d'une de ces élèves, les avait divisés en deux équipes qui se disputaient un foulard coloré avec beaucoup de plaisir. Ignorant toujours sa véritable identité, Jenifael courait comme les autres dans toutes les directions, bien qu'elle fût en réalité une déesse.

Wellan et Hawke les observèrent pendant quelques minutes avant d'interrompre la joute. Lorsque le grand Chevalier leur demanda par voie télépathique de revenir vers lui, ils lui obéirent tous sur-le-champ.

Les petits visages attentifs se pointèrent vers l'Elfe et le chef des Chevaliers, attendant leurs instructions. Hawke leur fit d'abord un discours sur la vie et la mort dans des mots qu'ils pouvaient comprendre, puis leur annonça la triste nouvelle. Leur élan de joie se changea subitement en un océan de tristesse. Wellan les rassura en leur disant que le vieux mage résidait désormais dans le monde des dieux, qui allaient le récompenser pour ses années de loyaux services. Cela sembla les apaiser.

– Et qui sera notre professeur, maintenant ? s'impatienta Liam.

– Ce sera moi, jusqu'à ce que je trouve un autre mage, répondit Hawke. Mais il n'y aura pas de cours jusqu'à ce que nous ayons dit au revoir à notre maître bien-aimé.

L'Elfe leur demanda de poursuivre leurs jeux, ce qu'ils firent avec beaucoup moins d'enthousiasme. Ne voulant pas laisser Bridgess les superviser seule, Wellan requit les services de ses camarades. Il était important d'encadrer les activités de cette centaine d'enfants jusqu'à ce que la vie reprenne son cours normal au château.

Plusieurs des jeunes Chevaliers célibataires répondirent à son appel. Le grand chef exigea évidemment qu'ils continuent de mettre les facultés magiques des élèves à l'épreuve à l'aide d'échanges télépathiques, d'exercices de lévitation ou de créations spontanées dans le sable, mais il leur défendit de leur apprendre l'art d'incendier les objets ou le maniement des armes. Ces petits avaient encore deux longues années d'étude devant eux avant de devenir officiellement Écuyers. Rien ne pressait.

Wellan se dirigea ensuite vers le palais. Chloé et Dempsey venaient d'en franchir les portes.

– Pouvons-nous aussi t'aider ? offrit la femme Chevalier aux yeux tendres.

– Ce serait une bonne idée de veiller sur eux, suggéra Wellan en pointant le groupe dans la cour. Vous savez aussi bien que moi que nos compagnons, à peine sortis de l'enfance, ont tendance à s'emporter lorsqu'ils s'amusent.

– Sois sans crainte, nous calmerons leurs ardeurs, le rassura Dempsey.

Tranquillisé, le grand chef poursuivit sa route vers la bibliothèque. Il ignorait les délais que prescrivaient les dieux dans les cas des funérailles de leurs serviteurs, alors il n'avait pas de temps à perdre.

5

UNE NOUVELLE FACULTÉ

Dans la bibliothèque du palais, Wellan s'arrêta devant les nombreuses étagères en fouillant sa mémoire. Où avait-il vu ce vieux grimoire vingt ans plus tôt ? Tout en ressassant ses souvenirs, il revit dans ses pensées le vieux magicien dans ses robes chatoyantes, armé de son effroyable bâton de bois, tandis qu'il arpentait ces mêmes rayons à la recherche de son étudiant blond de Rubis, qui vivait pratiquement à la bibliothèque à cette époque. Élund avait souvent grondé Wellan lorsqu'il était enfant, puisque ce dernier aimait lire au point d'oublier de manger et de dormir.

Parce que Wellan s'entêtait et refusait de quitter les lieux quand il lisait un ouvrage d'histoire passionnant, le vieux magicien avait dû à maintes reprises le persuader de le suivre en projetant des étincelles brûlantes de son bâton sur ses bras ou sur ses cuisses. Wellan se rappelait encore la douleur...

Il n'avait pas eu beaucoup de contacts avec son vieux maître durant les dernières années, tous les deux ayant eu fort à faire pour protéger le continent, chacun à sa façon. Leurs rares rencontres s'étaient tout de même avérées profitables pour Wellan. De plus, Élund avait toujours su franchir la barrière invisible que le grand chef conservait autour de son cœur et calmer ses questionnements intérieurs.

Le grand Chevalier s'avança entre les tablettes poussiéreuses en se laissant guider par son intuition. Il s'arrêta devant une section chargée de livres défendus. Comme très peu de leurs couvertures étaient identifiées par des titres ou des symboles, il les sonda à l'aide de sa paume sensible. C'était une technique qu'affectionnait le maître du Royaume des Ombres. Wellan l'enseignerait un jour à Jenifael.

Sa main se mit à trembler au-dessus d'un vieux grimoire recouvert de cuir brun roussi par les ans. Il dégagea le gros livre et le porta jusqu'à une table. Il tourna solennellement les pages usées, à la recherche des rites funéraires. En homme curieux, il s'attarda cependant à chacun des textes couvrant les feuillets jaunis, si bien que lorsqu'il trouva enfin le passage qu'il cherchait, le soleil avait déjà commencé à décliner dans le ciel.

Il leva les yeux avec l'intention de rassembler des bougies. De l'autre côté de la table, sa fille l'observait. Pourquoi n'avait-il pas ressenti son approche ?

– Ce n'est pas ta faute, assura Jenifael avec fierté. C'est une nouvelle technique que j'ai apprise aujourd'hui. Je peux maintenant dissimuler ma présence à ma guise.

– Et lequel de mes brillants compagnons d'armes t'a enseigné cela ? s'enquit Wellan en faisant de gros efforts pour ne pas montrer sa contrariété.

– Ce n'est pas un Chevalier.

Jenifael contourna la table. Elle grimpa sur les genoux de son père pour l'embrasser. « Comment peut-on faire des reproches à une enfant aussi délicieuse ? » se demanda-t-il. Il dut se faire violence pour l'éloigner et la fixer droit dans les yeux.

– Dis-moi qui t'a montré à t'éclipser ? exigea-t-il.

– C'est Farrell, l'époux de Swan. Il vit dans une ferme et il vient souvent au palais.

– J'ignorais qu'il vous enseignait la magie.

– C'est juste aujourd'hui, pour nous changer les idées. D'habitude, il ne s'occupe pas de nous.

Wellan avait beaucoup de mal à comprendre pourquoi Farrell, qui en avait déjà plein les bras avec ses deux jeunes fils, aurait ainsi pris le temps de s'amuser avec les élèves d'Émeraude.

– Il est venu au château avec sa famille parce qu'Élund est mort, lui expliqua la fillette. Est-ce qu'il a mal agi, papa ?

– S'il était un Chevalier, je serais obligé de le réprimander, car j'ai exigé des Chevaliers qu'ils ne vous enseignent pas ce genre de magie. Mais Farrell n'est qu'un...

La révélation frappa Wellan de plein fouet : ce jeune paysan, descendant du Chevalier Onyx, époux de Swan depuis trois ans, recevait régulièrement l'enseignement de Hawke. À ce qu'il avait entendu dire, il maîtrisait maintenant ses puissantes facultés, qu'il mettait régulièrement au service des fermiers des alentours en faisant tomber la pluie à volonté et en creusant magiquement des puits.

Wellan n'avait pas eu le temps de fréquenter Farrell, en raison de ses patrouilles sur la côte, mais il lui consacrerait certainement quelques heures avant de repartir. Il envisageait de lui proposer de remplacer Élund.

– Il n'est qu'un quoi, papa ? l'interrogea Jenifael en le tirant de sa rêverie.

– Un homme libre, répondit Wellan, qui ne voulait pas lui avouer le fond de sa pensée.

– Et tu ne peux pas réprimander les hommes libres ?

– Non. Je suis un Chevalier d'Émeraude, pas un roi. Je peux seulement les mettre en garde.

La petite fille blonde se retourna sur ses genoux avec la souplesse d'un félin. Elle posa les mains sur la table, devant le grand livre poussiéreux.

– Tu cherches une histoire à me raconter ?

– Pas tout à fait, non, s'amusa Wellan. Je cherche les rites funéraires qui doivent être observés lorsqu'un magicien quitte le monde des mortels.

– Tu ne les connais pas déjà parce que c'est le premier qui meurt depuis que tu es au monde, n'est-ce pas ?

– Tu es plutôt perspicace pour un petit poussin, Jenifael d'Émeraude, la taquina-t-il avec fierté.

Il l'emprisonna dans ses bras, la ramena contre sa poitrine et parsema son cou de baisers bruyants. Elle éclata de rire. Une fois encore, il remercia Theandras de lui avoir confié la garde de cette enfant merveilleuse qui remplissait chaque instant de sa vie de bonheur.

– Je sais autant de choses que les grands, maintenant ! s'exclama la petite, les yeux remplis de défi.

– J'espère bien que non, se récria Wellan, parce que le plus grand plaisir des mortels, c'est d'apprendre de nouvelles choses tous les jours.

– Même toi ? s'étonna Jenifael en levant les yeux sur lui. Mais tu as vécu beaucoup de jours ! Tu devrais déjà tout savoir !

– Même si je vivais un million d'années, je ne pourrais pas tout connaître du merveilleux univers dans lequel nous vivons. Comme cette cérémonie, par exemple. Je me souviens avoir lu quelque chose à son sujet dans un vieux livre, mais, à l'époque, ce n'était pas vraiment important.

– Mais maintenant, tu dois le retrouver.

– Oui, il le faut si nous voulons dire au revoir à Élund de la façon prescrite par les dieux.

– Moi, je pense que c'est bien inutile, puisqu'il a déjà quitté son corps. Pourquoi se casser la tête pour une coquille vide ?

La simplicité des enfants devant les mystères de la vie surprenait toujours Wellan. Pourtant, il n'avait jamais abordé ce sujet avec sa fille.

– Je ne crois pas qu'il serait bien content que nous jetions son corps dans une fosse sans prononcer au moins quelques mots, répliqua Wellan avec un sourire.

– C'est vrai qu'il peut nous voir du monde des morts, convint Jenifael en hochant la tête. Nous devons faire bien attention, il pourrait se plaindre aux dieux.

– Mais où as-tu appris toutes ces choses au sujet de la mort ? la questionna finalement le père, stupéfait.

– C'est Lassa qui nous en a parlé.

Wellan arqua les sourcils avec inquiétude. Certes, le gamin avait reçu une éducation particulière auprès du Magicien de Cristal, mais n'était-il pas dangereux qu'il partage aussi librement ses connaissances avec des enfants de son âge ?

– Il est très savant, tu sais, ajouta Jenifael.

Elle reporta son attention sur le grand livre. « Il n'est pas facile d'élever une fillette de quatre ans qui se comporte déjà comme une adulte », pensa le grand Chevalier. Quand arrêterait-elle de grandir à une vitesse aussi effarante ? Il voulait profiter de sa jeunesse pendant quelque temps encore, pas accorder sa main à un prétendant dans un an ou deux !

– Parle-moi de ces rites, le pressa sa fille en étudiant la page couverte d'écriture.

– Tu as appris à lire, il me semble, la défia Wellan.

– Oui, mais pas ces gribouillis. Es-tu sûr que le livre n'est pas à l'envers ?

– Non, il ne l'est pas. C'est de l'écriture ancienne, qui date de l'époque où les hommes parlaient une langue différente.

– Et après, ils ne l'ont plus parlée ?

– Ils l'ont modifiée. Tout ce qui existe autour de nous est en perpétuel changement, Jenifael.

– Les humains aussi ?

– Oui. Et il est très important de vivre avec les transformations qui surviennent dans notre vie. Il ne faut pas y résister.

– Est-ce que ces hommes nous ressemblaient ?

– Physiquement, oui, mais ils avaient des mœurs et des coutumes différentes. Ils étaient beaucoup plus près des dieux et ils s'interrogeaient davantage sur leur propre nature.

– Toi, tu sais lire cette vieille langue, n'est-ce pas ?

– Je l'ai apprise avec Élund, et Hawke vous l'enseignera aussi, car beaucoup de livres très importants sont écrits ainsi.

– Traduis ces mots pour moi, papa, je t'en prie.

Du bout de l'index, Wellan traça lentement les lettres en prononçant d'abord les mots dans leur langue d'origine. Il traduisit ensuite chaque phrase dans la langue d'Émeraude. Le livre ne donnait pas d'instructions précises sur la façon de disposer de la dépouille d'un mage, seulement des conseils de nature générale. Par exemple, il était important que le corps soit brûlé de façon magique et que la cérémonie ait lieu à l'air libre, afin que la fumée qui s'élèverait du bûcher monte aussitôt vers le ciel.

Ils procéderaient donc à ce rituel dans la grande cour du château, en présence des Chevaliers et du roi, préférablement la nuit pour que l'aura d'Élund monte vers les étoiles qu'il avait tant aimées de son vivant. Quant au discours de circonstance, le texte était encore plus vague à ce sujet. Il suggérait seulement qu'un proche du défunt rappelle ses exploits et remette son esprit entre les mains des dieux. Mais qui choisir ?

– Ses chats ! suggéra Jenifael. Ils étaient très proches de lui !

– À moins qu'il ne leur ait enseigné à parler, j'ai bien peur qu'ils ne nous soient d'aucun secours, répliqua Wellan en riant.

La grande pièce commençait à devenir de plus en plus sombre et Wellan n'avait toujours pas allumé de bougies. Ils entendirent alors l'appel de Bridgess dans leur esprit. C'était l'heure du repas du soir. Le père pria donc l'enfant de rejoindre sa mère dans le hall pendant qu'il informait Hawke du peu qu'il savait.

La fillette l'embrassa sur la joue et quitta la bibliothèque en même temps que lui. Wellan regarda Jenifael gambader dans le long couloir menant aux quartiers des Chevaliers avec une insouciance qu'il se surprit à lui envier. La vie des enfants était si simple, si pure ! Il soupira profondément en regagnant la tour du défunt magicien.

6

UN COFFRET EN HÉRITAGE

Wellan grimpa à l'étage supérieur de la tour. Plusieurs torches brillaient dans la pièce circulaire. Silencieux et triste, Hawke veillait la dépouille d'Élund. Wellan s'approcha en scrutant son cœur. L'Elfe tentait de faire taire la douleur que lui causait la perte de son maître, car il savait qu'il vivait désormais dans un monde meilleur, mais Wellan sentait tout de même son désarroi.

– Avez-vous trouvé quelque chose ? demanda le grand chef.

– Seulement ceci.

Hawke lui tendit une petite boîte de bois sombre que le Chevalier prit avec révérence. Curieusement, les lettres anciennes sculptées sur le couvercle formaient le nom *Wellan*. Il leva un regard interrogateur sur Hawke.

– Je ne sais pas ce qu'elle contient, je ne l'ai pas ouverte, assura-t-il. Peut-être est-ce un message qui ne concerne que vous. Peut-être s'agit-il de ses dernières volontés.

Wellan contempla le coffret un long moment sans que l'Elfe le presse. Puis, d'une main légèrement tremblante, le grand chef fit jouer le verrou métallique. Le coffre contenait plusieurs rouleaux de parchemin, retenus par des lacets de cuir. Wellan les déposa sur la table de travail. Il en retira la première missive et sentit ses jambes vaciller sous lui dès les premiers mots.

> « *Wellan, mon enfant, si tu lis ces mots, c'est que je suis retourné auprès de nos maîtres.* »

Le grand Chevalier tira un tabouret pour s'asseoir avant de poursuivre sa lecture. Les mains cachées dans les larges manches de sa tunique, Hawke l'observait en épiant ses pensées.

> « *Je t'ai montré une partie de ce que je sais, mais je ne t'ai pas légué tout mon savoir. Tu avais le potentiel pour devenir un grand mage, mais tu as choisi la vie de soldat. J'ai donc respecté ton choix et j'ai dû abandonner mon projet de faire de toi mon apprenti. C'était aussi la volonté du Roi d'Émeraude que tu deviennes un grand commandant d'armée et il a eu raison de t'encourager en ce sens. Tu es un magnifique guerrier.*
>
> « *Tu trouveras dans ce coffre plusieurs choses que je voulais te donner depuis longtemps et un discours que j'aimerais que tu prononces lorsque je serai incinéré de la main magique des Chevaliers que j'ai formés.* »

Wellan aurait préféré que cette lourde tâche revienne à quelqu'un d'autre, mais les dernières volontés d'un défunt étaient sacrées.

« J'ai également consigné mes observations célestes. Je ne t'en ai jamais fait part de vive voix, car je craignais la colère du Magicien de Cristal. »

Hawke et le Chevalier haussèrent les sourcils en même temps. Pourquoi Élund aurait-il eu peur d'Abnar ? La disparition de l'Immortel était-elle reliée aux découvertes du mage ?

« Sois prudent lorsque tu les consulteras, mon petit. Je ne veux pas que tu mettes ta vie en danger. Cependant, ce sont des renseignements que tu dois connaître si tu veux mener à bien ta mission.

« J'ai aussi placé dans cette boîte des lettres pour certaines personnes. Je te charge de les leur remettre lorsque mon corps aura été réduit en cendres. Il y a aussi un petit cadeau pour toi. Je crois que tu le reconnaîtras. C'est un objet convoité depuis des centaines d'années et qu'on pourrait tenter de te ravir. Utilise-le intelligemment.

« Sache, Wellan, que ma vie a été bien remplie et que je ne regrette rien. Ce fut un honneur pour moi de vous connaître, toi et tes frères. Je sais que vous sauverez le continent des griffes de l'empereur des insectes et que les hommes vous en seront éternellement reconnaissants.

« En tout dernier lieu, je veux que tu annonces toi-même au roi que Hawke me remplacera dans toutes mes fonctions. Puisque mon jeune ami Elfe a toujours été trop timide pour s'adresser

directement à Émeraude Ier, ce sera à toi de les rapprocher. Je compte sur toi pour respecter mes volontés, mon enfant, et que la déesse de Rubis continue de guider tes pas. Ton maître, Élund. »

Comment savait-il que Wellan priait secrètement Theandras depuis toujours ? Le grand Chevalier roula le parchemin avec précaution. Il l'attacha avec le lacet de cuir, mais il ne le replaça pas dans le coffre. Il jeta plutôt un coup d'œil aux autres messages et vit des noms écrits sur les rouleaux. Il ne serait donc pas obligé de les ouvrir pour en découvrir les destinataires. « Tant mieux », pensa-t-il avec soulagement. L'un d'eux était adressé à Hawke, mais Élund ne voulait pas que ces lettres soient livrées avant sa crémation. Wellan lui obéirait.

– Il s'agit effectivement de ses dernières volontés, certifia Wellan en se tournant vers l'Elfe. Il m'a laissé un discours à prononcer lorsque nous le brûlerons tous ensemble. Il veut aussi que vous preniez sa place auprès du roi.

Hawke ferma les yeux quelques secondes. Le Chevalier capta son manque de hardiesse. Il allait devoir rassembler son courage, durant les prochains jours, pour assumer le rôle qui lui revenait de droit.

– Je vous aiderai, le rassura Wellan. Le roi est un homme impressionnant, il est vrai, mais il a bon cœur et il est juste.

Le magicien demeura silencieux et le Chevalier fit bien attention de ne pas le sonder : cela lui était désormais interdit, car Hawke était devenu le nouveau magicien d'Émeraude.

– Quand procéderons-nous à la cérémonie ? demanda finalement l'Elfe.

– Cette nuit. Il ne nous sert à rien d'attendre plus longtemps, maintenant. Je vais faire préparer la cour.

Hawke inclina la tête. Wellan lui rendit son salut avec le même respect qu'il vouait autrefois à Élund. Il vit alors rougir l'Elfe et réprima un sourire. Ayant fort à faire, le Chevalier quitta la tour, emportant son trésor avec lui.

7

Le testament d'Élund

Lassa mangea avec les autres enfants dans le hall du palais, ce soir-là, plutôt que dans la tour du Magicien de Cristal. La présence des Chevaliers lui apporta beaucoup de réconfort. Il ne quitta le groupe que lorsque ses amis furent conduits aux dortoirs.

Le petit prince traversa la grande cour à peine éclairée par des flambeaux où les serviteurs s'affairaient à préparer la cérémonie funéraire. Il se souvenait de l'enseignement d'Abnar à ce sujet : l'homme n'était pas seulement un corps vivant, mais aussi une conscience en provenance des royaumes invisibles où il retournait après sa mort. Lassa contempla les premières étoiles. Élund se trouvait quelque part là-haut et il surveillait très certainement les préparatifs de ses funérailles.

Il baissa la tête. Armène, à l'entrée de la tour, lui décocha un regard rempli de reproches. Elle n'aimait pas que son jeune protégé s'attarde sans la prévenir, mais Lassa était si lunatique !

– Est-ce que tu as mangé au moins, petit vaurien ? s'enquit-elle en essayant de se montrer sévère.

– Oui, mais je n'ai pas été bercé, répliqua-t-il avec un sourire charmant.

Il passa devant elle, grimpa à la salle principale, puis monta encore jusqu'à sa chambre. Armène le suivit en silence. Elle aurait bien aimé posséder les pouvoirs des Chevaliers afin de lire les pensées de son petit prince. Mais en l'apercevant près de la grosse berceuse de bois, elle comprit que malgré son air brave, en réalité, son cœur souffrait. Elle prit place dans la chaise. Lassa se hissa sur elle, l'enlaça de ses bras maigres et se blottit contre son cou.

– Les choses vont changer maintenant, Mène, déplora-t-il.

– Tu ne veux pas qu'elles changent, mon lapin ?

– Non...

– Arrête de te faire du mauvais sang avec tout cela.

– Serre-moi fort, Mène. J'ai si peur.

Elle fit ce qu'il lui demandait en l'assurant qu'il n'avait aucune raison de s'inquiéter, surtout que tous les Chevaliers d'Émeraude étaient revenus au château.

– Je ne crains pas l'ennemi, murmura le petit prince. J'ai peur de perdre ceux que j'aime. Je ne veux pas que les dieux les reprennent.

– Ce sont eux qui nous donnent la permission de descendre ici, Lassa, alors ils ont parfaitement le droit de nous rappeler au ciel.

– Je ne veux pas qu'ils t'enlèvent à moi...

Il éclata en sanglots. Armène le serra encore plus fort. Rien de ce qu'elle lui dit ce soir-là ne lui apporta de réconfort. Elle lui chanta donc sa chanson préférée pour lui changer les idées et l'empêcha de sucer son pouce en lui rappelant son âge.

De son côté, Liam rejoignit son père dans le hall des Chevaliers au lieu de monter au dortoir avec les autres. Jasson fut plutôt surpris de voir son fils unique entrer dans la grande salle et encore plus étonné lorsqu'il s'installa sur ses genoux devant tout le monde, car Liam était fier, surtout en présence des grands.

– Est-ce qu'on te l'a dit ? chuchota l'enfant dans son oreille.

– Oui, répondit Jasson. C'est une bien triste nouvelle, mais la vie est ainsi faite, je le crains.

– Est-ce que maman viendra pour la cérémonie ?

– Elle est déjà en route. Est-ce que tu veux l'attendre avec moi ou préfères-tu aller rassurer tes amis ?

– Tu penses qu'ils ont besoin de moi ?

– J'en suis certain. Des Chevaliers sont restés auprès d'eux, mais c'est encore mieux quand ceux de notre âge nous apportent du réconfort dans des moments aussi difficiles.

– Toi, est-ce que ça ira ?

– Je serai brave.

– Dans ce cas, je vais aller faire mon devoir, s'empressa Liam.

Jasson l'embrassa sur le front et le regarda quitter la salle d'un pas décidé. Il se rendit compte que tous ses compagnons avaient suivi l'échange avec intérêt.

– Tu es un bon père, Jasson, le complimenta le capitaine Kardey.

Ce vaillant soldat d'Opale avait quitté son royaume trois ans auparavant pour épouser Ariane, mais ils n'envisageaient pas encore de devenir parents.

– Je fais de mon mieux, lui confia Jasson avec humilité. Il y a des livres sur tous les sujets à la bibliothèque, sauf sur la paternité, alors je suis forcé d'improviser.

– Dans ce cas, écris-en un, suggéra Ariane.

– Je ne suis pas un érudit comme notre grand chef, ricana le Chevalier. Je maîtrise beaucoup de choses, mais pas les mots.

Wellan entra dans la pièce, une curieuse petite boîte de bois dans les mains. Visiblement tendu, il s'immobilisa devant ses soldats en poussant un soupir qui leur fit comprendre que son rôle dans ces événements ne lui plaisait guère.

– Nous procéderons à la crémation ce soir dans la cour du château, annonça-t-il finalement. Les magiciens doivent être incinérés par d'autres magiciens, alors nous le ferons ensemble, puisque nous avons tous été ses élèves. Je ne voudrais pas offenser les Écuyers, mais je crois que seuls les Chevaliers devraient participer à la cérémonie.

Assis auprès de leurs maîtres, les enfants acquiescèrent en silence. D'ailleurs, leurs facultés magiques n'étant pas tout à fait au point, il valait mieux ne pas les faire jouer avec le feu. Wellan demanda à ses compagnons d'aller revêtir leurs costumes d'apparat et de s'apprêter à faire leurs adieux à Élund.

– Les élèves d'Émeraude assisteront-ils au rituel ? demanda Chloé qui venait de les reconduire à leur dortoir.

– Je crois que ce serait une bonne chose, jugea Wellan.

– Il doivent dire au revoir à leur maître, sinon ils ne vivront pas leur deuil, raisonna Falcon.

– Nous demanderons aux serviteurs de les rassembler dans la cour et de ne pas les perdre de vue, décida donc le grand chef.

Ils se séparèrent et Kardey suivit son épouse Chevalier pour se préparer aussi. Cependant, il ne participerait pas officiellement aux rites, ne possédant pour seule magie qu'une épée ensorcelée par Theandras.

– Je n'ai pas vraiment connu cet homme, car nous avons passé presque tout notre temps à la guerre, dit-il à Ariane, mais on dirait que vous lui étiez très attachés.

– Nous avons presque tous appris à lire, à écrire et à maîtriser la magie auprès d'Élund, mais il était aussi notre conseiller. Il nous manquera.

Quelques pas devant eux, Kira marchait en silence. Son époux, Sage, n'osait pas lui parler. Il se servit plutôt de ses facultés magiques pour sonder son esprit. Le magicien d'Émeraude n'avait jamais éprouvé de tendres sentiments envers la fille de l'Empereur Noir, qu'il avait souvent qualifiée de démon. Pourtant, Kira éprouvait du chagrin. Sage glissa doucement ses doigts entre ceux de sa femme en lui transmettant une vague d'apaisement.

– Même s'il ne t'aimait pas, je suis certain qu'il avait de l'admiration pour ta magie, tenta le jeune homme.

Kira posa un regard reconnaissant sur lui. Il était devenu si beau et si brave depuis son arrivée dans l'Ordre ! Elle ne put s'empêcher de penser que le Magicien de Cristal s'était certainement trompé lorsqu'il lui avait prédit deux maris...

Au lieu de suivre ses compagnons, Bridgess demeura dans le hall. Elle s'approcha de son époux et scruta ses yeux bleus profondément inquiets.

– Il y a quelque chose que tu ne nous dis pas.

– Élund m'a laissé une allocution à prononcer devant tout le monde, avoua Wellan.

– Ne viens pas me dire que cela t'intimide.

– Ce ne sont pas mes mots, mais ceux d'un autre.

– Raison de plus pour ne pas en porter la responsabilité.

Elle l'embrassa tendrement, puis lui demanda de l'accompagner à leur chambre pour changer de vêtements. Pendant qu'ils s'habillaient, elle lui annonça qu'elle s'occuperait des enfants et prendrait sa place auprès de lui au moment de l'incinération. Il l'écouta d'une oreille distraite et la vit partir. Il savait bien qu'elle ne se portait volontaire auprès des élèves que pour avoir l'œil sur Jenifael.

Seul de nouveau, il ouvrit le coffret. Il déroula le discours en retenant son souffle. Pour éviter d'y trouver des surprises en même temps que tous les habitants du château, il le parcourut rapidement et fut soulagé de n'y lire que des mots d'adieu.

Il y avait également dans la boîte un autre rouleau, un peu plus épais. Il devina qu'il contenait les observations célestes du vieil homme. Il ne l'ouvrit pas tout de suite, sachant qu'il ne pourrait pas s'arrêter avant d'en avoir terminé la lecture. Or, les rites funéraires allaient commencer sous peu.

Il retira du coffre toutes les lettres qu'il remettrait au nom d'Élund. À plat, tout au fond, se cachait un petit sac de velours sombre. Ses doigts palpèrent une forme circulaire. Prudemment, il desserra les cordons et laissa glisser l'objet dans sa main : un médaillon d'argent sur une chaînette. Un magnifique rubis ornait son centre et tout autour apparaissaient de curieuses inscriptions dans une langue étrangère. Il retourna le bijou et découvrit un sigle gravé dans le métal précieux.

« *Il y a aussi un petit cadeau pour toi. Je crois que tu le reconnaîtras* », disait Élund dans sa lettre.

Wellan fouilla sa mémoire. Élund le croyait capable d'identifier cet objet par lui-même... Lui en avait-il parlé autrefois ? Il lui était impossible de faire des recherches à la bibliothèque avant la cérémonie. Il remit donc le joyau dans son étui et le rangea au fond de la boîte.

Par voie télépathique, Falcon l'avertit que tout était enfin prêt. Les gens commençaient à se rassembler dans la cour. Le grand Chevalier s'empara du coffre de bois et se hâta vers l'extérieur.

8

UN DERNIER HOMMAGE

Des torches avaient été allumées sur les murailles pour que les gens puissent circuler sans danger dans la cour. En y mettant les pieds, Wellan avisa les élèves d'Émeraude rassemblés en un troupeau serré par leurs gardiens. Quelques Chevaliers circulaient parmi eux, dont Bridgess et Chloé. Le visage ravagé par la tristesse, le roi attendait dans un fauteuil, entouré de ses fidèles serviteurs et conseillers.

Wellan vit aussi Nogait tenant dans ses bras son fils endormi : un demi-Elfe qui changerait certainement le cours de l'histoire. À ses côtés, la Princesse Amayelle caressait le dos du gamin. Catania, l'épouse de Bergeau, n'était pas venue, car il lui aurait été impossible de faire tenir trois jeunes enfants tranquilles tandis qu'elle en portait un quatrième, mais Sanya accompagnait Jasson, son mari. Un peu plus loin, Farrell retenait son fils aîné qui cherchait constamment à lui échapper. Près de lui, Swan berçait leur bébé. Tous les Chevaliers portaient leur costume d'apparat.

Wellan posa un genou en terre devant le roi pour lui annoncer qu'il était prêt à prononcer le discours du magicien. Émeraude Ier fit signe aux serviteurs d'apporter le corps d'Élund. Dans un silence rempli de révérence, le défunt fut transporté sur un brancard et placé sur un échafaudage au milieu de la cour. Hawke marchait derrière la petite procession. En voyant que l'Elfe ne savait plus trop où aller, Wellan s'empressa de le ramener auprès du monarque. Les joues rouges de timidité, le nouveau magicien d'Émeraude prit place à la gauche du roi après l'avoir salué d'un furtif mouvement de la tête.

Lassa sortit de la tour du Magicien de Cristal, suivi d'Armène qui voulait veiller sur lui. Mais le petit prince courut rejoindre le groupe compact des élèves et se fraya un chemin jusqu'à ses deux amis. Nerveusement, il glissa sa main gauche dans celle de Jenifael et sa main droite dans celle de Liam.

– C'est seulement une cérémonie pour la forme, Lassa, murmura la fillette, qui ressentait son chagrin. Tu sais bien que son esprit n'est plus dans son corps.

La gorge serrée, Lassa ne répliqua pas. Il n'avait pas connu ce magicien aussi longtemps que ses compagnons de classe, mais le vieil homme lui manquait déjà.

Wellan s'approcha du catafalque. Les serviteurs n'avaient pas enveloppé Élund dans un linceul afin que tous puissent voir son visage une dernière fois. Le grand Chevalier prit le rouleau du discours et déposa le petit coffret à ses pieds. Il aurait préféré qu'un autre procède à ce rituel à sa place, mais c'était lui qu'Élund avait choisi. Rassemblant son courage, il fit face à l'assistance, tournant le dos au défunt.

– Le magicien Élund d'Émeraude m'a demandé de vous lire cette lettre qu'il a écrite en prévision de son départ pour les grandes plaines de lumière, déclara-t-il d'une voix forte.

Lassa éclata en sanglots. Ni Jenifael ni Liam n'arrivèrent à le calmer. Ses pleurs commencèrent à se propager aux autres enfants autour de lui. Alors Kira décida d'intervenir. Elle alla prendre le petit prince éploré dans ses bras et le porta à Armène qui se tenait derrière le groupe.

Wellan suivit la scène avec le cœur lourd, mais il ne pouvait pas interrompre le cérémonial. Il déroula plutôt le parchemin dont il devait faire la lecture. Se servant de la magie apprise auprès de Nomar, il illumina le papier de l'intérieur. Les serviteurs murmurèrent entre eux avec admiration, mais pour le reste de cette assemblée magique, il s'agissait d'un procédé familier, même si la plupart étaient incapables de le reproduire.

– Si Wellan vous lit cette dernière lettre de ma main, c'est que mon âme aura quitté mon corps, commença le grand Chevalier. Je ne crois pas que beaucoup d'entre vous s'en souviennent, mais je suis né pendant une éclipse de la saison chaude, dans un petit village du Royaume de Rubis.

En effet, personne ne savait quoi que ce soit du passé du vieux magicien. Il semblait plutôt avoir surgi du néant en même temps que la forteresse d'Émeraude. Il était donc originaire de Rubis, tout comme Wellan. « Est-ce pour cette raison qu'il a toujours eu une préférence pour le grand Chevalier ? » se demanda Jasson.

– J'ai étudié sous l'œil vigilant du magicien Allika, qui servait le Roi de Perle à l'époque. Puis, à la fin de mon apprentissage, j'ai erré sur Enkidiev pour parfaire mes connaissances de la géographie et de l'histoire. Comme je vous l'ai enseigné, il n'y a rien de tel que l'expérience pour bien comprendre les choses. Les livres ne servent qu'à compléter notre savoir pratique. Je suis arrivé au Royaume d'Émeraude à l'âge de trente ans et mon vieil ami, le Roi

Émeraude Ier, ne m'a plus jamais laissé repartir. Nous avons souvent discuté du passé, lui et moi. Nous avons aussi découvert des documents sur les anciens Chevaliers d'Émeraude. C'est lui qui a eu l'idée de ressusciter l'Ordre, mais sur des bases plus saines. Il a rédigé les règlements initiaux et, lorsque j'ai perçu une grande menace dans le ciel, nous avons décidé de mettre ce projet à exécution. J'ai eu le bonheur d'enseigner à chacun d'entre vous et je veux que vous sachiez que, malgré l'indiscipline de certains, je vous ai tous aimés comme mes propres enfants. Même si je n'ai pas toujours su vous le dire, vous m'avez souvent rendu très fier. Je pars pour le monde des morts l'esprit en paix, car je sais que le Chevalier Wellan, le Roi d'Émeraude et le magicien Hawke s'occuperont de vous. Ma contribution est faite. Le temps est venu pour moi de me reposer. J'intercéderai auprès des dieux pour que vous écrasiez l'empereur des insectes une fois pour toutes et pour que vous instauriez une nouvelle ère de paix et de prospérité sur le continent. Mais, aujourd'hui, lorsque vous aurez incendié ma dépouille, oubliez tous vos tourments. Donnez une grande fête en mon honneur. Je suis vraiment honoré de vous avoir tous connus personnellement et je vous souhaite tout le bonheur que vous méritez. Votre dévoué serviteur, Élund d'Émeraude.

Wellan inspira profondément pour contenir sa peine. La lumière qui avait éclairé le papier s'amenuisa. Le silence régnait dans la cour et l'on n'entendait plus que les sanglots étouffés de Lassa dans les plis de la tunique d'Armène. Le grand chef s'éloigna du défunt en emportant son petit coffre de bois avec lui. Il se plaça à une distance sécuritaire de l'échafaudage puis demanda à tous les Chevaliers de former un cercle autour du corps d'Élund.

Nogait remit son fils endormi à Amayelle et Swan fit signe à la femme de Jasson de bien vouloir veiller sur son bébé, puisque Farrell en avait déjà plein les bras avec leur aîné. Tous les Chevaliers s'avancèrent, à l'exception de Wanda : sa grossesse avancée ne lui permettait pas d'utiliser sa magie sans mettre en danger la vie de l'enfant qui remuait dans son ventre. Elle resta donc en retrait avec les épouses de ses frères, observant la scène avec respect.

Wellan avertit ses soldats de n'émettre des rayons incendiaires que d'une seule paume pour allumer le bûcher et surtout de s'abstenir de le faire exploser. L'avertissement fit sourire tout le monde sauf Kira, qui savait bien que cette recommandation s'adressait à elle. Chacun illumina sa main droite et des rayons incandescents jaillirent, mettant instantanément le feu au catafalque. Les soldats vêtus de leurs belles cuirasses vertes reculèrent ensuite pour regarder se consumer le corps du vieil homme.

« Les temps vont changer », devina Wellan en suivant des yeux la spirale de fumée qui montait vers le ciel. Possédant une connaissance moins étendue de la magie que les Immortels, Élund l'avait tout de même enseignée avec une poigne de fer. Il n'était pas aussi certain que Hawke s'imposerait de la même façon. Le roi le rappela alors à ses côtés.

– Élund voulait que je donne une grande fête une fois son corps incinéré, mais il se fait tard, prononça Émeraude Ier. Il serait préférable que nous ne le fassions que demain. Ce soir, j'aimerais me retirer pour prier.

– Il en sera fait selon votre volonté, bien entendu, acquiesça Wellan. Puis-je suggérer à Sa Majesté de permettre au magicien Hawke de le raccompagner au palais ?

En retrait du fauteuil royal, l'Elfe rougit jusqu'au bout de ses oreilles pointues. Il connaissait évidemment Émeraude Ier pour avoir quelquefois accompagné Élund dans ses fonctions à ses côtés, mais il n'avait jamais eu à s'adresser officiellement à lui.

– Il sera désormais votre confident et votre premier serviteur, poursuivit Wellan. Je pense que ce serait une bonne idée que vous commenciez à mieux vous connaître.

Le roi se tourna vers le nouveau magicien d'Émeraude, presque caché dans les plis de sa tunique et de sa cape.

– Il y a en effet plusieurs choses dont j'aimerais l'entretenir, signala le monarque.

Hawke s'inclina, mais son visage demeura cramoisi. Les serviteurs aidèrent Émeraude Ier à se lever et ils regagnèrent le palais avec le magicien et les dignitaires.

Bridgess, Chloé et quelques-uns des Chevaliers poussèrent les enfants vers les dortoirs. Jasson, Sanya et Bergeau vinrent s'assurer que Wellan n'avait plus besoin d'eux. Rassurés, ils se mirent en selle afin de retourner sur leurs fermes. Pour sa part, Swan choisit de dormir au château, dans son ancienne chambre. Elle se dirigea vers le hall avec Farrell et ses deux enfants, imitant ainsi certains des Chevaliers qui devaient mettre leurs Écuyers au lit.

Bientôt, Wellan se retrouva seul dans la grande cour, à regarder fumer les cendres. Il était obsédé par le médaillon que lui avait légué Élund et par ce qu'il venait d'apprendre sur son vieux maître. Il ignorait que le vieux magicien venait du Royaume de Rubis. Combien d'autres secrets avait-il ainsi emportés avec lui dans l'autre monde ?

Le grand Chevalier se remémora les cours d'Élund sur les objets magiques et les talismans, sans pouvoir identifier le mystérieux bijou. Son fils de lumière apparut près de lui, le faisant sursauter.

– Je comprends votre peine, père, déclara l'adolescent céleste.

Il avait le même âge que Lassa mais, apparemment, les Immortels ne grandissaient pas au même rythme que les humains. Dylan semblait avoir au moins cinq ans de plus que le porteur de lumière.

– Si je devais aussi perdre l'un de mes maîtres divins, je ne m'en remettrais jamais.

– Heureusement, les dieux ne meurent pas, lui rappela Wellan.

– Je ne serais pas surpris que cela finisse par se produire, vous savez, car il se passe des choses vraiment étranges dans les royaumes invisibles. Nous n'arrivons toujours pas à retrouver Abnar.

Wellan arqua un sourcil. Comment un Immortel pouvait-il ainsi disparaître ? À moins que...

– Non, le rassura Dylan. Les Immortels ne peuvent pas mourir dans le sens où vous l'entendez. Ils peuvent parfois être détruits par les dieux, mais il s'agit d'une cruelle punition qui n'a pas été imposée depuis des siècles.

– Dans ce cas, où Abnar a-t-il bien pu aller ?

– C'est là un bien grand mystère. J'espérais que vous pourriez me le dire.

– Moi ? s'étonna Wellan.

– Vous êtes l'humain le plus instruit de votre monde.

– Je ne possède pas la faculté de voir au-delà de mes limites terrestres, Dylan. Si Abnar a choisi de se cacher dans un endroit magique connu de lui seul, comment le saurais-je ?

– Vous possédez désormais une arme puissante.

« Le médaillon », comprit Wellan.

– Que le magicien Élund m'a remise sans mode d'emploi, je le crains, déplora-t-il.

– Je ne peux pas vous en révéler les pouvoirs, car la déesse de Rubis me l'a défendu, l'avertit Dylan, mais elle tient à ce que vous sachiez qu'elle vous sera un jour d'un grand secours.

– Elle ne t'a pas dit quand, à tout hasard ?

L'Immortel secoua la tête avec un sourire amusé.

– Je suis aussi venu vous dire que j'ai vu le magicien d'Émeraude passer dans l'autre monde.

– Lui as-tu parlé ? s'enquit Wellan.

– Non. On l'a accompagné assez rapidement jusqu'aux portes des grandes plaines de lumière.

– Est-ce là que vont aussi les Immortels qui ont achevé leur mission ?

– Non. Ils accèdent aux plans supérieurs, là où réside Parandar.

– Deviennent-ils alors des dieux ? voulut savoir le père.

– Non. Ils reprennent tout simplement leur place aux côtés de leurs créateurs.

– Ils ne vont donc pas au même endroit que les créatures inférieures, raisonna Wellan.

– Ne rabaissez pas ainsi les humains, père. Ils ont une valeur considérable aux yeux des dieux.

– Je suis désolé, Dylan. Je suis plutôt amer, ce soir.

L'Immortel posa la main sur le bras du grand chef. Ce dernier ressentit soudain un bienfaisant réconfort.

– Theandras m'a aussi chargé de vous dire que l'Empereur Noir a recommencé à rassembler ses troupes. Il s'impatiente, ce qui est plutôt inhabituel chez lui.

Wellan estima que les Chevaliers ne pourraient pas demeurer longtemps à Émeraude. Ils devaient retourner protéger la côte.

– Et je ne peux vraiment pas quitter le château sans trouver un apprenti qui viendra en aide à Hawke. Ce jeune Elfe, aussi doué soit-il, ne peut pas s'acquitter seul de la lourde tâche d'éduquer une centaine d'élèves.

– Vous trouverez quelqu'un. Vous réussissez toujours ce que vous avez décidé d'accomplir.

– Je retiens le compliment, jeune homme.

Wellan observa les yeux bleus de Dylan pendant un moment en songeant que ses enfants vieillissaient trop rapidement.

– Vois-tu ta mère de temps en temps ? demanda-t-il finalement.

– Non. Les dieux lui ont confié un autre rôle. Comme je vous l'ai dit, il se passe des choses anormales dans notre monde. Je crois qu'il s'agit d'intrigues ou de complots, mais je ne suis certain de rien.

Le visage de Nomar apparut dans les pensées de Wellan, mais ce n'était guère le moment de faire part de ses doutes à Dylan.

– Peu importe ce qui se passe là-haut, je préférerais que tu n'y sois pas mêlé, se contenta-t-il de lui dire.

– Je ferai de mon mieux, mais j'ai aussi hérité de la curiosité de mon père terrestre.

Un large sourire fendit le visage sérieux de Wellan. Avant qu'il puisse répliquer, Dylan s'inclina devant lui et s'évapora.

En se dirigeant vers le palais, le grand Chevalier ne put qu'admettre que la longue absence d'Abnar était curieuse en effet. Toute sa vie, il avait imaginé que les mondes invisibles étaient un bien meilleur endroit que l'univers physique. Il était plutôt découragé d'apprendre que c'était faux. Il espéra seulement que son fils de lumière ne se retrouverait pas coincé dans ces manigances.

9

RÉVÉLATIONS

Wellan entra dans l'aile des Chevaliers, sa petite boîte de bois ouvré dans les mains. Il bifurqua dans le hall, désert à cette heure. Des relents du repas du soir flottaient encore dans l'air. Seules quelques torches brûlaient toujours. Le grand chef tira un banc près de l'âtre et fouilla à nouveau dans le coffret. Il désirait être seul afin de lire les observations consignées par Élund.

Il prit le plus gros des rouleaux de parchemin, en détacha le cordon de cuir et le déroula avec prudence. Utilisant sa magie, il illumina le papier de l'intérieur.

> « *Je suis Élund, magicien d'Émeraude, et voici les observations que j'ai eu l'occasion de faire dans le ciel en l'an cent quatre-vingt du règne d'Émeraude Ier. Au début, la prophétie était on ne peut plus claire, mais le ciel s'est souvent brouillé depuis. Alors que nous avons cru le porteur de lumière en sécurité parmi nous, il semble maintenant que sa vie sera maintes fois menacée, même en ces lieux protégés. Il est bien difficile de prédire l'ordre du temps dans les étoiles, car l'avenir est sans cesse en mouvement. Les cieux semblent indiquer que l'ennemi l'attaquera au*

> *moins une fois durant son enfance et plusieurs fois dès ses premières années de vie adulte. Cependant, un gros nuage stellaire m'empêche de voir le résultat final de tous ces attentats.* »

« À l'âge adulte », nota Wellan en prenant la résolution de faire de Lassa son Écuyer dès qu'il serait assez vieux. De cette façon, il pourrait le protéger tout en lui apprenant à se défendre au cas où ni Kira ni lui ne pourrait lui venir en aide.

> « *Le destin de l'humanité aussi a changé. Les temps de paix ont été repoussés et il y a de fortes chances que je ne vive pas assez longtemps pour les connaître. L'Empereur Noir tentera surtout de se débarrasser de ses soldats les moins méritants en usant les forces des Chevaliers, puis la guerre éclatera sur le continent. Elle fera de nombreuses victimes, mais les étoiles semblent en faveur d'une victoire de notre race. J'espère seulement que cette tendance persistera et que les dieux continueront à nous assister. Le ciel parle aussi de la résurrection d'un héros oublié qui étonnera tout le monde par son courage et son abnégation. Je suis incapable de trouver plus de détails à son sujet dans les étoiles ou dans les livres de prophéties. Je ne puis donc dire s'il s'agit d'un homme ou d'une femme. Tout ce que je sais, c'est qu'il reviendra de la mort pour rétablir l'ordre sur Enkidiev. Seuls les dieux ont le pouvoir de redonner la vie à ceux qui l'ont perdue, et je les remercie déjà pour ce cadeau qu'ils feront aux humains dans leurs instants les plus sombres.* »

Wellan sentit la présence de Bridgess dans la pièce. Il abaissa le parchemin, qui perdit sa luminosité. Son épouse ne portait plus son beau costume d'apparat. En chemise de nuit toute simple, elle s'approcha sans lui reprocher son absence au lit. Il remit le rouleau dans la boîte sur le sol et laissa Bridgess s'asseoir sur ses genoux. Il la serra un moment contre lui, sondant son cœur, puis la regarda dans les yeux. La mort du magicien l'attristait beaucoup.

– Dylan l'a vu entrer dans le monde des morts, souffla Wellan dans son oreille. Il n'a pas souffert.

– Je sais...

– Comment ?

– Son visage était paisible. Il semblait évident qu'il était parti en douceur.

– J'oubliais ton fantastique sens de l'observation.

Wellan l'embrassa dans le cou avec tendresse.

– Jenifael tient-elle le coup ? voulut-il savoir.

– Elle est beaucoup plus raisonnable que moi. Elle dort déjà à cette heure et elle m'a même aidée à rassurer ses amis. Elle se comporte en adulte alors qu'elle n'a que quatre ans ! Parfois, cela me fait vraiment peur, Wellan.

– Moi aussi, mais nous savions qu'elle était la fille de la déesse de Rubis lorsque nous avons accepté de devenir ses parents.

– Je ne désire pas la voir grandir trop rapidement. Je veux qu'elle profite de son enfance lorsque nous aurons écrasé l'ennemi une fois pour toutes et que la paix régnera enfin sur le continent.

– Tu es plutôt optimiste tout à coup, sourit le grand Chevalier.

– Le bien triomphe toujours du mal. C'est écrit dans tous les livres d'histoire. L'empereur paiera pour ses crimes et les dieux nous combleront de bonheur jusqu'à la fin de nos jours.

– C'est aussi mon vœu.

Elle farfouilla dans ses cheveux avec le bout de son nez et embrassa la peau chaude sous son oreille. Habituellement, ce geste aurait provoqué une réaction amoureuse chez lui, mais son esprit s'était remis à errer.

– Ce n'est pas le discours d'Élund que tu es en train de lire, n'est-ce pas ? l'interrogea Bridgess en se blottissant contre lui.

– Non. Notre vieux maître m'a laissé en héritage ses derniers commentaires sur les étoiles.

– Sont-ils encourageants ?

– Pas vraiment.

Bridgess recula sur ses genoux pour observer son visage, qu'elle pouvait désormais interpréter avec une étonnante justesse.

– Le peu que j'ai lu avant que tu arrives était plutôt sombre, avoua-t-il.

Elle alla chercher un banc, ce qui fit comprendre à Wellan qu'elle ne le laisserait pas tranquille avant qu'il lui en dise davantage. Alors, il lui résuma les quelques lignes qu'il avait déjà parcourues.

– Non, ce n'est pas très prometteur, en effet, sauf pour la prédiction au sujet du héros, conclut-elle. Je me demande bien qui c'est.

– À moins que quelqu'un n'accepte de poursuivre le travail de notre défunt maître, je crains que nous n'apprenions son identité que lorsqu'il reviendra parmi nous.

– As-tu l'intention de lire le reste de ce parchemin ce soir ?

– Tu sais bien que je ne pourrai pas me coucher avant de l'avoir terminé. Mais si tu n'as pas trop sommeil, nous pourrions le faire ensemble.

Un large sourire illumina le visage de Bridgess. Il poursuivit donc la lecture là où il l'avait laissée, tandis qu'elle se penchait par-dessus son épaule.

> « *Les étoiles parlent aussi d'un étrange complot. Je dis "étrange", car il n'est pas ourdi par les hommes. En fait, il semble qu'il se prépare quelque chose de sombre et de terrifiant dans les mondes invisibles. Il m'a toujours été difficile de faire confiance aux Immortels, parce qu'ils s'entourent constamment d'un écran protecteur qui nous empêche de lire leurs pensées. Celui qui n'a rien à se reprocher n'a nul besoin de dissimuler ainsi son cœur. Ces créatures immatérielles disent servir les dieux et elles ont commencé à veiller sur les humains à la demande de leurs maîtres, mais je ne crois pas que cela leur fasse vraiment plaisir. Je n'ai eu qu'à observer le Magicien de Cristal pour voir à quel point cette tâche lui semblait indigne de lui. Nous n'avons pas souvent discuté,*

tous les deux, car il évitait le plus souvent possible de se retrouver en ma présence. D'ailleurs, les rares fois où cela s'est produit, il s'est montré peu bavard au sujet de son monde. Je n'ai donc jamais pu savoir combien il y a d'Immortels dans l'univers ni comprendre leur fonction exacte. »

– Mais ton fils pourra sans doute répondre à ces questions, supposa Bridgess pour encourager Wellan.

– Si les dieux le lui permettent, répliqua Wellan. Et il ne faut pas oublier non plus qu'il est aussi têtu que moi. Il pourrait refuser de me révéler ce qu'il sait pour me protéger.

– S'il a seulement la moitié de ton intelligence et de ton intégrité, il comprendra que c'est son devoir de tout te dire.

Un sourire ravi apparut sur les lèvres du grand Chevalier. Assise ainsi, à lui dire exactement ce qu'elle pensait, Bridgess lui rappelait l'époque où elle était son Écuyer.

– Il sera un héros comme toi, Wellan, c'est inévitable.

Pour échapper à l'embarras que suscitaient ces compliments, le Chevalier décida de poursuivre la lecture du parchemin.

« *J'ai découvert de vieux documents dans une armoire de ma tour. Je ne me souviens plus exactement quand ils y furent déposés, mais je devais être très jeune, car je n'en avais pas compris la portée à l'époque. Je les ai donc rangés dans un coffre sous mon lit, si quelqu'un veut un jour les consulter... Mais j'en ferai quand même ici un court résumé. Apparemment, un autre Immortel a lui aussi offert ses services à un Roi d'Émeraude il y a cinq cents ans. Je trouve bien curieux que ces créatures ne se matérialisent dans le monde des mortels que lorsque l'Empereur Amecareth commence à éprouver des envies de conquête. Il se pourrait que ce soient les dieux qui nous les envoient pour nous assister dans ces temps très sombres, mais je crains que leur soudain intérêt dans nos affaires soit d'une tout autre nature. Cet Immortel s'appelait Nomar.* »

– Comme celui d'Alombria ? s'étonna Bridgess.

– Manifestement, mais voyons ce qu'en dit Élund.

« *Selon ces documents, il s'est présenté au Roi Jabe afin de protéger un enfant mauve comme Kira, mais je n'ai trouvé aucune mention d'une prophétie quelconque à propos de cet hybride.* »

Wellan s'arrêta net en posant un regard stupéfait sur son épouse. Nomar lui avait pourtant affirmé être arrivé trop tard pour sauver le petit garçon mauve. Pourquoi lui aurait-il menti ?

– Cela n'a aucun sens ! s'exclama-t-il. Onyx prétend, dans son journal, que Nomar a été son maître ici même au château et Élund le confirme dans cette lettre. Alors pourquoi Nomar m'a-t-il dit n'avoir jamais quitté Alombria ? S'il était auprès du Roi d'Émeraude lorsqu'il a immolé l'hybride, pourquoi n'a-t-il pas utilisé ses pouvoirs pour l'en empêcher ? Était-il venu, au contraire, pour s'assurer que ce petit garçon mourrait ?

— Mais le Nomar que tu as connu protégeait les rejetons d'Amecareth. Pourquoi aurait-il laissé le Roi Jabe tuer celui-là ?

– Rappelle-toi que, malgré la puissante magie du maître, tous ses protégés ont péri dans un terrible incendie.

– Allumé par le sorcier Asbeth.

Wellan se rappela les dommages causés à la ville souterraine d'Alombria et les dragons géants ressentis par ses frères dans les galeries. Seule Jahonne avait été miraculeusement sauvée des flammes meurtrières.

– Nomar les aurait tous tués ? s'étonna Bridgess.

– Nous savons que le corps physique d'un Immortel dans notre univers n'est qu'une projection, expliqua-t-il en perdant son regard dans l'âtre. Or, lorsque nous avons revu Nomar après l'incendie, il était en bien piètre état, ce qui est illogique, Bridgess. De plus, les Immortels sont des êtres qui maîtrisent parfaitement leurs émotions et Nomar était en pièces !

– Tu penses qu'il s'agissait d'une mise en scène ?

– C'est de plus en plus évident. Lorsqu'il est venu nous prêter main-forte sur la plaine enneigée de Shola pour neutraliser Asbeth, il avait repris son aplomb. Et ce qui est encore plus curieux, c'est que le sorcier ait repéré Alombria. Ce sanctuaire était protégé par un puissant écran d'invisibilité. Nomar l'a peut-être fait disparaître sciemment.

– Mais pourquoi aurait-il détruit le travail de toute sa vie ?

– C'est là le véritable mystère, soupira Wellan. Asbeth n'avait certainement pas le pouvoir de détruire seul Alombria et ces dragons ne provenaient pas du continent de l'Empereur Noir. S'ils étaient arrivés avec le sorcier, nous aurions trouvé des traces dans la neige en marchant vers le Royaume des Ombres, mais nous n'avons rien vu. Ou bien ils vivaient déjà dans ce monde souterrain ou bien ils n'étaient qu'une illusion, eux aussi. Et pourquoi Jahonne a-t-elle survécu dans une galerie où tous les autres sont morts ?

Bridgess haussa les épaules.

– Parce qu'elle était la mère de Sage ? questionna Wellan. Parce que Sage était destiné à devenir le conjoint de Kira ? Tu m'as raconté qu'il est tombé amoureux d'elle en la voyant pour la première fois, n'est-ce pas ?

– C'est exact.

– Alors, il n'est pas impossible que Nomar ait créé cette émotion dans le cœur du jeune hybride afin de s'assurer qu'il l'épouse. Connaissant la loyauté et la compassion des Chevaliers d'Émeraude, il savait qu'un lien s'établirait aussi entre Kira et Jahonne.

– Wellan, je ne te suis plus, avoua Bridgess en plissant le front.

– Selon moi, le Nomar qui a laissé le Roi Jabe exécuter le petit garçon mauve est le même que celui qui régnait sur Alombria, alors il est clair qu'il a l'intention de faire subir le même sort à Kira.

– Comment ?

– En se servant de Jahonne pour l'attirer dans un piège.

– Alors tu t'inquiètes pour rien. Contrairement au petit garçon mauve exécuté par le Roi Jabe, Kira est parfaitement capable de se défendre. Abnar ne laissera rien lui arriver de toute façon. Il veille sur elle depuis qu'elle est toute petite.

– Mais même les dieux ne savent pas où il se trouve ! Dylan me l'a confirmé.

Un frisson d'effroi secoua Bridgess.

– Nomar et Abnar ne sont peut-être pas dans le même camp, avança le grand Chevalier.

Bridgess s'empara du parchemin pour en achever la lecture.

> « *J'ai fait des recherches à la bibliothèque sur les Immortels, mais je n'ai trouvé qu'un entrefilet dans un livre d'histoire. Cela me paraît bien étrange que personne n'ait écrit quoi que ce soit à leur sujet, à moins que tous ces livres aient disparu. Curieusement, cet ouvrage spécifiait que ces êtres éthérés ne se matérialisaient que rarement dans le monde des mortels. Nous devrons donc poursuivre cette enquête sur ces créatures inquiétantes, dans les étoiles et ailleurs, car je crains qu'elles ne soient pas ce qu'elles prétendent être.* »

Bridgess roula le parchemin et capta les pensées tourbillonnantes de son époux. Elle se doutait bien qu'il refuserait d'aller se coucher, mais elle le lui proposa quand même. Il secoua vivement la tête, car il voulait faire une courte vérification à la bibliothèque. Inutile de le raisonner. Elle lui offrit plutôt de lui donner un coup de main. Il lui dit d'aller au lit, prétextant que Jenifael aurait besoin que l'un de ses parents soit en forme pour s'occuper d'elle au matin. « Donc, il veut être seul », comprit Bridgess.

Elle l'embrassa sur les lèvres, caressa son visage avec tendresse et remit le parchemin dans la boîte ouverte sur le sol. Puis, elle quitta le hall en espérant qu'il la rejoindrait bientôt.

10

ONYX DÉMASQUÉ

Wellan demeura encore un peu dans le grand hall à réfléchir aux paroles d'Élund. Certes, il n'espérait pas prouver en une seule nuit que les Immortels jouaient un jeu dangereux sur Enkidiev, mais il pourrait sans doute identifier le médaillon qu'Élund lui avait donné. Il s'empara de la petite boîte de bois et traversa le palais. Il grimpa le grand escalier sans se presser, puis piqua vers la bibliothèque. En y mettant le pied, il capta une présence étrangère. Portant toujours sa tenue d'apparat, il avait encore son épée à la hanche.

Il déposa le coffret sur l'une des hautes tablettes de l'entrée et avança prudemment entre les rangées. En contournant les dernières étagères, il fut bien surpris d'apercevoir Farrell assis à une table illuminée par plusieurs bougies, occupé à lire un gros livre.

Le paysan d'Émeraude, époux du Chevalier Swan, leva ses yeux pâles sur le grand chef. Il n'y avait que trois ans qu'il vivait parmi eux. « Où a-t-il eu le temps d'apprendre à lire entre son entraînement magique auprès de Hawke et les soins qu'il donne à ses enfants ? » s'étonna Wellan. Farrell lut ses pensées et un sourire amusé apparut sur ses lèvres.

– Je suis doué, plaisanta-t-il.

Wellan ne reconnut pas cette voix comme étant celle du jeune fermier. Il posa la main sur le pommeau de son épée en s'approchant. Il jeta un coup d'œil rapide au vieux bouquin sur la table : un traité de magie dans l'ancienne langue d'Enkidiev...

– Mais quand as-tu appris à lire cette langue, Farrell ?

– Quand je la parlais moi-même il y a de cela fort longtemps, répondit calmement le paysan.

Cet indice permit à Wellan de reconnaître l'énergie de l'homme assis devant lui : Onyx ! Il tira son épée, mais une force invisible la lui arracha. L'arme fit un vol plané et s'arrêta près du renégat sans même que ce dernier ait bougé le petit doigt.

– Je ne vous veux aucun mal, Wellan, l'avertit Onyx.

La lame flottait dans les airs à proximité de la table et à sa portée.

– Vous n'avez pas plus le droit de vous approprier le corps de Farrell que celui de Sage ! protesta violemment Wellan en chargeant ses mains d'énergie.

– Premièrement, sachez que je partage ce corps avec mon jeune descendant de son plein gré. Deuxièmement, il serait vraiment stupide de m'attaquer ici, car vous risqueriez de brûler tous ces merveilleux ouvrages.

La lumière ardente disparut aussitôt des paumes du Chevalier, qui connaissait la valeur de ce trésor. Devait-il appeler ses frères à son secours afin d'éliminer une fois pour toutes cet homme maléfique qui refusait de mourir ?

– C'est avec le Magicien de Cristal que j'ai des comptes à régler, pas avec vous, lui rappela l'ancien Chevalier d'Émeraude. Assoyez-vous, je vous en prie.

Un banc glissa jusqu'à Wellan. La magie de cet homme était impressionnante. Sa curiosité piquée, le grand chef fit ce qu'il lui demandait.

– J'ai appris à vous respecter et à vous aimer quand j'habitais le corps de Sage, lui révéla amicalement Onyx. Vous me rappelez mon bon ami Hadrian d'Argent. Vous avez le même courage, la même droiture. Il est difficile de ne pas s'incliner devant vous.

– Mais vous ne possédez aucune de ces qualités vous-même, n'est-ce pas, Onyx ?

– Je suis décidément plus orageux que mon ancien frère d'armes, et plus ambitieux aussi. Je regrette de vous avoir effrayé il y a quelques années lorsque j'ai tenté d'assouvir ma vengeance. Je n'en ai pas contre vous, mais contre Abnar. J'aurais préféré que vous ne vous mettiez pas en travers de mon chemin, mais vous avez écouté votre courage de Chevalier. Je suis vraiment désolé de vous avoir blessé, j'étais aveuglé par la colère.

– Pendant les quatre années que vous avez passées dans le corps de Sage, vous auriez dû comprendre que la survie de cet Immortel est cruciale pour les hommes d'Enkidiev, riposta Wellan. Il protège le porteur de lumière.

– C'est vous qui ne comprenez rien à notre situation, car il a pris soin d'endormir votre vigilance par des années d'endoctrinement. Pourtant, vous êtes un homme intelligent. Vous devriez commencer à entrevoir les véritables motivations de ces créatures soi-disant bienveillantes.

Wellan demeura muet, partagé entre le devoir de protéger son peuple contre les aspirations du renégat et le désir d'en apprendre davantage sur les Immortels.

– Pour tout vous avouer, je trouve bien étrange que les dieux aient choisi un meurtrier pour veiller sur cet enfant, renchérit Onyx.

– C'est ce que maître Élund pensait aussi, admit Wellan. Abnar aurait-il l'intention de faire périr Lassa tout comme Nomar a condamné le petit garçon mauve en le remettant au Roi Jabe ? Dites-moi ce que vous savez, Onyx.

« Sa curiosité l'emporte donc sur son devoir de protecteur du château », se réjouit l'ancien Chevalier. Il ressemblait encore plus à Hadrian qu'il ne l'avait d'abord cru.

– Et commencez en me parlant de Nomar.

– Nomar..., répéta le renégat en perdant brusquement son sourire. C'est le plus fourbe du lot. Il a été mon précepteur ici même, à Émeraude. Il ne m'a hélas montré que très peu de choses à cette époque. Ses desseins étaient bien différents. Il attendait que cet enfant mauve doué de pouvoirs immenses sorte de sa cachette. Comme par hasard, il a disparu tout de suite après l'avoir remis au roi, juste au moment où les troupes impériales commençaient à attaquer la côte. L'âme de Nomar n'est pas aussi immaculée que vous le croyez, Wellan. À mon avis, même s'il prétend servir les dieux, il est à la solde d'Amecareth.

– L'Empereur Noir ?

Wellan soupçonnait les Immortels de servir leurs propres intérêts dans le monde physique, mais cette allégeance à l'ennemi représentait de la haute trahison. Il se rappela alors les bons soins que Nomar avait prodigués aux hybrides à Alombria. L'avait-il fait sous les ordres du seigneur des hommes-insectes ?

– Je me suis souvent posé la question, indiqua Onyx.

– Et s'il n'œuvrait que pour lui-même ? suggéra Wellan. Nous savons tous que l'empereur a besoin des pouvoirs de Kira pour nous vaincre. Il a engendré un grand nombre d'enfants en sachant qu'un seul serait aussi puissant que lui. Le petit garçon mauve que le Roi Jabe a tué était probablement très fort, lui aussi.

Onyx demeura silencieux, fixant le chef des Chevaliers d'un air intéressé.

– Si Nomar agissait pour Amecareth, il lui aurait remis l'enfant plutôt que de le condamner à mort en le confiant au roi, soutint Wellan.

– Peut-être avait-il demandé à Jabe de le rendre à son père et que ce dernier a refusé.

– Comment pourrions-nous en être sûrs ?

– Malheureusement, malgré toutes les années que j'ai passées auprès de Nomar, ici et à Espérita, il n'a jamais jugé utile de m'en parler. Tout ce que je sais, c'est qu'il circulait à sa guise dans la forteresse des insectes.

– Vous êtes certain de ce que vous avancez ?

– J'ai beaucoup de défauts, mais je ne mens pas.

– Dans ce cas, nous devons avertir les dieux pour qu'ils châtient cet Immortel ! s'exclama Wellan.

– Vous croyez vraiment que Parandar prend le temps de s'informer de ce qui se passe sur la terre des hommes ? ricana Onyx. Il a créé les Immortels pour s'occuper de nous et s'assurer que nous ne détruirions pas l'ordre du monde. Il croit ce que ces créatures à demi divines lui rapportent et il n'a aucune raison de mettre leur honnêteté en doute.

– Vous avez tort, protesta le grand chef. J'ai eu le bonheur de recevoir la visite de Theandras, la déesse de Rubis, et Nogait s'est entretenu avec Ordor, le dieu des arbres. Les dieux se soucient de nous.

Cela sembla surprendre Onyx. Il perdit son sourire et ses traits se durcirent. Il se pencha en avant pour plonger son regard pâle dans celui de Wellan.

– Alors, vous savez ce qu'il vous reste à faire, s'échauffa-t-il.

– Je les préviendrai de la fourberie de leurs serviteurs, n'en doutez pas un instant.

– Profitez-en pour leur dire aussi que j'accepte de devenir l'instrument de leur vengeance.

Non, je ne mettrai pas la vie de Farrell en danger, refusa Wellan en secouant la tête.

– Sans ma présence à l'intérieur de son corps, Farrell serait demeuré un pauvre ignorant passant sa vie à élever des enfants dans une ferme pour les voir finalement le surpasser intellectuellement. Il avait une si grande soif de devenir un homme important qu'il m'a remis sa vie entre les mains sans la moindre hésitation.

– S'il est vraiment en vous et s'il a la liberté de s'exprimer, laissez-le me le dire lui-même.

– Mais il vous parle déjà, Wellan. Farrell et moi sommes parfaitement intégrés. Je suis lui et il est moi. Ce que je vous dis émane de moi et de lui en même temps.

– Nous ne pourrons donc pas vous faire sortir de son corps comme nous l'avons fait pour Sage.

– Vous le tueriez.

– Je vois...

– Moi aussi, j'apprends de mes erreurs, vous savez. Cette fois-ci, Abnar ne percevra pas ma présence au château, puisque l'énergie physique de Farrell enrobe mon esprit. Je pourrais me tenir à deux pas de lui sans qu'il sache qui je suis.

– C'est pourtant la force vitale d'Onyx que j'ai captée en entrant ici.

– L'espace d'une seconde, parce que telle était ma volonté. J'avais senti votre approche et je voulais vous parler en tant que frère d'armes.

Wellan le sonda et vit qu'il disait la vérité : c'était l'énergie du paysan qui se dégageait maintenant de lui, une aura d'innocence et de bonté. Il se rappela alors ses années de combat avec Onyx sur les côtes d'Enkidiev tandis qu'il habitait le corps de Sage. Quel guerrier magnifique il avait été ! Obéissant et ne connaissant pas la peur, il s'était bravement acquitté de toutes les missions que Wellan lui avait confiées.

– Êtes-vous en train de demander mon aide pour vous venger d'Abnar ? s'offensa soudainement le grand chef.

– Non, je peux le faire seul. Je sais que vous ne l'aimez pas non plus, mais j'ai de meilleures raisons que vous de vouloir sa perte.

Wellan hésita. Il n'éprouvait certes plus de respect pour cet Immortel qui avait sans cesse refusé de lui accorder d'autres pouvoirs pour affronter leurs ennemis, mais ses vœux de Chevalier d'Émeraude ne lui permettaient pas de s'attaquer ouvertement à un serviteur des dieux. N'était-il pas préférable de leur laisser régler leurs comptes dans le monde invisible, là où les humains n'en souffriraient pas ?

– Si vous n'aviez pas eu besoin de moi pour démasquer les Immortels, jamais vous ne m'auriez libéré de ma prison dans la tour du Magicien de Cristal, insinua Onyx.

– Moi ? s'étonna Wellan. Mais je n'ai rien fait de tel.

– En écrivant les premières lignes de votre journal exactement au même endroit que moi autrefois, vous avez brisé le sort jeté par Abnar. Je vous en remercie du fond du cœur.

– C'était un geste inconscient. En fait, je me demande encore lequel de vous deux est le plus grand fléau.

– Vous connaissez déjà la réponse à cette question, Wellan. Cessez de prétendre le contraire.

Le Chevalier jeta un œil à l'épée flottant toujours dans les airs aux côtés du renégat. La magie de cet homme surpassait la sienne, malgré son entraînement auprès de Nomar au Royaume des Ombres.

– C'est ma faute si vous entretenez une telle méfiance envers moi, déplora Onyx. Je me suis laissé aveugler par mon courroux lorsque je me trouvais dans le corps de Sage et vous en avez gardé un bien mauvais souvenir.

– Seulement du dernier jour...

– J'ai beaucoup réfléchi depuis et j'ai décidé de me montrer plus patient. Je me vengerai des Immortels, même si je dois attendre encore vingt ans.

– Au détriment de Farrell ?

– Contrairement à ce que vous pensez, je ne lui ai rien enlevé. Il a toujours sa femme et il lui donne les enfants qu'elle désire. Mais il est dorénavant capable d'éduquer leurs esprits en plus de prendre soin de leurs corps. Il comprend mieux que vous que les Immortels doivent répondre de leurs gestes et cesser de se servir de nous à leurs propres fins.

– Si vous êtes réellement Farrell, alors vous savez que nous devons laisser les dieux punir eux-mêmes les Immortels.

– Je lui ai déjà expliqué qu'ils ont autre chose à faire que de surveiller leurs serviteurs, mais si vous vous engagez personnellement à informer Parandar de leur fourberie, je reporterai ma vengeance. En attendant, j'espère de tout cœur que nous pourrons être amis comme à l'époque où vous avez pris Sage d'Espérita sous votre aile.

Wellan demeura songeur un instant. Il considéra cet homme d'un autre temps en se demandant s'il était prudent d'en faire son allié. Il avait certes besoin d'un bon soldat, mais à quel prix ?

– Je ne savais pas qui vous étiez, à cette époque, allégua-t-il.

– Avez-vous une si mauvaise opinion de moi, Wellan ?

Le grand Chevalier se remémora ce qu'il avait lu dans le journal du renégat qui, somme toute, n'était qu'un paysan ayant tenté de s'élever au-dessus de sa condition.

– Vous avez trouvé mon journal ? s'égaya Onyx qui lisait ses pensées.

– C'est Kira qui a flairé sa présence dans la section des livres défendus. Sage a accepté de l'ouvrir pour nous.

– Vous m'en voyez fort étonné. Quand ce jeune guerrier a-t-il acquis une magie suffisamment puissante pour briser le cadenas invisible que j'y avais posé ?

– Sage possède le merveilleux pouvoir de retourner dans le passé à volonté, même s'il n'aime pas le faire. C'est en se fondant en vous à cet endroit même, il y a cinq cents ans, qu'il a su comment s'y prendre.

Onyx fronça légèrement ses sourcils couleur de nuit. Certes, il avait ressenti, dans sa première vie, des intrusions inexplicables dans ses pensées par une conscience étrangère, mais il avait cru à cette époque que c'était Nomar ou Abnar qui l'épiait.

– C'était le jour où vos compagnons d'armes ont été exécutés dans la cour du château, ajouta Wellan pour le situer dans le temps.

En proie à une grande colère, Onyx abattit violemment ses deux poings sur la table. L'épée de Wellan, jusque-là suspendue dans les airs, s'écrasa sur le sol avec fracas. Le renégat bondit de son siège et marcha jusqu'à la fenêtre où il appuya ses doigts crispés. Il ne pouvait rien distinguer dehors en raison de l'obscurité, mais Wellan savait bien que c'était à l'intérieur de lui-même qu'il portait son regard.

– Savez-vous ce que c'est que de voir périr ses amis de façon aussi cruelle ? siffla-t-il entre ses dents.

– J'ai perdu un Écuyer aux mains du sorcier Asbeth et un frère d'armes dans un combat contre les hommes-lézards, mais rien de tel, non.

– C'étaient de braves soldats, des pères de famille qui désiraient une vie meilleure. Ils s'étaient vaillamment battus pour défendre ce continent. Ils ne voulaient pas retourner dans la misère, pas plus que moi, d'ailleurs.

– Je pense aussi qu'Abnar aurait dû vous récompenser tous à la fin de la guerre.

– Abnar n'agit que pour lui-même ! explosa Onyx en pivotant vers lui. Quand le comprendrez-vous ?

Wellan ne reconnaissait plus les traits de Farrell sur ce visage ravagé par la rage et le chagrin. Onyx était rouge de colère.

– Nous sommes des marionnettes pour lui, Wellan ! Des pions ! Et Nomar est encore plus manipulateur que le Magicien de Cristal !

Onyx ferma les paupières. Wellan sentit son ire s'envoler d'un seul coup. Cet homme du passé maîtrisait ses émotions d'une façon stupéfiante.

– Avez-vous lu mon journal ? s'enquit-il en ouvrant les yeux.

– Oui et je crois avoir compris ce qui vous est arrivé. J'aurais probablement eu la même réaction que vous dans des circonstances identiques.

– Je suis bien content de vous l'entendre dire.

Il revint s'asseoir à la table d'une démarche bien différente de celle de Farrell. Comment être certain que le paysan n'était pas emprisonné quelque part à l'intérieur de sa conscience ?

– Arrêtez de vous inquiéter pour lui, laissa tomber Onyx. Il est beaucoup plus heureux maintenant. Dites-moi plutôt ce que vous êtes venu faire à la bibliothèque au milieu de la nuit au lieu de réchauffer le lit de votre femme.

– Je pourrais vous poser la même question.

– Je peux difficilement lire des ouvrages en langue ancienne en présence de Swan ou des autres Chevaliers alors qu'en théorie, je commence à peine à m'y retrouver dans l'alphabet moderne.

– Vous n'avez donc pas l'intention de lui dire qui vous êtes ?

– Je suis Farrell, désormais. Il serait trop dangereux pour moi de dévoiler à tout le monde qui je suis. Je vous saurais gré de ne pas révéler ma véritable identité à qui que ce soit, surtout au Chevalier Jasson.

Wellan se rappela l'animosité qui avait existé entre son frère d'armes et le renégat. Il ne voulait certainement pas nourrir cette hostilité.

– Cela peut vous paraître difficile à admettre, mais j'aime profondément ma femme et mes fils, poursuivit le renégat. Jamais je ne salirai leur réputation. Si un affrontement doit avoir lieu entre Nomar, Abnar et moi, ce sera loin de leurs yeux et de leurs oreilles. Maintenant, répondez-moi, Wellan. Que faites-vous ici ce soir ?

– J'ai besoin de traités sur les talismans pour identifier un bijou que m'a légué Élund, avoua le grand chef.

Le coffret de bois vola à travers la bibliothèque pour finalement se poser devant Wellan.

– Le médaillon qui se trouve au fond de ce coffre ? demanda Farrell en s'efforçant de ne pas sourire.

– Mais comment le savez-vous ?

– Mes pouvoirs de détection sont beaucoup plus étendus que les vôtres, mon pauvre ami. Abnar ne vous a accordé que de bien faibles facultés, je le crains. J'ai senti l'approche de cet objet magique bien avant de ressentir la vôtre.

– Le reconnaissez-vous ?

Wellan retira du coffret le petit sac de velours. Il fit glisser le bijou au creux de sa propre main en guettant la réaction de Farrell. Son ravissement lui fit tout de suite comprendre qu'il frappait à la bonne porte.

– Le médaillon de Danalieth..., s'émerveilla le renégat. Mais où l'avez-vous trouvé ?

– Il était en possession d'Élund, mais j'ignore comment il l'a eu.

– C'est un cadeau que les Elfes ont fait à Hadrian il y a très longtemps.

Wellan laissa tomber le bijou sur la table. Il se souvenait que la pierre précieuse offerte par la Princesse des Elfes à Nogait avait bien failli tuer le pauvre garçon.

– Vous n'avez rien à craindre, même si c'est un puissant talisman, car il faut en connaître le code pour s'en servir, expliqua Farrell.

– Quels sont ses pouvoirs, au juste ?

– Il permet de voir ce qui se passe n'importe où dans l'univers.

Farrell tendit les doigts. Wellan le laissa soulever le médaillon afin de lui prouver qu'il lui faisait confiance. Les émotions qui se succédèrent sur le visage de cet homme d'un autre temps bouleversèrent le grand Chevalier : elles semblaient on ne peut plus authentiques.

– Hadrian était un grand homme, relata Farrell en fixant le joyau au creux de sa main. Jamais il n'a été tenté de se servir du médaillon de Danalieth pour asseoir sa domination sur le monde. Il lui aurait pourtant été très facile de le faire. Il n'avait qu'à prononcer l'incantation magique et à appuyer la pierre rouge sur son front pour projeter sa conscience où bon lui semblait. Il pouvait ainsi intercepter des conversations qu'il n'aurait pas dû entendre. Or, Hadrian n'était pas un conquérant, mais plutôt un véritable serviteur du peuple. Il n'a utilisé cet objet que pour contempler sa femme et ses enfants lorsqu'il était loin d'eux et qu'ils lui manquaient.

Farrell releva lentement ses yeux pâles sur Wellan, qui y aperçut un grand chagrin. En effet, il devait être très difficile pour un homme, même un dur à cuire comme Onyx, de se retrouver seul dans la vie, tous ses amis étant morts depuis des centaines d'années.

– Hadrian me manque beaucoup, s'attrista Farrell.

– J'aurais aimé le connaître, souligna Wellan.

– Vous auriez constitué une formidable équipe, car vous lui ressemblez de plusieurs façons.

Farrell prit la main de Wellan, y déposa le médaillon et referma ses doigts sur l'objet magique avec beaucoup de révérence. À son contact, le grand Chevalier sentit brièvement la puissance du renégat.

– Si vous n'étiez pas un homme que je respecte au même titre que mon vieil ami d'Argent, je vous tuerais ici même pour vous ravir ce bijou, confessa-t-il très sérieusement.

– Votre considération me touche beaucoup, s'empressa Wellan, qui ne désirait pas l'affronter de nouveau. Me montrerez-vous comment me servir du médaillon ?

– Oui, vous le méritez bien. Mais je vous préviens, c'est un apprentissage douloureux.

Le renégat promena son regard de prédateur sur les nombreux rayons de la bibliothèque. Brusquement, un petit bouquin poussiéreux se dégagea des autres et vola jusqu'à sa main. Il le déposa devant Wellan. Ce dernier avait peine à cacher son admiration.

– C'est un dialecte elfique ancien, mais je ne crois pas que cela vous arrête. Il se fait tard et je dois retourner auprès de ma petite famille avant que les enfants me réclament. Je répondrai plus tard à toutes les questions qui se bousculent dans votre esprit. Il y a encore tant de choses que vous ignorez, Wellan.

– Attendez, j'ai une dernière faveur à vous demander, l'arrêta le grand chef. Puisque vous êtes l'apprenti de Hawke depuis quelques années, c'est à vous que revient le privilège de prendre sa place auprès des enfants et de leur enseigner tout ce qu'ils doivent savoir afin de devenir de bons Chevaliers.

– C'est une offre intéressante, mais il faudra d'abord que j'en discute avec Swan, répondit Farrell avec un sourire amusé. Comme vous le savez, elle a déjà décidé que ma place était sur sa ferme avec notre marmaille. Je suis un homme marié, moi aussi, alors vous comprendrez que je ne peux pas prendre cette décision seul sans risquer de coucher sur la paille pour le reste de mes jours.

Wellan ne le savait que trop bien, alors il accepta d'attendre la réponse du magicien. Farrell lui tendit les bras. Après un moment d'hésitation, Wellan les serra à la façon des Chevaliers.

– Vous serez fixé demain, avant la fin du festin donné en l'honneur du défunt maître, lui garantit le magicien.

Abandonnant le livre sur la table, Farrell quitta la bibliothèque. Wellan baissa le regard sur le médaillon : de quelle façon pourrait-il l'utiliser pour assurer la victoire des humains sur les insectes et installer une paix durable sur le continent ?

11

DANALIETH

Dès que Wellan se retrouva seul, il ouvrit le livre que Farrell lui avait remis. Toutes les pages étaient écrites dans le langage des Elfes, le seul qu'il n'avait pas appris à déchiffrer durant ses longues années d'études. Il se souvint que Kira avait jadis traduit un texte pour lui en passant sa main au-dessus de l'ouvrage. Il s'agissait probablement d'une magie d'Immortel, car Abnar avait été son mentor. Dans ce cas, peut-être son fils de lumière pourrait-il l'aider ?

– Évidemment, acquiesça Dylan en se matérialisant devant lui.

– Je croyais que tes gardiens t'interdisaient de quitter leur monde, s'étonna Wellan.

– Je ne suis plus un enfant, père. J'ai beaucoup plus de liberté, maintenant.

Les yeux bleus de l'adolescent se posèrent sur le médaillon. En observant attentivement son fils, Wellan constata qu'il avait la forme du visage et les cheveux de Fan.

– Même les dieux connaissent l'existence de ce bijou, le renseigna Dylan.

– Explique-moi comment, le pria Wellan, curieux.

L'adolescent prit place sur un banc. Il s'accouda à la table, un geste qui surprit beaucoup le grand Chevalier, qui l'avait si souvent fait lui-même dans ses jeunes années. Comment Dylan pouvait-il avoir hérité de sa gestuelle alors qu'il avait grandi loin de lui ?

– Danalieth était un Immortel différent, commença l'adolescent. Son père était un roi Elfe et sa mère, Natelia, la déesse des secrets. Très habile, il a forgé beaucoup de bijoux aux propriétés magiques et il en a fait cadeau à des humains, malgré toutes les menaces de Parandar.

– Je pensais que tu étais le seul petit garçon de lumière désobéissant, se moqua le père.

– Il m'arrive de me rebeller, mais je sais quand agir dans mon intérêt.

« Sur ce point, il ressemble davantage à sa mère », ne put s'empêcher de penser Wellan.

– Qu'est-il arrivé à Danalieth ? s'enquit-il.

– Il a été châtié par les dieux et a cessé d'exister.

– Parce qu'il avait remis des joyaux magiques aux hommes ? Plus j'en apprends au sujet des royaumes invisibles et moins j'ai envie d'y finir mes jours.

– Vous n'avez rien à craindre, père, vous êtes humain. De plus, Theandras vous adore. Dites-moi plutôt ce que je peux faire pour vous aider ce soir.

– J'aimerais consulter ce livre, mais il est écrit dans la langue des Elfes.

Dylan posa sa main aux longs doigts sur l'ouvrage ancien et adressa un merveilleux sourire à son père.

– La prochaine fois, demandez-moi quelque chose de plus difficile, plaisanta l'adolescent.

– Un Immortel qui a le sens de l'humour ! s'amusa Wellan en arquant les sourcils. Tiens donc.

Le regard de Dylan se porta soudain vers l'entrée de la bibliothèque. Utilisant ses pouvoirs magiques, Wellan ressentit lui aussi une présence familière. Jenifael, qui n'arrivait pas à trouver le sommeil, s'était mise à la recherche de ses parents. Puisque sa mère dormait, elle avait cherché l'énergie de son père et l'avait repéré au deuxième étage du palais.

La petite déesse s'approcha à pas hésitants en examinant cet adolescent qu'elle n'avait jamais vu au château auparavant.

– N'aie pas peur, Jeni, l'encouragea Wellan. Il est grand temps que vous fassiez connaissance, tous les deux.

Elle grimpa sur les genoux du grand Chevalier sans quitter l'inconnu des yeux. Il ressemblait à un Elfe, mais il n'avait pas les oreilles pointues.

– Dylan, voici ta sœur Jenifael.

– Je la connais déjà, annonça l'Immortel, tout radieux.

– Je lui ai déjà parlé de toi, expliqua Wellan à sa fille, mais avec toutes ces patrouilles sur la côte, je n'ai jamais eu l'occasion de te le présenter.

La fillette aux belles boucles blond-roux continuait de fixer son frère comme s'il eut été un fantôme.

– Tu ne dis rien ? s'inquiéta le père.

– Je pensais qu'il était un petit garçon..., murmura Jenifael, visiblement mal à l'aise.

– Il l'a déjà été, mais tout comme toi, il grandit très rapidement.

– Je suis enchanté de te rencontrer, Jenifael, la salua Dylan. N'hésite surtout pas à faire appel à moi lorsque tu as besoin d'aide ou de conseils. C'est le rôle d'un grand frère.

Au lieu de s'en réjouir, l'enfant cacha son visage dans le cou de Wellan. Le Chevalier s'en étonna beaucoup, car elle n'était pas d'un naturel timide.

– Je dois retourner dans mon monde, les informa Dylan, car je ne sais pas encore comment utiliser la Montagne de Cristal pour reprendre mon énergie. Je vous reverrai bientôt.

Wellan aurait aimé l'étreindre et l'embrasser, mais sa fille s'était soudée à lui comme une étoile de mer. Dylan devina ses pensées et lui décocha un clin d'œil avant de se volatiliser.

– Mais qu'est-ce qui te prend ? susurra Wellan à l'oreille de Jenifael.

– C'est un Immortel...

Le grand Chevalier n'avait jamais révélé à Jenifael ses origines célestes. Il attendait qu'elle soit assez vieille pour en saisir la portée. Si elle avait su qu'elle était la fille d'une déesse, son frère de lumière ne lui aurait pas fait autant d'effet.

– Et les Immortels t'impressionnent, maintenant ?

– Seulement lui. Il est si beau...

Le sourire du père s'évanouit d'un seul coup. « Elle est bien trop jeune pour s'intéresser aux garçons », décida-t-il. Il déposa le médaillon et le petit livre dans le coffret de bois. Gardant Jenifael dans ses bras, il quitta la bibliothèque.

– Les filles ne fréquentent pas leurs frères et vice versa, déclara-t-il en l'emportant dans le palais. Est-ce que tu comprends ?

– Maître Élund nous a déjà expliqué tout ça...

– Excellent. Où veux-tu dormir cette nuit ?

– Avec toi et maman.

Wellan la déposa dans leur lit. Rassurée, l'enfant se blottit contre Bridgess. Le grand Chevalier s'allongea près d'elle et lui frotta le dos jusqu'à ce qu'elle s'endorme. Bien qu'elle fût issue des dieux, Jenifael éprouvait les mêmes angoisses devant la mort que les autres élèves d'Élund. Wellan avait épluché tous les livres de la bibliothèque, mais il ne savait toujours pas comment expliquer à sa petite déesse que la vie se terminait dans un autre univers. En fait, il ignorait ce qui arriverait à Jenifael au moment de son trépas, puisqu'elle n'était pas humaine.

Sans réveiller les femmes de sa vie, Wellan sortit de la chambre en emportant le coffret. Dans le hall des Chevaliers, il s'assit à sa place habituelle. Il ouvrit le livre une fois de plus. À son grand étonnement, le texte était dans la langue des Anciens ! D'un mouvement des doigts, il fit glisser les chandeliers jusqu'à lui et déposa le médaillon à la lueur des flammes. Le gros rubis en son centre scintillait de tous ses feux.

Wellan parcourut avidement les premières pages de l'ouvrage elfique. Son auteur prétendait être le seul possesseur du bijou. Ce bouquin avait donc été écrit avant que le Roi des Elfes en fasse cadeau à Hadrian. La pierre de Danalieth avait permis au peuple des forêts de garder le contact avec les Elfes restés de l'autre côté de l'océan. Pourtant, ces créatures magiques pouvaient, elles aussi, communiquer avec leur esprit. Pourquoi avaient-elles décidé de se servir de ce cadeau céleste ? Il n'y avait qu'une façon de le savoir : utiliser le médaillon.

Il poursuivit sa lecture et découvrit enfin le mode d'emploi de cet objet puissant. En fait, la procédure était fort simple : il suffisait d'appuyer le joyau sur son front et de prononcer une incantation dans la langue des Elfes. Mais ce que Wellan avait pris pour un rubis s'avérait être une pierre beaucoup plus précieuse. Sa création remontait à une époque très lointaine. À la naissance de Danalieth, Natelia avait versé une larme de sang en entrevoyant le sort que les dieux réservaient à son fils Immortel. Une larme divine...

Pour mettre fin au voyage magique, il fallait prononcer un seul mot. Wellan apprit la formule magique par cœur, puis décida que l'endroit le moins dangereux pour tenter une telle expérience était le Royaume de son père. À une heure aussi tardive, il pourrait sans doute circuler à sa guise dans le Château de Rubis sans alarmer qui que ce soit.

Il souleva le médaillon en retenant son souffle. Le livre des Elfes recommandait de visualiser l'endroit choisi avant d'entreprendre le déplacement. Même s'il se souvenait de tous les détails du palais, Wellan choisit plutôt de rappeler les traits de son frère Stem à son esprit. Persuadé de le trouver dans son lit, le grand Chevalier appuya le bijou sur son front.

– *Rioved tnettemrepem xueidseleuq...*

Wellan eut l'impression de s'enfoncer dans le sol comme lorsque la crevasse l'avait englouti au Royaume des Ombres. Cependant, au lieu de tomber brutalement, il lui sembla plutôt voler comme un oiseau. Flottant sur l'air, il fonça à travers une fenêtre de l'étage des chambres du palais paternel et poursuivit sa route le long des sombres couloirs. Il ne se trouvait pas vraiment là, mais il percevait l'énergie des habitants du château !

Comme une créature nocturne, il voyait dans l'obscurité. Au lieu de l'emmener à la chambre de Stem, la force invisible du médaillon le fit plonger vers le plancher. Il glissa sous la porte des appartements du Roi Burge. Pourquoi y avait-il autant de monde dans cette pièce ?

Wellan remonta tout doucement au-dessus de Stem, de son épouse Maud, de la Reine Mira et des plus fidèles conseillers du monarque. La tête auréolée de cheveux blancs, l'invincible Roi de Rubis se mourait ! Le grand Chevalier pouvait voir tout ce qui se passait. L'opération magique ne l'empêchait nullement de ressentir toute la gamme des émotions humaines. N'ayant pas de corps, il lui était par contre impossible d'intervenir pour soigner son père.

Il vit Stem aider le vieux souverain à s'asseoir. Avec précaution, il lui fit boire un peu d'eau. De l'autre côté du lit, la Reine Mira restait de glace. « Pourquoi en serait-il autrement ? » marmonna Wellan, qui lui tenait rancune de ses mauvais traitements de jadis.

Burge avala quelques gorgées. Ce geste sembla le vider de son énergie. Il retomba mollement sur ses oreillers en poussant un soupir de lassitude.

– As-tu dépêché un messager à Émeraude ? demanda le monarque dans un murmure.

– Il est parti ce matin, attesta le fils. Wellan recevra ma missive au plus tard demain soir.

– Je ne sais pas si je pourrai tenir jusqu'à son arrivée.

– Il possède de grands pouvoirs magiques. Je suis certain qu'il sera là à temps.

Wellan aurait voulu s'approcher davantage de son père pour lui confirmer que Stem disait la vérité, mais il jugea préférable de retourner au château. *Ezrtner...* Cette fois, c'est vers le plafond qu'il accéléra à vive allure. Son énergie vitale réintégra brutalement son corps et le déséquilibra. Il s'écrasa sur le dos. Le contact de la pierre acheva de le ranimer.

– Était-ce une vision de l'avenir ou une fenêtre sur une réalité lointaine ? s'exclama-t-il en s'asseyant.

Le médaillon en argent était soudé à sa paume. En baissant les yeux, le grand chef constata que sa main tremblait. Tous les voyages magiques se terminaient-ils ainsi ? Malgré sa grande force physique, il eut de la difficulté à se remettre sur pied. Tous ses muscles le faisaient souffrir comme à l'issue d'un combat.

– Père..., se rappela-t-il.

En se servant du mur comme appui, il regagna sa chambre pour ranger le coffret, le livre et le bijou hors de la portée de sa petite déesse trop curieuse. Après les avoir enfouis sous une pile de vêtements, sur la dernière tablette de sa commode, Wellan croisa ses bracelets magiques. Le vortex se matérialisa en silence. Le Grand Chevalier jeta un dernier coup d'œil sur Bridgess et à Jenifael, qui dormaient à poings fermés. Il reviendrait les chercher plus tard.

12

Le roi Burge

Le vortex illumina tout le couloir. Wellan avait choisi cet endroit, habituellement désert la nuit, pour apparaître dans le palais de son père sans blesser qui que ce soit. Il émergea du tourbillon étincelant et se précipita vers les appartements du roi.

La Reine Mira releva un sourcil lorsque son benjamin entra en catastrophe. Sa mère lui céda volontiers sa place au chevet de Burge et recula dans la pénombre.

Le visage du vieux monarque était éclairé par quelques bougies plantées dans un unique candélabre. Un sourire s'étira sur ses lèvres lorsqu'il vit son plus jeune fils s'approcher. Burge avait beaucoup vieilli depuis la dernière visite de Wellan à Rubis, mais son regard était toujours aussi vif. Ce roi n'avait pas gaspillé un seul instant de sa vie. Il avait régné en maître sur ses terres, sans oublier de secourir ceux qui demandaient son aide. En contemplant ses traits fatigués, Wellan se demanda s'il aurait été un aussi bon souverain que lui.

– Je savais que tu viendrais, souffla Burge.

Wellan cueillit doucement sa main usée par les nombreuses chasses et l'appuya contre sa joue.

– Mes jours s'achèvent, Wellan. J'ai vécu comme je l'ai voulu, mais j'ai tout de même un regret.

Le mourant ferma les yeux un instant. Le grand Chevalier s'empressa de le sonder pour s'assurer qu'il n'avait pas rendu l'âme. Mais Burge battit des paupières en reprenant conscience. Ses forces le quittaient rapidement.

– J'aurais voulu que tu grandisses près de moi, déclara-t-il faiblement.

– Mais je suis devenu un bon soldat. Grâce à mes efforts, l'ennemi n'a pas encore réussi à faire une percée sur Enkidiev.

La poitrine du roi fut secouée d'un rire étouffé qui, autrefois, aurait retenti dans tout le palais.

– Même quand tu étais petit, tu savais quoi me dire pour me coincer.

Burge fixa son benjamin dans les yeux pendant un long moment. Wellan profita de son silence pour graver à jamais son image dans sa mémoire.

– J'ai eu de bons enfants, poursuivit le vieil homme en tendant l'autre main à son aîné.

Stem s'en empara en retenant ses larmes de son mieux.

– Je sais que tu seras un bon roi, lui dit son père. Tu as passé suffisamment de temps à mes côtés pour savoir ce que tu dois faire, mais en cas de doute, demande conseil à ton petit frère.

Wellan demeura bouche bée. On l'avait affublé de bien des noms tout au long de sa vie, mais jamais de celui de « petit » frère. Stem ne sembla pas se rendre compte de son amusement passager. La mort imminente de Burge occupait toutes ses pensées.

– Où est ma fille ? demanda soudainement le vieillard.

– Elle habite Fal avec son époux depuis de nombreuses années, répondit Stem sans trop savoir comment s'y prendre pour ne pas l'indisposer.

– Est-elle heureuse ?

– Elle le prétend dans ses lettres.

– Elle n'est jamais venue me présenter mes petits-enfants.

Christa avait mis deux fils au monde, mais les affaires de la cour et la proximité du Royaume de Fal à celui de Zénor, un des points d'entrée de l'ennemi, avaient empêché la famille royale de faire cette importante visite. Wellan comprit qu'il pouvait encore exaucer le vœu de son père.

– Je reviens tout de suite, annonça-t-il en se dégageant doucement.

Il croisa ses bracelets et le vortex se forma au fond de la chambre. Un éclair de joie illumina le visage du roi, qui n'avait jamais rien vu de semblable. Wellan s'engagea dans le tourbillon qui l'avala comme un prédateur.

– Où est-il allé ? s'inquiéta le monarque en tentant de s'asseoir.

– Il ne sera pas parti longtemps, affirma Stem. Je vous en conjure, conservez vos forces.

Les serviteurs aidèrent le vieil homme à se recoucher et l'un d'eux épongea son front fiévreux. Burge continua de réclamer son benjamin en s'agitant.

Tel qu'il l'avait promis, Wellan reparut en tenant Bridgess et Jenifael par la main. La Reine Christa, son mari Patsko, Roi de Fal, et leurs fils, Solorius et Karl, les accompagnaient. Tous ces visiteurs semblaient avoir été tirés du sommeil, mais ils ne s'en plaignaient pas. Christa se précipita aussitôt au chevet de son père mourant et l'embrassa sur le front.

– Mais comment êtes-vous venus si rapidement ? s'étonna le pauvre homme. Combien de temps ai-je dormi ?

– Wellan est venu nous chercher à Fal, expliqua sa fille en le cajolant. Il a utilisé sa magie pour nous transporter. Nous lui en serons éternellement reconnaissants.

Elle fit approcher son époux, le nouveau Roi de Fal, et leurs deux fils, des adolescents qui ressemblaient en tous points à leur père aux cheveux noirs et au regard sombre. Bien élevés, ils se nommèrent tour à tour à leur grand-père, avec qui ils n'avaient eu de contacts que par correspondance durant leur vie. Les yeux bleus de Burge étincelaient de plaisir. « Nous aurions dû nous réunir ainsi il y a fort longtemps », regretta Wellan.

Le grand chef poussa alors sa propre famille devant lui et Burge reconnut Bridgess. La femme Chevalier s'inclina respectueusement.

– Mais qui est cette ravissante enfant ? se réjouit le roi en avisant le joli minois de la petite déesse, silencieuse entre ses deux parents.

– C'est votre petite-fille, Jenifael, la présenta Bridgess.

Le roi tendit une main tremblante pour caresser sa joue. L'enfant s'en empara pour lui faciliter la tâche.

– Je suis heureuse de faire votre connaissance, sire, fit-elle avec la prestance d'une princesse. Mon père et ma mère m'ont beaucoup parlé de vous. Je connais tous vos exploits.

– J'espère bien que non..., sourit le grand-père.

– Stem lui racontera les autres, intervint Wellan en ramenant Bridgess et Jenifael contre lui.

– Je suis content que vous soyez tous venus..., murmura Burge.

Ses yeux se figèrent : les dieux venaient d'accueillir son âme dans les grandes plaines de lumière. Des larmes silencieuses se mirent à couler sur le visage très pâle de Stem. Le pauvre homme n'avait pas dû dormir beaucoup ces derniers temps.

– Papa ? s'alarma Jenifael en cherchant son regard.

– Il est parti, Jeni, l'informa Wellan.

Il conservait son calme, car il ne voulait pas qu'elle considère la mort comme une étape à redouter.

– Venez, réussit à articuler Stem malgré sa gorge serrée.

Jenifael se pendit à la main de sa mère. Elle suivit le nouveau Roi de Rubis ainsi que la famille du Roi de Fal dans le couloir, puis dans un grand salon décoré de trophées de chasse et d'armes diverses. Stem se laissa tomber dans un fauteuil de cuir et éclata en sanglots. Avant que Christa puisse intervenir, Jenifael alla serrer son oncle dans ses bras.

– Nous nous retrouverons tous au même endroit à la fin, le consola-t-elle.

– Jenifael... C'est bien ton nom ?

– Oui, sire.

Elle ressemblait un peu à Bridgess, mais quelque chose en elle laissait deviner son appartenance à un monde différent. En fouillant sa mémoire, Stem se souvint que Wellan l'avait adoptée. Il crut alors apercevoir une petite flamme dans ses iris et sursauta.

– Vous n'avez rien à craindre, l'apaisa la fillette avec un sourire rassurant. C'est un phénomène tout à fait inoffensif.

– Il doit être normal, je pense, qu'un homme aussi extraordinaire que mon frère ait une fille tout aussi unique que lui.

– Il vous aime bien, oncle Stem, et moi aussi.

– Tu parles au nouveau Roi de Rubis, jeune fille, lui rappela sa mère.

– Je vous en prie, Bridgess, laissez-la s'exprimer librement, exigea Stem. C'est ce que nous a enseigné notre père. Elle ne pourrait pas être sa petite-fille autrement.

– Bon, concéda la femme Chevalier, mais seulement ici.

– Oui, mère, chantonna la petite déesse, qui ne se sentait nullement sermonnée.

– Resterez-vous pour les rites funéraires ? voulut savoir Stem.

– Nous serons à tes côtés, assura Christa en posant une douce main sur l'épaule de son frère.

Wellan hésita avant de répondre, car il avait encore fort à faire au Royaume d'Émeraude. Il expliqua son dilemme au nouveau souverain et décida finalement de revenir le lendemain pour se tenir auprès du corps, dans la grande cour, pendant que le peuple de Rubis rendrait ses derniers hommages à son monarque. Stem s'en montra fort soulagé. La présence de son frère et de sa sœur lui donnerait le courage de traverser cette épreuve.

– Nous ne pouvons pas rentrer maintenant ! protesta Jenifael. Je n'ai même pas eu le temps de faire la connaissance de mes cousins !

– Nous sommes au beau milieu de la nuit, lui fit remarquer Bridgess. Si tu te montres convaincante, peut-être ton père acceptera-t-il de te ramener demain.

La fillette leva sur Wellan un regard suppliant auquel il ne pouvait rien refuser. Bridgess tendit la main à l'enfant et elle vint s'y accrocher en jetant un regard intéressé du côté des princes adolescents. Wellan se retourna pour former le maelström, mais stoppa son geste : la Reine Mira, dont les longs cheveux noirs étaient maintenant parsemés de mèches grises, s'avançait d'un air glacial.

– Tu allais partir sans me présenter ta fille, lui reprocha-t-elle.

– Je croyais que vous détestiez les enfants, répliqua sèchement Wellan en serrant les poings.

– Seulement ceux qui ne savent pas se tenir à leur place. Cette petite me semble bien élevée.

Sensible comme tous les enfants magiques, Jenifael ressentit la rancune de son père et la réserve de Mira. Il valait mieux désamorcer tout de suite le conflit.

– Je suis Jenifael d'Émeraude, fille de Wellan et Bridgess d'Émeraude, annonça-t-elle en relevant fièrement la tête. J'étudie actuellement la magie et, un jour, je serai un grand Chevalier comme mes parents.

– Et moi, je suis ta grand-mère. Tâche de t'en rappeler.

Avant de se montrer désagréable, Wellan pivota et croisa ses bracelets. Le tourbillon explosa dans la pièce en projetant des rayons multicolores sur les boiseries des murs. Bridgess n'attendit pas que la situation se détériore. Elle entraîna sa fille avec elle dans le vortex. De sa main libre, Jenifael salua la reine avant de disparaître dans le remous.

13

DES VOIX DISCORDANTES

Kira déposa sa cuirasse sur le mannequin de bois que lui avait construit son époux. Elle n'avait jamais aimé Élund, ce vieux magicien grincheux qui l'avait traitée de démon le premier jour de son arrivée à Émeraude. Mais force lui était d'admettre qu'il avait fait du bon travail auprès des élèves magiques. La princesse guerrière effleura les améthystes de son armure du bout des griffes en songeant à tous les changements que ce décès entraînerait au château. Hawke avait-il suffisamment d'expérience pour succéder à Élund ?

Sage glissa les mains autour de sa taille et l'étreignit. Kira ferma les yeux. Elle avait uni sa vie à l'homme le plus parfait de tout Enkidiev. Non seulement il la comblait à tous points de vue, mais il avait aussi pris l'habitude de devancer ses désirs et de déchiffrer ses humeurs.

– Qui aurait cru qu'il te manquerait à ce point ? chuchota Sage dans son oreille pointue.

– Ce n'est pas vraiment à Élund que je pensais.

– Hawke se débrouillera fort bien dans ses nouvelles fonctions.

La Sholienne se retourna pour fixer son époux hybride dans les yeux.

– Comment fais-tu pour lire mes pensées sans que je le ressente ?

– J'utilise une technique différente de celle que m'ont enseignée les Chevaliers.

Intriguée, Kira fronça les sourcils et plissa le nez. « Elle est si mignonne lorsqu'elle ne comprend pas quelque chose », pensa Sage en approchant ses lèvres des siennes. Il tenta de l'embrasser, mais la Sholienne le repoussa.

– Quelle technique ? voulut-elle savoir.

– Même si je voulais te l'expliquer, je n'y arriverais pas.

Il obliqua vers la cage de ses faucons, désertée depuis le début de la saison chaude. Tous adultes, ils s'étaient envolés quelques jours avant que leur groupe de Chevaliers soit dépêché au Royaume des Elfes. Le couple de soldats était revenu à plusieurs reprises au Château d'Émeraude, mais pas les rapaces.

– Tu sais bien que je ne te laisserai pas tranquille tant que tu ne me le diras pas, le menaça Kira.

Sage réprima un sourire et poursuivit sa route vers la fenêtre pour contempler les étoiles. La Sholienne s'élança. Avec l'agilité d'un chat, elle se faufila entre lui et son poste d'observation.

– Tu n'aimeras pas ce que j'ai découvert, l'avertit son époux.

– Je suis un Chevalier, Sage. Je ne juge pas l'information comme les gens ordinaires. Dis-moi comment tu t'y prends.

– Je me branche sur les cliquetis que j'entends dans ta tête.

– Les quoi ?

Ce n'était plus de la curiosité qu'il voyait dans ses yeux violets, mais de la terreur. Depuis qu'elle avait découvert ses véritables origines, Kira redoublait d'effort pour oublier son sang d'insecte.

– S'il y avait des bruits étranges dans mon crâne, je serais la première à le savoir ! se fâcha-t-elle.

– Pourquoi te mentirais-je ?

La Sholienne poussa un grondement rauque et se jeta à plat ventre sur le lit. D'un tempérament beaucoup plus doux, son époux ne se laissa pas entraîner dans sa colère. Il alla plutôt lui frictionner le dos.

– Depuis combien de temps procèdes-tu ainsi ? maugréa Kira.

– Depuis que tu es allée à Irianeth. Avant, je me fiais surtout aux frémissements de tes oreilles.

« Lorsque l'Empereur a failli me reprendre... », déduisit-elle. Dans un si court laps de temps, pouvait-il lui avoir jeté un sort ? Wellan prétendait que les Empereurs Noirs possédaient de terribles pouvoirs depuis plusieurs générations.

– Fais-les-moi entendre ! décida-t-elle en se redressant.

– Ils sont à l'intérieur de toi, pas de moi, répliqua Sage.

Son épouse saisit ses mains et les plaça sur ses tempes mauves en arborant un air de supplication qui fit fondre toutes ses réticences.

– Je veux les capter moi aussi, insista Kira.

Sage ferma les yeux et se concentra. D'abord, rien ne se produisit, puis un son aigu fit tressaillir la Sholienne. Avant qu'elle puisse le dire à son mari, un déluge de notes cristallines lui succéda.

– Je les entends ! s'exclama-t-elle.

Le guerrier aux yeux de miroir mit fin au contact, inquiet de voir les craintes de sa compagne se transformer en ravissement. Habituellement, elle détestait tout ce qui se rapprochait du monde des hommes-insectes.

– Et tu arrives à déchiffrer cette langue ? s'enquit la princesse.

– C'est instinctif, je crois.

– Selon toi, c'est moi qui crée ces cliquetis ?

– Évidemment, puisque ce sont tes pensées que je perçois.

– Je suis peut-être née ainsi...

Sage se dirigea vers sa commode pour se dévêtir à son tour. Il se doutait bien que Kira ne lui donnerait pas une minute de répit jusqu'au matin. Lorsqu'elle flairait une piste, elle était encore plus tenace qu'un chien de meute.

– Et si ce n'était qu'une ruse de l'empereur ? fit-elle soudainement.

– Pourquoi ne pas le demander à Wellan ? Il est beaucoup plus savant que moi.

– Malgré toute sa science, il ne parle pas l'insecte. C'est au Magicien de Cristal que j'aimerais bien poser cette question.

– Mais il a disparu.

– Je suis sûre qu'il reviendra.

Sage se déshabilla et vint se blottir contre elle, sachant très bien qu'il serait incapable de l'intéresser aux jeux de l'amour. Il se contenta d'embrasser la peau chaude de sa nuque en l'écoutant éplucher toutes les hypothèses, même les plus invraisemblables, au sujet des quelques secondes qu'elle avait passées en présence du seigneur des insectes. Épuisé, il s'endormit avant qu'elle se taise enfin.

Kira tira sur la couette et les recouvrit tous les deux. Comment pourrait-elle arriver à dormir, maintenant ? « Peut-être que je pense dans la langue d'Irianeth depuis ma naissance ? » conclut-elle. Au contact des Sholiens, puis des habitants d'Émeraude, elle avait tout simplement appris à traduire ses pensées pour se faire comprendre de son entourage...

Elle observa le visage paisible de son époux et lui envia son détachement. Il était hybride aussi, mais il ne semblait pas s'en inquiéter outre mesure. Elle se lova dans ses bras avec la ferme intention d'oublier toutes ses questions. Un sifflement strident la fit sursauter. Il ressemblait à un tel point aux cris de Hathir qu'elle se dégagea de l'étreinte de Sage et courut à la fenêtre. Elle arqua un sourcil en constatant que son étalon somnolait parmi les autres chevaux. Une autre stridulation lui fit dresser les oreilles.

– Mais qu'est-ce que cela signifie ? murmura-t-elle en pivotant lentement sur elle-même.

Il n'y avait que Sage et elle dans cette pièce. D'où venaient ces sons discordants ? Devait-elle réveiller son mari ? Et s'il n'entendait pas la même chose ?

Kira revint lentement à son lit. Jadis, elle avait lu dans les pensées de Wellan qu'il craignait qu'elle se transforme un jour en insecte. Cette éventualité la fit frissonner d'horreur. Elle se faufila sous les draps, contente de retrouver la chaleur de Sage.

Narvath...

Kira se redressa brusquement en sondant tous les recoins de la chambre, le cœur battant la chamade. *Je sais que tu m'entends, mon enfant...* Elle connaissait cette voix ! Elle l'avait entendue à Irianeth ! L'Empereur Noir lui avait donc jeté un sort ! Ou était-ce Asbeth ? *Ta place est auprès de moi, Narvath. Si tu m'avais laissé le temps de te l'expliquer lorsque mon sorcier a réussi à te ramener chez toi, tu le comprendrais.*

– Mère, j'ai besoin de vous..., supplia Kira.

Un vent glacial balaya la chambre. La Reine Fan se matérialisa près du lit de sa fille. Son visage exprimait un grand déplaisir : elle savait donc déjà ce qui se passait. Kira voulut ouvrir la bouche, mais d'un geste sec, le fantôme lui indiqua de se taire. Les mortels devaient obéissance aux maîtres magiciens, même lorsqu'il s'agissait de leur mère.

Fan posa les mains sur les tempes de la princesse pour écouter ce qui se passait dans sa tête. Comment cet ignoble sorcier avait-il réussi à rétablir ce lien qu'elle avait coupé quelques minutes à peine après la naissance de son enfant hybride ? Aucun mage ne pouvait annuler un sort jeté par un Immortel, encore moins un sombre ensorceleur.

Les yeux violets de Kira l'appelaient silencieusement à l'aide, mais Fan ne savait pas très bien comment la séparer de la collectivité une seconde fois.

– Je ne veux plus l'entendre..., l'implora la Sholienne.

– Ma magie a des limites, se troubla le fantôme.

Dylan surgit près de la reine. Kira se sentit aussitôt soulagée de le voir arriver à la rescousse. Il n'était qu'un Immortel, mais la déesse de Rubis le dotait sans cesse de nouveaux pouvoirs.

– Dis-moi que tu peux me délivrer de ce tyran, gémit sa sœur.

– Je peux essayer, mais l'Empereur Noir saura désormais que j'existe, répondit-il en décochant un regard inquiet à Fan.

– Dans ce cas, ne fais rien, se résigna Kira. Je ne veux pas te mettre en danger.

– Il pourrait utiliser sa sorcellerie pour te capturer, l'avertit Fan.

– Mais il faudrait pour cela que nous nous retrouvions face à face, répliqua Dylan. Les dieux ne me permettent même pas d'approcher d'Irianeth.

Pourtant, on avait enseigné à Kira que les sorciers n'étaient pas plus puissants que les maîtres magiciens... Mais ce n'était guère le moment de demander des explications à ces deux personnages célestes qui n'étaient apparus dans sa chambre que pour lui venir en aide.

Dylan lut ses pensées. Il connaissait lui aussi la prophétie qui reliait Kira et Lassa. Il jugea donc que leurs vies étaient bien plus importantes que la sienne puisque, sans eux, le monde des hommes s'éteindrait. Ayant obtenu le consentement silencieux de Fan, il toucha la tête de Kira de ses mains lumineuses, puis prononça des paroles très douces qu'elle ne parvint pas à déchiffrer. Les exhortations de l'empereur se retransformèrent en cliquetis et en sifflements pour finalement s'estomper.

– Je ne l'entends plus ! soupira enfin Kira.

– Il se peut qu'il tente à nouveau de restaurer ce lien privilégié qu'il maintient avec tous ses sujets, la prévint Dylan.

– J'éviterai de me retrouver en sa présence, je te le jure.

Fan n'accorda qu'un regard inquiet à sa fille avant de disparaître. Dylan fit un clin d'œil à sa sœur et l'imita. La pièce redevint tiède et sombre. Incapable de trouver le sommeil, Kira se remit à penser au traquenard que lui avait tendu Asbeth sur la plage de Zénor. Comment aurait-elle pu y échapper ? Le sorcier à plumes devenait de plus en plus rusé et cela ne lui plaisait pas du tout.

Tout à coup, elle comprit pourquoi Wellan avait risqué sa vie pour recevoir l'enseignement de Nomar au Royaume des Ombres. Lui aussi avait désiré devenir suffisamment puissant pour détruire les mages noirs qui menaçaient leur civilisation. Elle passa donc le reste de la nuit à chercher une façon d'éliminer Asbeth une fois pour toutes.

14

Père avant tout

Après avoir quitté Wellan, Farrell retourna à la chambre de Swan dans l'aile des Chevaliers. Il y entra en silence et aperçut sa femme et ses fils couchés dans le lit. Il se glissa sous les draps, ramenant le corps tout chaud de Nemeroff contre lui. Le petit garçon de deux ans se mit à gémir, mais cessa toute résistance en reconnaissant l'odeur de son père. Farrell l'embrassa tendrement sur le front.

C'était la troisième famille d'Onyx depuis sa naissance cinq cents ans plus tôt, mais la première qu'il verrait grandir. Il éprouvait beaucoup de chagrin chaque fois qu'il pensait à l'épouse et aux jeunes jumeaux qu'il avait dû abandonner en fuyant Émeraude. Alisha était si douce, si compréhensive... Malgré toutes les atrocités dont on avait accusé son mari, jamais elle ne s'était retournée contre lui.

Une fois emprisonné dans les glaces d'Espérita, Onyx avait d'abord tenté de s'isoler. Soignant les malades et les blessés, il avait vécu seul dans une maison de pierre en retrait du village. Mais l'amour l'attendait une fois de plus au détour du chemin. Il s'était épris d'une jeune femme qu'il avait sauvée de la mort. Epsap lui rappelant beaucoup Alisha, il avait demandé sa main à son père. Cette deuxième épouse lui avait donné plusieurs beaux enfants, mais il n'avait jamais eu le temps de s'occuper d'eux, le nouveau gouvernement d'Espérita et son travail de guérisseur occupant la majeure partie de son temps... C'est au milieu des souvenirs d'Onyx que Farrell s'endormit en étreignant Nemeroff.

Les plaintes de son benjamin le réveillèrent quelques heures plus tard. Avant que le petit Atlance ne trouble le sommeil de sa mère, toujours endormie, Farrell le prit dans ses bras. Laissant Nemeroff avec Swan, le père attentionné s'empara du sac de toile qu'il avait apporté de chez lui. Il se dirigea en vitesse vers les bains, où les pleurs du bébé n'importuneraient personne. Il débarrassa son jeune fils de ses langes souillés et, puisqu'il ne disposait pas d'un bac à lessive comme à la ferme, il les jeta dans la fosse aux ordures où ils seraient brûlés plus tard. Puis, il entra dans l'eau chaude avec l'enfant pour le laver et le calmer.

Farrell sécha ensuite son petit corps, le langea avec une étoffe qu'il avait puisée dans le sac de toile, puis il s'habilla. Il n'avait jamais eu le bonheur de s'occuper de sa progéniture dans ses deux vies précédentes et il savourait chaque seconde passée avec Nemeroff et Atlance, même lorsqu'il s'agissait de dents qui poussaient ou d'accès de fièvre.

Il se rendit aux cuisines déjà bourdonnantes d'activité à cette heure matinale. En le voyant entrer avec le poupon, une servante s'empressa de remplir son biberon de lait chaud. Le papa bavarda avec les femmes tout en faisant boire son enfant. Elles le félicitèrent sur sa façon de traiter son petit. Il accepta leurs compliments avec un sourire, tout en craignant que ces joies intimes lui soient désormais refusées s'il acceptait d'enseigner la magie aux élèves d'Émeraude. Il remercia les cuisinières et retourna dans l'aile des Chevaliers avec toutes ses affaires. Les grands yeux bleus d'Atlance l'observaient avec curiosité.

– Je te connais bien, petit chenapan, chuchota le père en marchant dans le long couloir. Si je te dépose près de ta mère, tu vas tempêter jusqu'à ce qu'elle se réveille.

Le hall des Chevaliers étant toujours désert, Farrell décida d'y emmener.l'enfant. Il s'approcha de l'âtre, y alluma un feu magique et changea un banc de bois en berceuse où il prit place avec Atlance. Tous ses besoins fondamentaux ayant été comblés, le bébé s'agita joyeusement.

Farrell se remit à penser aux deux petits garçons demeurés avec Alisha dans son village d'Émeraude lorsqu'il avait échappé à la colère d'Abnar. Les jumeaux lui ressemblaient comme deux gouttes d'eau : des cheveux noirs doux comme de la soie et des yeux bleus comme le ciel. Son visage s'éclaira quand il pensa qu'il vivait désormais dans le corps du descendant d'un de ses fils.

Le Roi Hadrian était venu en aide financièrement à sa famille après sa disparition. L'esprit de Farrell le lui avait confirmé lors de leurs nombreuses discussions. Son vieil ami d'Argent avait acheté le village pour le donner aux ancêtres du paysan, qui le dirigeaient toujours. Hadrian avait été juste et bon jusqu'à la fin.

Les pensées du renégat furent alors interrompues par l'arrivée de Swan et de leur fils aîné. Le petit garçon de deux ans faisait la mauvaise tête dans les bras de sa mère, mécontent d'avoir été réveillé d'aussi bonne heure. La femme Chevalier le déposa sur le sol. Nemeroff courut jusqu'à Farrell et tenta de grimper dans ses bras.

– Doucement, l'avertit le père. Tu vas écraser Atlance.

– Non, moi ! cria le gamin, les larmes aux yeux.

– Laisse-moi m'occuper du bébé, suggéra Swan pour venir en aide à son époux.

Elle cueillit le poupon qui sentait les langes propres et le lait chaud et l'embrassa dans le cou, ce qui le fit gazouiller de plaisir. Nemeroff se réfugia dans les bras de son père où il continua de se plaindre dans une langue d'enfant que lui seul pouvait comprendre.

– Tu es un bon père, Farrell d'Émeraude, le complimenta sa femme en s'asseyant à table. Ces garçons ont plus d'affection pour toi que pour moi.

– Ce qui est tout à fait normal, puisque je passe plus de temps que toi avec eux.

Swan baissa la tête, tiraillée une fois de plus entre son devoir de Chevalier et ses obligations maternelles.

– Où es-tu allé, cette nuit ? demanda-t-elle finalement.

– Je suis allé bavarder avec Wellan.

– Avec notre grand chef ? Pourquoi ?

– Il cherche un remplaçant pour Élund.

Elle mit un moment avant de comprendre les implications de cette requête.

– Que lui as-tu répondu ? s'inquiéta-t-elle.

– Je lui ai dit que j'en parlerais d'abord avec toi.

– Mais tu ne peux pas occuper ce poste, Farrell ! protesta Swan. Lorsque tu m'as épousée, tu as promis de t'occuper de nos enfants !

– Je continuerais de le faire ici, évidemment.

– Et notre ferme, alors ?

– Tu sais bien que je ne participe jamais aux travaux des champs avec les serviteurs. Nos fils grandiraient au château plutôt qu'à la campagne. C'est la seule différence.

– Mais si tu enseignes à tous ces élèves, tu n'auras pas le temps de t'occuper d'eux.

– Je les garderai en classe le jour et ils dormiront avec moi la nuit. Rien ne sera changé, sinon qu'ils apprendront à lire et à écrire plus rapidement. C'est une occasion en or de leur fournir une bonne éducation, Swan.

Elle continua de le fixer avec incertitude, car ce n'était pas ce qu'elle avait prévu pour ses enfants. Farrell tendit la main et caressa tendrement la peau de pêche de sa joue.

– Et ils seront décidément plus en sécurité ici que sur une ferme isolée si les soldats-insectes devaient atteindre le Royaume d'Émeraude, ajouta-t-il en sachant que cet argument achèverait de la convaincre.

– Tu veux vraiment devenir magicien ?

– Disons que cela me permettrait de rendre à cette communauté tout ce qu'elle m'a donné. Et ce n'est pas un travail aussi difficile que tu le crois. Ces élèves doués savent déjà lire. On me demande seulement de les aider à maîtriser leurs pouvoirs magiques. J'ai envie d'apporter moi aussi ma contribution à ce conflit qui nous oppose à Amecareth.

– Et tu me promets que nos fils ne manqueront de rien ?

– Je te le jure sur mon honneur.

– Et si nous en avions d'autres ?

– Ils seraient élevés de la même façon et ils deviendront beaucoup plus savants que leur père, alors ils auront un avenir plus brillant que lui.

– Non, ne dis pas ça.

Elle posa un baiser amoureux sur ses lèvres tout en gardant Atlance serré contre elle. Elle allait bientôt repartir en mission et ne reverrait pas sa famille avant longtemps. Jamais elle n'avait pensé que ces séjours loin de son époux seraient si durs.

– Il est normal qu'un père souhaite à ses enfants d'être meilleurs que lui, Swan, murmura-t-il, ses lèvres toujours en contact avec les siennes.

– Alors, nos fils auront fort à faire pour surpasser le leur.

Ils s'embrassaient encore lorsque les femmes Chevaliers commencèrent à arriver pour le repas du matin. Swan se leva avec son bébé dans les bras. Ses compagnes s'approchèrent pour caresser la petite tête d'Atlance hérissée d'un duvet sombre. Pendant que son épouse se joignait à ses sœurs d'armes, Farrell continua de bercer Nemeroff, qui s'était finalement endormi sur sa poitrine.

Onyx aimait bien cet esprit de camaraderie qui régnait au sein de l'Ordre, surtout parmi les femmes. Jadis, on ne les avait pas admises dans les rangs des Chevaliers d'Émeraude. Cela avait été une grave erreur, selon lui. Ses anciens compagnons s'étaient ainsi privés d'un atout important dans leur lutte contre l'Empereur Noir. Les soldats féminins ne pensaient pas de la même façon que leurs frères. Farrell avait beaucoup appris sur leur intelligence remarquable en côtoyant Swan, si différente de ses deux épouses précédentes. Là où les hommes prônaient des solutions immédiates et brutales, bien souvent leurs compagnes préféraient prendre du recul et adopter une stratégie souvent susceptible de régler le conflit d'un seul coup.

Nemeroff s'agita. Farrell l'étrcignit davantage en embrassant ses cheveux noirs. Des murmures d'admiration parcoururent le groupe des femmes et il comprit que c'était lui qui faisait l'objet de leurs éloges.

15

Les dernières paroles d'Élund

Une heure plus tard, les Chevaliers rejoignirent leurs sœurs d'armes dans le hall. Les serviteurs déposaient déjà les plats sur les deux longues tables. Wellan interrogea Farrell du regard en passant près de lui. Le paysan opina doucement de la tête, signe qu'il acceptait de devenir le deuxième professeur des étudiants d'Émeraude. Satisfait, le grand Chevalier attendit que tous soient arrivés, y compris Jasson et Bergeau, avant de parler de ses plans. Farrell réveilla son jeune fils et prit place parmi les soldats. Il déposa dans son assiette des aliments dont raffolait Nemeroff pour l'occuper pendant le discours de Wellan.

– Le roi donnera un repas ce soir en l'honneur d'Élund, déclara ce dernier, et il insiste pour que nous y participions avant de retourner en mission.

Tous les yeux se dardèrent sur lui. Ils avaient tous hâte de retourner à leurs postes sur la côte, sauf Falcon qui allait bientôt devenir père pour la première fois. Mais, puisqu'il possédait des bracelets magiques, il pourrait revenir auprès de Wanda lorsque serait venu pour elle le moment d'enfanter.

– Nous partirons donc demain, à la première heure, continua Wellan. Il nous faudra redoubler de vigilance : les Immortels pressentent une nouvelle tentative d'invasion. Nous avons dorénavant le pouvoir de nous déplacer rapidement, alors nous pourrons converger vers l'endroit où Amecareth aura décidé de faire débarquer ses troupes.

Il se leva. Les petits rouleaux de parchemin dans ses mains provoquèrent des murmures parmi les aînés.

– Élund m'a demandé de remettre ces quelques lettres, expliqua Wellan.

Ayant déjà livré celles qui étaient adressées à Hawke et au Roi d'Émeraude plus tôt ce matin-là, il alla remettre les trois dernières à Kira, Bridgess et Farrell. Les deux femmes Chevaliers s'empressèrent d'en détacher les cordons de cuir et d'en parcourir la fine écriture. Swan s'empara de celle de son époux pour la lui lire, ignorant évidemment qu'il pouvait le faire seul. Farrell accepta son aide avec un sourire aimable en décochant un coup d'œil complice à Wellan.

Pendant qu'ils prenaient connaissance des dernières paroles du défunt magicien, le grand chef les sonda pour s'assurer qu'il n'aurait pas de crises d'émotion à maîtriser. Tout semblait bien se passer.

À Farrell, Élund demandait surtout de poursuivre son œuvre auprès des étudiants d'Émeraude, car il avait ressenti en lui une force plus grande qu'il ne le laissait paraître. À Bridgess, il disait au revoir en lui recommandant de veiller sur Wellan et de le seconder dans les temps difficiles à venir. Finalement, à Kira, il faisait ses excuses, car il avait passé la moitié de sa vie à croire qu'elle était un monstre. Il avait compris, bien que tardivement, qu'elle sauverait le monde.

Lorsque les trois élus eurent terminé leur lecture, Wellan fit circuler les observations célestes d'Élund parmi ses soldats pour qu'ils en soient tous informés. Son geste étonna beaucoup Santo, puisque le grand chef gardait généralement ce genre de secret pour lui-même. Pourquoi partageait-il cette information dangereuse tout à coup ? Il le comprit lorsque le parchemin arriva enfin dans ses mains. Wellan voulait sans doute que ses Chevaliers l'aident à identifier le héros qui reviendrait de la mort pour les aider...

– Lassa est-il en danger à Émeraude ? s'alarma Falcon en remettant à Wellan la lettre qui avait fait le tour des deux tables.

– Élund semble croire que nous sommes tous en danger, corrigea Sage.

– D'après lui, la guerre va bientôt éclater sur le continent, s'inquiéta Dempsey. Cela signifie certainement que l'empereur est sur le point d'utiliser ses véritables guerriers contre nous.

– Mais il croit aussi que nous serons victorieux, intervint Bergeau pour remonter le moral des troupes.

– Après que les insectes auront fait de nombreuses victimes, s'agita Wimme.

– Moi, ce qui m'intrigue, c'est ce héros qui reprendra vie pour nous aider, annonça Bailey. Élund ne dit pas qui il est ni quand il arrivera.

– Et que doit-on penser du complot dans les mondes invisibles ? fit observer Volpel. Peut-on encore faire confiance aux Immortels ?

– Je crois aussi qu'il se passe des choses étranges dans leur univers, s'imposa Wellan. Alors, jusqu'à ce que nous soyons fixés sur leurs véritables intentions, je suggère que nous fassions preuve de prudence.

– Sommes-nous certains que Lassa est en sécurité malgré l'absence d'Abnar ? voulut savoir Jasson.

– Mon instinct me dit que oui, estima Wellan. Le Magicien de Cristal n'est pas là, mais sa magie protège toujours le château. Quant à ce héros mystérieux, je ne sais pas qui cela peut être.

– Sans doute ceux qui sont de garde à Émeraude pourraient-ils tenter de le découvrir dans les étoiles pendant que nous serons en mission sur la côte, suggéra Chloé.

– Nous verrons ce que nous pouvons faire, répondit Santo au nom de son groupe.

Wellan tourna la tête vers Farrell et aperçut de l'amusement dans ses yeux pâles. Connaissait-il l'identité de ce héros dont parlaient les étoiles ? Cet homme, qui partageait désormais son corps avec le Chevalier Onyx, possédait un immense savoir, mais ce n'était ni l'endroit ni le moment de le questionner.

Le grand chef s'efforça donc de manger, malgré son manque d'appétit évident, pour ne pas inquiéter inutilement ses compagnons.

16

Le nouveau maître

Ce jour-là, Wellan emmena sa fille et son épouse au Royaume de Rubis, après avoir confié la surveillance du Château d'Émeraude à Santo. Les sujets du Roi Burge avaient déjà commencé à défiler dans la cour de la forteresse pour lui rendre hommage. La famille royale se tenait près du cercueil, silencieuse et grave. Lorsqu'on hissa finalement la dépouille sur le bûcher, Jenifael sentit son cœur se serrer dans sa poitrine. Elle songea un instant à se réfugier dans les bras de son père, mais le courage qu'affichaient ses cousins de Fal l'en dissuada.

Après les remerciements d'usage de la part du nouveau Roi de Rubis, Wellan repartit pour Émeraude. À son arrivée, le repas du midi était terminé. Jenifael se dépêcha de se rendre en classe. Tandis que les Chevaliers et leurs apprentis s'affairaient aux préparatifs de leur imminent départ, Wellan fut curieux d'aller voir comment le nouveau professeur de magie se débrouillait dans ses nouvelles fonctions. Il lui serait bien difficile de l'observer en secret, car tous les enfants possédaient la faculté de ressentir l'approche de leurs semblables. Il tenta tout de même le coup. S'entourant d'un écran de protection, Wellan gravit l'escalier de la tour et s'arrêta près de la porte. L'aspect soudainement différent de la grande pièce circulaire lui causa un choc.

En quelques heures à peine, Farrell l'avait débarrassée de toutes les petites tables d'étude dont Élund s'était servies pendant des décennies. Les tapisseries ne bloquaient plus les fenêtres et le soleil inondait joyeusement la salle de cours. Tous les élèves, y compris Jenifael, Liam et Lassa, étaient assis sur de gros coussins colorés devant leur nouveau maître.

– Tout ce qui se trouve ici-bas est semblable à ce qui existe dans l'univers des dieux, expliquait Farrell avec une assurance qui n'était pas celle du paysan. Dans les mondes célestes, il y a aussi des royaumes et même une hiérarchie que tous doivent respecter.

Derrière Farrell reposait un grand panier d'osier. Wellan y capta la présence de son poupon endormi. Son petit garçon de deux ans ne se trouvait nulle part. Sans doute Swan l'avait-elle gardé auprès d'elle.

Le paysan jeta un bref regard à Wellan, lui révélant ainsi que ses efforts pour passer inaperçu étaient vains. Farrell aurait pu le dénoncer, mais il choisit plutôt de poursuivre tranquillement la leçon.

– Quelqu'un peut-il me dire qui habite les plans supérieurs ? demanda le professeur.

– Les dieux ! s'écria Liam, heureux de connaître la réponse.

– C'est tout ?

– Non, répondit Jenifael avec un air sérieux. Il y a aussi des Immortels et des maîtres magiciens qui sont morts. Quant à la hiérarchie dont vous parlez, elle est bien plus complexe que la nôtre.

Wellan arqua un sourcil. De qui sa petite déesse tenait-elle ces renseignements ?

– Je vous prie de préciser, jeune dame, réclama Farrell.

– Eh bien, les dieux ne sont pas tous sur le même pied d'égalité. Parandar est à leur tête, il est vrai, mais il partage son pouvoir avec Theandras, la déesse de Rubis.

Wellan faillit en perdre son bouclier d'invisibilité. Il ne fut d'ailleurs pas le seul à s'étonner de la déclaration de la fillette.

– Qui t'a raconté cela, Jenifael ? s'enquit le paysan qui ressemblait tout à coup davantage à Onyx qu'à Farrell. Est-ce ton père ?

Les joues de l'enfant devinrent rouges. « S'est-elle aventurée trop loin ? » s'inquiéta Wellan. Farrell s'approcha de Jenifael et posa une main amicale sur sa frêle épaule.

– Je sais des choses..., murmura-t-elle.

– Son frère est un Immortel ! ajouta Liam pour la protéger.

– C'est lui qui t'a expliqué le fonctionnement du panthéon ? voulut savoir Farrell.

– Pas tout à fait...

– C'est moi, avoua Lassa.

Les yeux pâles du professeur se tournèrent vers le porteur de lumière. Il n'ignorait certes pas qui était l'enfant et qui lui avait enseigné tout ce qu'il savait.

– J'imagine que tu possèdes des connaissances beaucoup plus vastes que les miennes à ce sujet. Que dirais-tu de donner ce cours avec moi ? suggéra amicalement Farrell.

Il emmena Lassa s'asseoir près de lui sur le plus gros des coussins et l'encouragea à raconter à ses amis ce qu'Abnar lui avait dit au sujet du peuple céleste. Wellan aimait bien la façon dont Farrell traitait ses élèves : il ne s'imposait pas en maître comme Élund, mais il s'efforçait au contraire de rester à leur niveau. Wellan écouta les explications du Prince de Zénor et fut bien surpris d'apprendre qu'il y avait des dieux supérieurs et des dieux inférieurs. Contrairement à ce qu'il avait toujours pensé, ce n'étaient pas des Immortels qui les servaient, mais des créatures étranges parentes avec les Fées.

Farrell établit ensuite la relation entre le monde physique et le monde divin. Tous les enfants l'écoutèrent avec attention. Il y avait dans sa voix et son regard une autorité qui les captivait tous. Wellan ne put s'empêcher de penser que le renégat avait enfin trouvé sa véritable place dans l'univers.

Wellan ne revit Farrell qu'au repas du soir, dans le hall d'Émeraude Ier. Afin de respecter les dernières volontés de son défunt magicien, le monarque avait fait préparer une grande fête. Les enfants n'y étant pas conviés, Swan et Farrell avaient demandé à Armène de s'occuper de leurs fils pendant quelques heures. Le grand chef circula parmi la foule bruyante. Une servante lui remit une coupe de vin, fit une courbette et disparut au milieu des convives.

Pendant que son épouse bavardait avec Kagan et Wimme, Farrell rejoignit Wellan qui, comme c'était son habitude, promenait son regard sur toute l'assemblée. Le paysan leva son gobelet à la santé du Chevalier, lui arrachant un sourire.

– J'espère que vous avez apprécié mon cours, ricana le nouveau professeur.

– Ce n'était pas mal du tout, admit Wellan. Je dirais même que c'était plutôt instructif.

– Tel que je vous connais, vous avez sans doute déjà utilisé le médaillon.

Le visage du grand chef s'assombrit.

– Avez-vous éprouvé des ennuis ? s'inquiéta Farrell.

– Le voyage a été brutal, mais réussi. J'avais décidé de visiter le château de mon enfance et j'y suis arrivé tandis que mon père se mourait. Ce joyau est d'une puissance incroyable. Danalieth a vraiment fait un beau cadeau aux Elfes.

– Mes condoléances pour votre père, offrit le magicien, plus sérieux.

– Il a vécu une longue vie et il méritait le repos éternel. Dites-moi, Hadrian se servait-il souvent de ce bijou magique ?

– Je l'ai vu l'utiliser une bonne vingtaine de fois.

– Pourrais-je l'utiliser pour espionner Amecareth ?

– Probablement, mais comprenez-vous le langage des insectes ?

Il avait raison. Même s'il avait parcouru tout le royaume de l'Empereur Noir, il n'aurait probablement pas compris ce qui s'y passait.

Farrell lui donna une claque amicale dans le dos et poursuivit sa route. Wellan vit alors Kira, recroquevillée sur son siège, une coupe à la main. Il projeta sa conscience vers elle et ressentit sa détresse.

Anxieux, le grand chef déposa son gobelet d'argent sur le plateau d'un serviteur qui venait en sens inverse et marcha vers la princesse mauve. Kira ne parut pas surprise de le voir se tirer un banc près d'elle.

– Nous avons failli avoir de gros ennuis, murmura-t-elle pour que les autres ne l'entendent pas. La nuit dernière, Sage m'a raconté, le plus innocemment du monde, qu'il entendait des cliquetis dans ma tête.

Le visage de Wellan devint crayeux. Kira saisit aussitôt ses mains pour le rassurer.

– Le danger est passé. Dylan est venu à mon secours.

– Dylan ?

Kira lui raconta sa terrible nuit et l'intervention de son frère de lumière. Avant que Wellan puisse lui faire connaître sa crainte d'un nouveau piège, le héraut d'Émeraude Ier frappa son sceptre doré sur le sol, appelant les convives à table.

– Tu sais bien que je serai plus prudente à l'avenir, lui souffla Kira avant de prendre sa place auprès de son tuteur.

« Y a-t-il autre chose que je devrais savoir ? » se tracassa le grand Chevalier en marchant vers son épouse. Assis dans un confortable fauteuil, le vieux souverain rappela brièvement les précieux services que lui avait rendus Élund. Sa mort l'affectait énormément, mais il faisait de gros efforts pour contenir sa peine. Kira glissa sa main dans celle du roi. Émeraude Ier lui sourit et accepta de prendre une bouchée pour lui faire plaisir.

Wellan mangea en s'intéressant tour à tour à chacun de ses soldats. Wanda rayonnait de bonheur avec son ventre bien rond. À ses côtés, Falcon racontait à ceux qui voulaient l'entendre tous les petits détails de sa grossesse. Toujours aussi amoureux d'Ariane, le capitaine Kardey susurrait des mots doux à son oreille. Ravie, la Fée arborait un sourire épanoui.

« Ils méritent cette pause », songea le grand chef. Une énergie familière attira son attention à la porte de la grande salle. Jenifael venait d'entrer. Au lieu de contourner la table du roi, comme l'exigeait le protocole, elle plongea sous la nappe et marcha à quatre pattes jusqu'aux longues jambes de son père. Wellan se pencha, la saisit par les bras et la hissa sur ses genoux.

– Mais qu'est-ce que tu fais ici ? chuchota-t-il en espérant qu'elle n'avait pas importuné les invités en passant sous la table.

– Je t'aime, papa ! s'exclama-t-elle en jetant ses bras autour de son cou.

Wellan aperçut le regard amusé de Bridgess. S'agissait-il d'un autre complot de la part des femmes de sa vie ?

– Réponds à ma question, Jeni.

– Je ne pouvais pas dormir en pensant à tous les dangers qui te guettent sur la côte. Il fallait que je vienne te donner du courage.

– On dirait plutôt que c'est toi qui en a besoin d'une bonne dose, remarqua-t-il.

– Ce ne serait pas de refus, tu sais.

Elle serra davantage Wellan en lui transmettant une vague d'amour qui fit sourire ses compagnons. Le père ferma les yeux avec bonheur, puis se rappela que Bridgess et lui avaient décidé, lorsque Jenifael était toute petite, qu'ils ne lui accorderaient pas de traitement de faveur, afin qu'elle devienne un jour un bon Chevalier. Ils agissaient avec respect, amour et justice envers elle et résistaient de leur mieux à leur envie de la gâter.

– Le roi n'a pas invité les enfants à sa table ce soir, jeune demoiselle, la réprimanda Wellan.

– Je ne suis pas venue ici pour manger, juste pour être dans tes bras. Demain, à mon réveil, tu seras déjà parti avec maman. Je ne te verrai pas pendant quarante jours...

– Il serait bien cruel de la chasser, insinua Bergeau.

Wellan aurait préféré que son frère d'armes n'intervienne pas, mais avant qu'il puisse ouvrir la bouche, tous les autres se rangèrent du côté du Bergeau. Désemparé, le grand chef chercha un appui du côté de son épouse.

– Pourquoi n'allez-vous pas prendre l'air tous les deux dès que tu auras fini de manger ? suggéra-t-elle.

– Oh oui, papa ! s'enthousiasma Jenifael en caressant le visage de son père.

– Tu viens encore de te faire avoir, mon vieux, rigola Jasson en levant son verre à la santé de Wellan.

Le grand chef se tourna vers Émeraude Ier pour s'assurer que cette visite inattendue ne le contrariait pas, mais il constata que le roi dormait dans son fauteuil.

– Tu ne peux pas lui refuser ce plaisir, Wellan, insista Nogait.

Le grand chef se tourna vers le jeune marié à l'air espiègle. À ses côtés, Amayelle souriait en espérant aussi qu'il morde à l'hameçon.

– Il est grand temps que je vous renvoie tous sur la côte ! s'esclaffa Wellan. Vous avez beaucoup trop de temps libre !

Il termina son repas malgré la présence de sa fille sur ses genoux. Puis, lorsqu'il s'essuya enfin les mains, la petite l'éloigna de la table. Ils quittèrent le hall au milieu des éclats de rire et des moqueries des Chevaliers.

Wellan et Jenifael sortirent du palais et marchèrent dans la grande cour à peine éclairée par quelques flambeaux. L'air était frais et le ciel d'encre parsemé d'étoiles. Le grand Chevalier sonda sa fille. Il capta sa fierté. Il n'arrivait pas souvent qu'elle se retrouve ainsi seule avec son père.

– Farrell est un bon maître, déclara-t-elle en levant son mignon petit visage vers lui. Il est très différent d'Élund.

– De quelle façon ? voulut savoir Wellan.

– Il nous fait surtout travailler en groupe plutôt que seuls.

– Tu aimes ça ?

– Oui, beaucoup. Liam, Lassa et moi, nous sommes vraiment efficaces lorsque nous unissons nos forces. Nous voyons les problèmes avec des yeux différents, alors nous les réglons plus rapidement.

– Il faudrait aussi que tu apprennes à connaître les autres élèves de ta classe, Jenifael, car un jour tu seras appelée à travailler avec eux également. Tu ne seras pas toujours en mission avec Liam ou Lassa.

– Je les connais déjà tous, papa. Aujourd'hui, j'ai fait un peu de lecture avec Ambre et Nikelai et j'ai aidé Sora et Andaraniel à créer un beau château dans le bac de sable. Mais je préfère effectuer les expériences de groupe avec mes deux meilleurs amis.

Tant qu'il s'agirait de jeux innocents ou éducatifs, Wellan ne s'y opposerait pas. Mais il garderait très certainement l'œil sur ces deux garçons lorsqu'ils atteindraient la puberté.

– Tu t'inquiètes toujours pour moi, le taquina Jenifael.

– C'est le lot d'un père, déclara-t-il en la grimpant sur ses épaules.

Elle passa ses petits bras sous sa gorge et appuya son menton sur sa tête en regardant le ciel avec lui. Il lui avait raconté jadis qu'il existait d'autres univers là-haut qui connaissaient les mêmes joies et les mêmes peines que le leur.

– Est-ce que nous pourrons les visiter un jour ? demanda la petite en toute innocence.

– À moins qu'il nous pousse des ailes comme les oiseaux, je ne crois pas que ce soit possible, ma chérie. De toute façon, il y a tellement de choses que nous ignorons sur notre propre monde. Je pense qu'il serait plus raisonnable de commencer par l'explorer avant de diriger nos pas ailleurs.

– La guerre sera probablement finie quand je serai grande. Les Chevaliers d'Émeraude deviendront alors des explorateurs. Ils compléteront les cartes de la bibliothèque où il y a encore de grands espaces inconnus.

– C'est une bonne idée.

– Et si tu n'es pas trop vieux, nous t'emmènerons avec nous.

– Quoi ! fit mine de s'offenser Wellan.

Il la fit basculer en se penchant vers l'avant et la chatouilla jusqu'à ce qu'elle demande grâce. Profondément heureux, il la bécota dans le cou en remerciant Theandras pour la millième fois de lui avoir donné une enfant aussi parfaite.

Lorsqu'il voulut la reconduire à son dortoir, Jenifael se mit à protester. Le grand chef lui rappela que si elle voulait un jour devenir Écuyer, il lui fallait apprendre à obéir sans rouspéter. Elle baissa aussitôt les yeux. Wellan sentit son petit cœur se serrer dans sa poitrine, mais il ne devait pas céder. Il lui aurait été facile de la ramener à l'aile des Chevaliers et de la laisser dormir entre Bridgess et lui, mais il risquait une autre scène au matin et il ne pouvait plus retarder son départ pour la côte. Il la porta donc jusqu'au deuxième étage du palais. Il marcha sans bruit entre les nombreuses couchettes du dortoir où les autres fillettes dormaient à poings fermés. Il déposa Jenifael et s'accroupit près du petit lit.

– Comporte-toi bien en notre absence, lui recommanda-t-il.

– Vous me parlerez tous les soirs avec votre esprit, maman et toi ?

– Oui et je demanderai aussi à Farrell si tu t'es bien conduite en classe.

– Je ne vous ferai pas honte.

– Je sais.

Il l'embrassa sur le front et quitta la pièce sombre. « Il n'est pas toujours facile d'être père », pensa-t-il en retournant dans le hall. Il croisa Swan et Farrell qui avaient déjà quitté la fête pour passer un peu de temps seuls, sans les enfants. Wellan les salua de la tête sans les importuner.

Swan accompagna son époux dans l'ancienne tour d'Élund. Le changement de décor du premier étage la dérouta quelque peu. Farrell lui expliqua que cette pièce avait été bien trop encombrée du vivant d'Élund. D'après lui, l'espace et la lumière étaient essentiels au développement de l'esprit des enfants, alors il avait vidé toute la classe et fait installer un océan de coussins.

– Mais que font-ils lorsqu'ils doivent écrire ?

– Nous ne sommes pas encore rendus là, affirma Farrell, mais je préférerais qu'ils le fassent de façon surnaturelle.

Avec un sourire moqueur, il matérialisa un petit tableau noir dans une de ses mains et une craie blanche dans l'autre en observant la réaction de son épouse.

– Mais comment as-tu fait ça ? s'étonna Swan. Personne ici n'est capable de créer des objets à partir de rien du tout !

– Un jour, je te dévoilerai où j'ai appris cette magie, mais pas cette nuit. Puisque Armène a décidé de garder les enfants dans sa tour, je suggère que nous nous occupions autrement.

Il voulut lui arracher un baiser, mais elle le repoussa en fronçant les sourcils.

– Est-ce la même que tu as utilisée pour faire briller le soleil sur le Château de Zénor ?

– Plus ou moins...

Il s'empara de ses lèvres et ils s'embrassèrent un long moment. Sans avertissement, Swan se dégagea une fois de plus de son emprise. Espiègle, elle s'élança dans l'escalier qui menait à l'étage supérieur. Farrell laissa tomber la craie et le tableau pour la suivre.

Swan fit quelques pas dans l'ancienne chambre d'Élund, ébahie par les améliorations qu'y avait apportées son époux. Les étagères avaient disparu et le gros lit de bois massif avait été remplacé par une couchette plus large et plus basse auprès de laquelle reposait un berceau. Un peu plus loin se trouvaient une table de travail, quelques chaises de bois et une énorme armoire munie d'un cadenas.

– Que gardes-tu là-dedans ? demanda-t-elle à Farrell qui venait de s'arrêter derrière elle.

– Les potions et les flacons du vieux magicien, répondit-il en lui enlaçant amoureusement la taille. Il n'est pas question de les laisser à la portée de jeunes enfants.

– Tu es un homme prudent, toi, dis donc.

Farrell la fit pivoter et ils échangèrent un baiser passionné. Farrell la fit reculer jusqu'à leur lit où il la poussa. Swan tomba sur le dos en riant. Il se jeta sur elle pour continuer de la séduire.

17

ASBETH SE PRÉPARE

Dans la forteresse de l'Empereur Amecareth, les insectes de toutes les castes s'affairaient aux préparatifs du prochain raid. Sur le quai de pierre, certains entassaient des vivres dans les vaisseaux, d'autres, des armes, sous l'œil vigilant des soldats-insectes, immobiles comme des statues, lances à la main.

Le sorcier Asbeth avait réussi à persuader son maître que la seule façon de vaincre les humains, tout en mettant la main sur sa fille et sur le porteur de lumière, consistait à capturer un des Chevaliers, à extraire de lui tous les renseignements magiques que recelait son cerveau primitif, puis à le contaminer par une maladie mortelle avant de le retourner parmi les siens. L'idée de se servir d'un humain pour les détruire tous plut beaucoup à Amecareth. Mais puisqu'il était impossible pour son sorcier de procéder seul à cette opération sur Enkidiev protégée par les Chevaliers, l'Empereur Noir lui permit de prendre avec lui cent cinquante de ses guerriers d'élite.

Cette fois, Asbeth était prêt. Wellan ne pourrait pas l'empêcher de s'emparer de l'un de ses hommes. Le sorcier avait passé de longs mois à étudier la surface de son grand chaudron noir. Il avait appris ainsi que les soldats humains surveillaient toute la côte en petits groupes d'une dizaine d'individus. En les observant, il remarqua que les cinq divisions campaient toujours au même endroit et qu'elles effectuaient des patrouilles à peu près semblables.

L'homme-oiseau les attaquerait donc d'un seul bloc du nord au sud. Cette diversion lui permettrait d'enlever le Chevalier qu'il avait déjà choisi. Pour arriver à ses fins, il n'enverrait qu'un petit nombre de guerriers insectes contre quatre des groupes de Chevaliers tandis que tous les autres se concentreraient sur le détachement auquel appartenait sa victime.

Asbeth aurait bien aimé se saisir de Wellan, mais ce géant possédait des pouvoirs plus étendus que ses frères d'armes. Il aurait utilisé toutes ses ruses pour empêcher le sorcier de lui faire boire la potion empoisonnée. Il avait donc étudié attentivement ses camarades humains. Il lui fallait un soldat que tous respectaient, pas un solitaire qui n'aurait infecté personne. Il élimina aussi ceux qui avaient une compagne ou un compagnon, car ils ne passaient pas suffisamment de temps en groupe. Puis, un matin pluvieux, Asbeth aperçut enfin à la surface de son chaudron la proie idéale.

Ce Chevalier n'était pas l'un des plus jeunes, mais il ne faisait pas partie des aînés non plus. Il tardait à unir sa vie à celle d'une femelle, donc il avait plus de temps à consacrer à ses compagnons et même aux Écuyers qui les accompagnaient en mission. Il propagerait rapidement le virus.

Sûr de son plan, Asbeth enfila une nouvelle tunique de cuir. Il demanda ensuite audience à son maître pour lui annoncer qu'il était prêt à partir. Dans la vaste alvéole impériale, le mage noir commença par saluer très bas.

– Je suis las de tes échecs, Asbeth, l'avertit Amecareth.

Le sorcier risqua un œil sur la silhouette imposante de l'empereur. Tous ses bijoux miroitaient dans la lumière du matin.

– Je réussirai, cette fois, monseigneur, et vos guerriers d'élite n'auront pas à s'exposer aux armes des Chevaliers humains.

– Tandis que tu y seras, essaie de me ramener ma fille et le porteur de lumière. Vivants.

Inutile de lui expliquer que le poison tuerait tous les soldats... De toute façon, il n'aurait plus besoin de Narvath une fois le continent débarrassé de ses ennemis.

Les guerriers impériaux signalèrent à Amecareth que les vaisseaux étaient enfin chargés. L'Empereur Noir fit donc un signe de la main et, soulagé, Asbeth quitta son alvéole. Savourant déjà sa victoire, le sorcier descendit sur la plage. Les sept navires dansaient sur l'eau, amarrés les uns derrière les autres. L'homme-oiseau savait qu'il ne s'agissait pas des embarcations les plus solides ni des meilleurs équipages de l'empire, mais cela importait peu s'il parvenait à ses fins.

Il monta sur celui qui le mènerait au royaume entouré d'une épaisse muraille de pierre, puis observa les soldats insectes impassibles mis à sa disposition. Contrairement aux hybrides, ces créatures, conçues dans les pouponnières, n'avaient aucune conscience propre. Comme la plupart des sujets de l'empereur, elles faisaient ce qu'on leur demandait sans se poser de questions. Elles ne savaient même pas que leur force physique et leur taille auraient pu leur assurer un poste de pouvoir au sein de la communauté.

Les bateaux s'éloignèrent lentement d'Irianeth. L'équipage d'insectes inférieurs hissa les voiles. Le vent les gonfla aussitôt et poussa le convoi vers l'est.

18

L'hospitalité des Elfes

Dès les premières lueurs de l'aube, les Chevaliers d'Émeraude se rassemblèrent dans la cour avec leurs apprentis afin de préparer leurs chevaux. Même si Santo et ses soldats demeuraient au château, ils voulaient tout de même encourager ceux qui partaient. Wellan fit le tour des aînés pour vérifier qu'ils se rappelaient leur destination. Il s'écarta tandis qu'à tour de rôle ses lieutenants faisaient apparaître les vortex de lumière éclatante et y pénétraient à cheval. Le groupe de Chloé et de Dempsey mit le cap sur le Royaume des Fées, celui de Falcon sur le Royaume d'Argent, celui de Bergeau sur le Royaume de Cristal et celui de Jasson sur le Royaume de Zénor.

Wellan grimpa sur son cheval. Il s'assura que sa troupe était prête, puis croisa ses bracelets, matérialisant au milieu de la cour le tourbillon d'énergie qui les emporterait au Royaume des Elfes. Il y entra le premier, bientôt suivi de ses onze Chevaliers et dix Écuyers.

Lorsqu'ils réapparurent sur la plage des Elfes, ils furent bien surpris d'apercevoir une grande hutte derrière les arbres, là où s'arrêtaient les galets. Une dizaine de jeunes Elfes, portant des arcs et des carquois sur le dos, vinrent à leur rencontre.

– Je suis Katas, annonça l'un d'eux.

– Oui, je te reconnais, affirma le grand Chevalier.

Cet Elfe avait cruellement souffert aux mains du sorcier Asbeth plusieurs années auparavant.

– Vous êtes en retard, nous étions inquiets.

– Le magicien d'Émeraude est décédé lors de notre passage à Émeraude. Nous lui avons rendu les derniers hommages.

– Vous nous en voyez désolés. Nous le pleurons avec vous.

« Il est probablement sincère malgré son manque d'émotion apparente », pensa Wellan. Ce peuple ne ressemblait pas à celui des humains. Les livres d'histoire racontaient que ces créatures magiques provenaient d'une île enchantée au milieu de l'océan où rien n'avait jamais changé pendant des milliers d'années. Se rendant compte qu'il dévisageait ses hôtes, le grand Chevalier tourna plutôt la tête vers les nouvelles constructions.

– Je vois que vous n'avez pas perdu votre temps en nous attendant, approuva-t-il.

– Les derniers Chevaliers qui ont séjourné ici ont souvent eu à s'abriter des pluies soudaines et des vents violents de l'océan, alors nous avons bâti un abri plus convenable.

– Nous vous en remercions du fond du cœur et nous espérons que vous le partagerez avec nous lorsque cela sera possible.

Bridgess fut stupéfaite de la soudaine civilité de son époux envers le peuple des bois. Avait-il enfin admis que les Elfes n'auraient pu rien faire pour sauver Shola ?

Katas leur indiqua aussi un enclos derrière leurs quartiers où ils pouvaient laisser leurs chevaux en toute sécurité. Les Chevaliers y emmenèrent donc les animaux puis déposèrent leurs sacoches de cuir à l'intérieur de l'abri avant d'effectuer une première patrouille sur la plage.

La hutte en jonc offrait beaucoup de confort malgré son aspect primitif. Il y régnait également une agréable fraîcheur. Les rares ouvertures laissaient entrer le vent le plus doux. Aménagé au centre de la pièce, un cercle de pierres leur permettrait d'allumer du feu le soir. Wellan remarqua une pile de vieux livres dans un coin.

– Monseigneur Hamil a pensé qu'il vous plairait d'y jeter un coup d'œil dans vos temps libres, expliqua Katas respectueusement demeuré à l'entrée.

Curieux, le grand Chevalier s'accroupit près de ce trésor inespéré. Sans se rendre compte que tout le monde l'observait, il ouvrit les livres un à un. Il s'agissait de textes écrits par différents Chevaliers d'Émeraude cinq cents ans plus tôt. Jugeant inestimable la valeur de ce présent, Wellan se tourna vers le jeune Elfe.

– Le roi était certain qu'ils vous intéresseraient.

– Il commence à trop bien me connaître, s'inquiéta Wellan.

Un léger sourire flotta sur les lèvres de Katas. « On voit bien qu'il côtoie souvent les humains », se surprit à penser Wellan. Il apporta ses effets personnels près des livres, plutôt content de l'initiative de Hamil. Les patrouilles les occupaient mais, bien souvent, les Chevaliers se sentaient désœuvrés lorsqu'ils surveillaient la côte.

Pendant que les soldats et leurs apprentis choisissaient aussi un coin à eux dans la vaste hutte, Wellan sonda Katas : il n'était plus l'adolescent qu'il avait jadis connu, mais un homme sûr de lui. L'attaque d'Asbeth ne semblait pas avoir laissé de séquelles dans son âme.

– J'ai eu peur pendant très longtemps, admit l'Elfe en réponse à son examen magique. J'ai même fait ce que vous appelez des cauchemars.

– J'ignorais que votre peuple rêvait, s'étonna Wellan.

– Nos nuits ne sont pas habitées comme les vôtres. Nous profitons du repos du corps pour communiquer avec les autres mondes ou avec nos ancêtres restés sur Osantalt.

– Osantalt ? répéta le Chevalier en arquant les sourcils.

– L'île parfaite.

Aucun Elfe avant Katas n'avait accepté de lui en parler. Voyant que ses amis n'en finissaient plus de s'installer, Wellan convia le jeune seigneur de la forêt à l'accompagner dehors. La hutte se trouvait derrière une rangée de vieux arbres usés par les vents marins. Quant à l'enclos, il était protégé à l'ouest par la hutte et au nord par des rochers qui sortaient de terre, probablement à la suite d'éruptions volcaniques à une époque éloignée. Les deux hommes les contournèrent pour se rendre sur la plage.

Les compagnons de Katas leur emboîtèrent le pas. Ils étaient aussi silencieux que des prédateurs de Rubis, mais beaucoup plus alertes. « Ils ont continué de monter la garde en notre absence », comprit Wellan en s'arrêtant sur les galets. Il porta son regard au loin sans rien apercevoir, mais il savait bien que l'Empereur Noir possédait aussi des sorciers capables de circuler sous les flots.

– Osantalt n'est pas par là, rectifia Katas en faisant sourire sa bande d'archers.

– Alors où se situe-t-elle ?

– Dans les mers du sud où le soleil brille plus souvent qu'ailleurs et où poussent toutes les plantes qui existent. C'est un monde enchanté où chacun est utile. Personne n'y pleure jamais, mais personne n'y rit jamais non plus.

– Pourquoi vos ancêtres ont-ils quitté ce paradis ? s'enquit Wellan en s'asseyant sur une grosse roche plate.

– Certains d'entre eux ont suivi Danalieth.

Décidément, cet Immortel avait fait plus de remous qu'Abnar. Katas et ses amis prirent place autour du grand chef et lui racontèrent que Danalieth avait beaucoup aimé les Elfes, mais qu'il avait déploré la sécheresse de leur cœur. Il leur avait donc offert de les conduire dans un pays où leur ingéniosité serait mise à l'épreuve, où ils apprendraient à rire et à pleurer.

– Personne n'a tenté de retourner à Osantalt ? demanda le Chevalier tandis que ses compagnons les rejoignaient sur la plage.

– Nous ne savons plus très bien comment nous y rendre, avoua Katas.

Bailey vint s'asseoir près de lui et examina son arc d'un œil connaisseur.

– Vous savez vous servir de ces armes, maintenant ? voulut savoir le Chevalier.

– Oui, et nous enseignons cet art à tous les jeunes Elfes qui désirent l'apprendre.

– Pourquoi n'y a-t-il pas de femmes parmi vos archers ?

– Elles préfèrent s'occuper de tâches plus traditionnelles. Nos femmes ne sont pas aussi téméraires que les vôtres.

– Montrez-moi ce que vous savez faire.

Wellan laissa ses compagnons poser des cibles sur la plage et même se mesurer aux représentants du peuple de la forêt. Bridgess se joignit à son époux. Elle enroula son bras autour du sien et appuya sa joue contre son épaule musclée. Tous deux suivirent la compétition de tir avec intérêt.

Les Elfes leur firent volontiers une démonstration de leurs talents. Leur vision étant perçante, une fois la maîtrise de l'arc acquise, il ne leur avait pas été difficile d'apprendre à toucher même les cibles les plus petites. Ils battirent Bailey et Volpel à plate couture.

– Vous êtes très adroits, dites donc, commenta Zerrouk en examinant la dernière bûche que Katas avait percée en son centre.

– Puisque nous serons ici pendant tout un mois, nous pourrions apprendre à nous servir d'un arc nous aussi, suggéra Milos.

– Je ne m'y oppose pas, tant que vous ne relâchez pas votre surveillance, accepta Wellan.

– Divisons-nous en deux groupes, proposa Hettrick. Pendant que le premier s'entraînera avec les Elfes, l'autre effectuera la patrouille. De cette façon, il restera toujours quelqu'un près du campement.

– Cela me convient, affirma le grand chef.

Sa réponse étonna Bridgess, mais elle ne fit aucun commentaire devant ses compagnons d'armes. Les Chevaliers se séparèrent spontanément en deux bandes. Tandis que la première se dirigeait vers la plage, la deuxième accompagna les Elfes pour choisir les branches d'arbres qui serviraient à fabriquer des arcs. Même les Écuyers participèrent à cette activité avec beaucoup de plaisir.

Wellan se leva et marcha sur les galets trempés. Toujours accrochée à lui, Bridgess le sonda en vitesse. Il semblait calme à l'extérieur, mais son esprit était déjà préoccupé par les complots qu'il redoutait dans les mondes invisibles. « Il est inquiet pour son fils de lumière », déduisit-elle, mais elle attendit que Hettrick, Curtis, Milos et Bailey se soient éloignés avec leurs Écuyers pour lui en glisser un mot.

– Ce n'est pas ton style de laisser de jeunes Chevaliers prendre des décisions pour toi, commença-t-elle.

Wellan glissa un coup d'œil vers elle, un sourire amusé sur les lèvres. « Décidément, elle n'arrêtera jamais de me dire franchement ce qu'elle pense », apprécia-t-il.

– Étais-tu vraiment d'accord avec la suggestion d'Hettrick ?

– Nous serons ici très longtemps, Bridgess, alors il est important que leur moral soit bon. N'oublie pas que nous sommes tous des magiciens. N'importe lequel d'entre nous peut ressentir l'approche de l'ennemi. Nous n'avons pas besoin d'être douze en tout temps.

– Mais ton esprit à toi est ailleurs.

– Le tien aussi, puisque tu l'occupes à scruter le mien, se moqua-t-il.

– Tu t'inquiètes pour Dylan.

Le visage détendu du grand Chevalier devint sombre lorsqu'il se rappela les paroles inquiétantes d'Onyx et les observations du défunt magicien d'Émeraude.

– Je ne veux pas que les Immortels le mêlent à leurs complots. Je sais que son cœur est bon, Bridgess. J'ai peur qu'ils le corrompent. Mais je ne suis qu'un simple mortel. Je ne peux pas intervenir dans leur monde pour protéger mon fils.

– Mets-le en garde, au moins.

– Je l'ai fait plusieurs fois, mais il est si naïf.

– Comme tous les enfants. Nous pouvons leur donner des conseils, Wellan, mais nous ne pouvons pas leur éviter toutes les leçons de la vie. Ce sera la même chose avec Jenifael. Elle commettra des erreurs et, si nous voulons l'élever convenablement, nous devrons la laisser trébucher de temps en temps.

– Il m'est bien difficile d'accepter cette impuissance.

– Je sais...

Elle alla chercher un doux baiser sur ses lèvres.

– Tu as de bons enfants, mon chéri. Ils ne se laisseront pas facilement pervertir. Fais-leur confiance.

Il fit glisser sa main dans la sienne avec reconnaissance. Ils patrouillèrent la côte à pied en étendant leurs sens invisibles le plus loin possible. Au coucher du soleil, ils retournèrent à la hutte où quelques arcs étaient déjà prêts. Les Elfes leur offrirent une grande variété de fruits et de légumes sauvages pour le repas du soir, mais dès que la brunante descendit, ils disparurent dans la forêt.

– Quel peuple fascinant, nota Wellan, surtout pour lui-même.

Volpel, qui se désaltérait, faillit s'étouffer. Pendant tout son apprentissage, il avait entendu son grand chef dire le contraire. Bailey lui tapota aussitôt le dos et adressa un coup d'œil taquin à leur ancien maître.

– Tu veux le faire mourir ? plaisanta-t-il.

Les Chevaliers éclatèrent de rire. Wellan s'aperçut de ce qu'il venait de dire. Il n'ajouta rien et s'appliqua plutôt à allumer un feu magique au centre de la hutte. Il instaura des tours de garde, qui seraient en vigueur tant qu'ils seraient chez les Elfes, puis il communiqua avec sa fille. *Tout va très bien à Émeraude,* assura l'enfant. *Lassa assiste souvent Farrell durant les cours et je crois qu'il aime toute cette attention.* Elle lui raconta les espiègleries du petit Nemeroff qui dérangeait souvent la classe, puis lui parla des formes de plus en plus complexes qu'elle arrivait à former dans le sable. Mais

Farrell ne limitait pas ses leçons aux vieux trucs de l'ancien magicien. *Il nous enseigne des choses vraiment utiles*, affirma Jenifael, sans vraiment en préciser la nature.

Avant que Wellan puisse la questionner, Bridgess se mêla à leur conversation, voulant surtout vérifier que leur fille mangeait bien en leur absence. Comprenant qu'il ne pourrait plus placer un mot, Wellan s'empara d'un des livres que le Roi Hamil lui avait offerts.

19

De nouveaux documents

Wellan illumina le bouquin de l'intérieur et constata qu'il s'agissait du journal d'un Chevalier d'Émeraude du nom de Stephenne, originaire du Royaume de Béryl. Il racontait d'abord les premières années de sa vie sur les montagnes rocailleuses de son pays, puis l'appel du Roi Hadrian qui cherchait des soldats pour protéger le continent contre l'invasion des hommes-insectes. S'absorbant totalement dans son récit, Wellan n'entendit plus les bavardages de ses compagnons.

La réaction de Stephenne de Béryl devant les véritables guerriers d'Amecareth avait d'abord été l'effroi. Comme tous les autres soldats appelés à défendre Enkidiev, il possédait des pouvoirs magiques lui permettant d'assurer sa défense et celle des hommes placés sous son commandement. Mais en apercevant les énormes insectes noirs armés d'une lance brillante, il avait failli faire demi-tour et sauver sa propre peau.

Wellan tourna rapidement la page. L'ancien Chevalier racontait ensuite de quelle façon son détachement, qui protégeait les côtes d'Argent, avait repoussé l'ennemi. Après avoir perdu beaucoup d'hommes et de chevaux, Stephenne avait finalement triomphé des insectes. Wellan commençait à bien connaître la chronologie de cette première invasion, pour avoir lu plusieurs récits de ses principaux acteurs, mais, à la fin du journal, il arriva à un passage qui le déconcerta.

> « *Les insectes ont d'abord fait de petites percées, puis ils ont cherché à pénétrer plus profondément sur notre territoire. Leurs commandants n'en envoient que quelques divisions à la fois pour nous épuiser, car ces monstres sont coriaces et leurs dragons insatiables. Plus nous les fauchons, plus il en vient d'autres. C'est une guerre d'usure et, aujourd'hui, ils nous ont presque eus.*
>
> « *Malgré toute notre expérience militaire, aucun d'entre nous n'avait jamais eu l'idée de monter sur les bateaux de Zénor et d'aller attaquer le grand seigneur des insectes chez lui, dans sa forteresse, pour mettre fin à ses plans de conquête. Quand Onyx nous a annoncé qu'il cherchait des volontaires pour s'y rendre, nous l'avons pris pour un fou.* »

« Pourtant, le journal du renégat ne fait pas état de ce plan », réfléchit Wellan en haussant les sourcils. Autour de lui, dans la grande hutte à peine éclairée par le feu magique et la lumière émanant du journal, ses soldats captèrent son désarroi.

– Que se passe-t-il, Wellan ? s'enquit Volpel.

Le grand chef leva les yeux du journal pour constater que ses Chevaliers le dévisageaient. Il leur raconta donc ce qu'il venait de découvrir. Ils furent tout aussi étonnés que lui d'apprendre que leurs ancêtres avaient mis les pieds dans la contrée de l'empereur.

– Lis le reste à voix haute, je te prie, le pressa Bailey.

Wellan accepta.

– Onyx est le bras droit d'Hadrian et son meilleur ami, commença-t-il. C'est sans doute pour cela qu'il a pris cette décision. Après avoir éventré nos lignes de défense, les sorciers se sont attaqués au Château d'Argent en espérant pouvoir s'emparer d'Hadrian. Ils ont dû penser qu'en le prenant, ils nous obligeraient à nous mettre à genoux devant leur ignoble empereur. Mais Hadrian ne se cachait pas dans sa forteresse, il se battait comme nous tous. Puisque les mages noirs ne l'ont pas trouvé dans son palais, ils ont enlevé son fils aîné.

Le choc de la révélation fit pousser à Wellan un grognement de surprise. Il aurait beaucoup de questions à poser au renégat à son retour à Émeraude.

– Cette guerre semble avoir été plus terrible qu'on a voulu nous le faire croire, commenta Curtis, le dos mollement appuyé contre la paroi de joncs tressés.

– Si le Magicien de Cristal a ordonné que tous ces journaux soient détruits, c'est qu'il ne voulait pas que nous connaissions ce genre de détail, comprit Zerrouk.

Mais Wellan ne les entendait pas. Désireux de connaître la suite de cette aventure, ses yeux bleus parcouraient rapidement le reste de la page.

– Puisque Hadrian est le chef des Chevaliers d'Émeraude et que nous avons besoin de lui pour continuer à défendre le continent, Onyx a décidé de ne pas lui parler de cette mission de sauvetage. Ce paysan n'a vraiment peur de rien. Je l'ai vu de mes propres yeux arracher la carapace de l'ennemi qu'il avait tué à mains nues. Je pense que personne, à part Hadrian évidemment, ne déteste autant les hommes-insectes que lui.

– Il a fait quoi ? balbutia Bailey.

– Onyx a tout organisé lui-même, continua Wellan. Très peu d'hommes ont accepté de le suivre dans le monde des insectes, parce qu'ils ne savaient pas ce qui les attendait. Moi-même, je n'y suis pas allé, mais mon cousin Leeman a accompagné le petit groupe qui voulait secourir le Prince Gor. Je ne sais pas ce qui s'est passé pendant les quelques heures qui ont suivi leur disparition dans le tunnel blanc, mais lorsqu'ils sont revenus avec l'enfant et qu'ils l'ont déposé dans les bras d'Hadrian, nous avons compris que l'Empereur Noir ne parviendrait pas à nous enlever nos terres.

– Ils sont vraiment allés sur le continent de l'empereur ? fit Bailey, médusé.

– C'est ce que dit ce journal, rétorqua Wellan, qui avait encore du mal à le croire.

– Et ils ont survécu ? enchaîna Volpel.

– Apparemment.

– Est-ce tout ? voulut savoir Callaan.

Puisqu'il ne voulait rien cacher à ses Chevaliers au sujet de cette guerre, Wellan ne vit pas de mal à poursuivre la lecture du journal pour satisfaire leur curiosité.

– Ce sauvetage a redonné du courage non seulement à Hadrian, mais à tous nos hommes. Il a malheureusement aussi attisé la colère de l'empereur. C'est toute son armée qu'il a débarquée sur nos côtes quelques jours plus tard. La bataille a été éprouvante. Nous avons perdu beaucoup d'hommes, jusqu'à ce qu'Onyx découvre une façon plus rapide de détruire ces bousiers de malheur. Mais ils ont quand même réussi à faire une percée à l'intérieur des terres et, sans que nous comprenions pourquoi, les insectes et les dragons se sont tout à coup repliés, en proie à une panique indescriptible.

Wellan arrêta de lire pour digérer ce court passage. Les sorciers avaient réussi à s'infiltrer dans le château du Roi d'Argent et à enlever le prince. Pourraient-ils parvenir jusqu'à Lassa au Royaume d'Émeraude ?

– Le fils d'Hadrian n'était pas protégé par la magie des Immortels, souligna Bridgess en caressant sa joue. Tu t'inquiètes pour rien.

– Si je comprends bien, non seulement Onyx a sauvé le fils de son ami le Roi d'Argent, mais il a également trouvé une façon de vaincre les soldats ennemis, résuma Callaan.

– On dirait bien que le renégat a été le grand héros de cette guerre, conclut Curtis.

– Je crois que sa véritable personnalité est celle qu'il nous a montrée quand il combattait avec nous dans le corps de Sage, et non lorsqu'il a décidé d'assouvir sa vengeance contre Abnar, expliqua Wellan.

– Tu le défends, maintenant ? le taquina Bianchi, un Chevalier Elfe.

– Disons que j'ai appris à mieux le connaître en lisant son journal et ceux de ses compagnons d'armes. Il n'a pas grandi dans l'esprit de la chevalerie comme nous, Bianchi.

Onyx était un paysan d'Émeraude qui essayait de survivre lorsque le Roi Hadrian a appelé aux armes tous les hommes de son âge. Il y a vu une occasion d'améliorer son sort. À la fin de la guerre, lorsque Abnar a voulu lui retirer ses pouvoirs magiques sans lui offrir une meilleure vie en retour, il s'est mis en colère.

– J'aurais probablement eu la même réaction, grommela Hettrick, assis à l'autre extrémité de la hutte. Ces hommes ont risqué leur vie pour sauver les habitants de tout le continent, il me semble que cela valait bien une compensation.

– Et que lui aurais-tu donné, toi, si tu avais été le Roi Jabe ? le consulta Winks.

– Des terres, c'est certain.

– Moi, je lui aurais accordé un titre de noblesse, dit Robyn. Après tout, il était le bras droit du Roi Hadrian, non ?

– Et pourquoi Hadrian lui-même ne l'a-t-il pas récompensé ? s'étonna Milos.

– Il a proposé à Onyx de venir rester chez lui, expliqua Wellan avant que leurs jeunes esprits ne s'enflamment. Mais le renégat était un homme fier. Il ne voulait pas qu'on lui fasse la charité.

De toute façon, il aurait été plus juste que cette rétribution lui vienne du Magicien de Cristal, qui en avait fait un Chevalier d'Émeraude, exposa Bailey.

– Le journal dit-il autre chose ? s'enquit Bridgess, curieuse.

Wellan parcourut rapidement les dernières lignes manuscrites.

– Il décrit la dévastation causée par le repli des troupes impériales à Zénor et le dernier affrontement des Chevaliers et des sorciers près du château, répondit-il. Nous connaissons tous cette partie de l'histoire.

– Par le plus grand des hasards, le journal du cousin Leeman se trouve-t-il parmi ces livres ? s'informa Milos en scrutant de loin la pile de livres près de Wellan.

Le grand Chevalier les ouvrit un à un rapidement, puis secoua négativement la tête avec déception. Mais cela ne voulait pas dire que ce document n'existait pas. Il se trouvait peut-être dans la cachette d'Hadrian près du village du Roi Hamil.

– Je pourrais aller le chercher, indiqua-t-il, mais pendant que je serai dans le tertre, vous ne pourrez pas communiquer avec moi.

– Et tu crains que, dans la prochaine heure, nous soyons attaqués par les troupes de l'empereur ? le railla Volpel.

Wellan lui décocha un regard amusé. Ce jeune Chevalier aux cheveux sombres, qui avait été son Écuyer, souriait de toutes ses dents. « Il est vrai que je m'énerve parfois pour rien », admit-il intérieurement. Il sonda rapidement la côte sans trouver d'ennemi, puis guetta la réaction de Bridgess.

– Je ne serai pas parti longtemps, promit-il.

Il l'embrassa sur les lèvres et sortit dans l'obscurité de la nuit : il utiliserait ses bracelets magiques à l'extérieur. Il visualisa donc le tertre que le Roi Hamil lui avait fait visiter, puis croisa ses poignets. Le tourbillon de lumière répondit encore une fois à l'appel.

20

LEEMAN

Wellan apparut à l'intérieur de l'antre où l'ancien chef des Chevaliers d'Émeraude avait caché tous les écrits qu'il voulait soustraire au Magicien de Cristal. D'un geste, il alluma tous les flambeaux de cette bibliothèque secrète. En tournant sur lui-même, il contempla le grand nombre de volumes et de parchemins dormant sur les tablettes. Il ne pouvait pas se permettre de passer plusieurs heures dans cet endroit isolé du reste du monde, alors il décida de faire appel à la magie qu'il avait apprise auprès de Nomar.

Il se concentra et prononça des incantations : ses paumes reflétèrent bientôt une douce lueur rosée. Puis il forma le nom de Leeman dans son esprit. Des filaments d'énergie jaillirent de ses mains pour se poser sur trois ouvrages rangés sur des étagères différentes. La lumière disparut de ses paumes, mais continua d'éclairer les couvertures usées des volumes. Wellan s'en empara avant qu'ils ne perdent leur éclat.

Il les déposa sur l'autel de pierre, près de la longue épée à lame double, et les ouvrit prudemment, de peur qu'ils ne s'effritent entre ses doigts. Le premier livre était effectivement le journal du Chevalier Leeman, le deuxième, un curieux recueil contenant des dessins et des cartes géographiques. Quant au dernier, il semblait avoir été écrit par le Roi Hadrian lui-même et il ne s'agissait pas de poésie.

Pour ne pas être coupé de ses hommes trop longtemps, Wellan décida d'en faire la lecture dans la hutte. Il prit les trois documents et retourna au bord de l'eau. Tout comme il l'avait soupçonné, aucun de ses Chevaliers n'avait fermé l'œil. Ils l'attendaient même avec impatience.

– Tu as fait ça en un temps record, dis donc, constata Volpel.

– Je me suis servi de la magie pour trouver ce que je cherchais, déclara Wellan en s'asseyant sur sa couverture.

Tous ces jeunes yeux curieux étant rivés sur lui, il comprit qu'il ne pourrait pas éplucher ces ouvrages en paix. Il ouvrit donc le premier, susceptible de les intéresser davantage, et en commença la lecture.

– Je suis le Chevalier Leeman de Béryl, sous le commandement du Chevalier Onyx d'Émeraude. Nous avons travaillé très fort pour rendre nos terres habitables. Pas question de laisser ces insectes en profiter à notre place. Je suis le fils aîné du paysan Formos et nous possédons une petite terre sur un des versants de la montagne. Le Roi d'Argent nous a appelés aux armes peu de temps après mon mariage avec Mulwa, la fille du forgeron. Elle ne voulait pas que je parte, mais c'était mon devoir de protéger Enkidiev, alors je me suis rendu au Royaume de Perle avec les autres. Hadrian nous a divisés en plusieurs groupes. C'est là que j'ai eu l'honneur de rencontrer Onyx que j'allais suivre à la guerre. Selon la rumeur, il proviendrait d'une famille pauvre d'Émeraude, mais moi, je n'y crois pas. Mon commandant se comporte bien trop comme un grand général pour ne pas avoir été un soldat toute sa vie. De toute façon, Hadrian ne lui accorderait pas ainsi sa confiance s'il n'était qu'un fermier. Onyx n'a jamais eu peur d'affronter l'ennemi, même avant de découvrir le point faible des guerriers maléfiques. Il m'a donné beaucoup de courage.

– On dirait bien que tu as raison de défendre le renégat, reconnut Bianchi avec plus de respect. Il a su, semble-t-il, gagner l'admiration de ses hommes.

– Il est tard, Wellan, l'informa Bridgess, peut-être ne devrais-tu nous lire que le passage qui concerne sa mission avec Onyx à la forteresse de l'empereur, si ce texte existe.

Le grand Chevalier sonda le large une fois de plus, même s'il savait que Zerrouk, dont c'était normalement le tour de garde, le scrutait régulièrement. Rassuré, il feuilleta le vieux journal aux feuilles fragiles et trouva enfin ce qu'il cherchait.

– Il est arrivé un grand malheur. Pendant que nous nous battions sur la côte, les sorciers maudits ont réussi à se rendre jusqu'au château d'Hadrian et ils ont enlevé son fils. Je n'étais pas là quand notre grand chef en a parlé avec ses hommes de confiance, mais j'ai entendu dire qu'il ne voulait pas condamner tout un peuple par amour pour son enfant. C'est un bien grand sacrifice, mais Onyx, qui a aussi des fils, a décidé d'aller chercher le prince sur les terres mêmes des insectes.

– Son récit est le même que celui de l'autre soldat, fit observer Curtis.

– C'était un plan tellement fou que même leur empereur ne s'y attendrait pas. C'est pour cette raison, je pense, qu'il a si bien fonctionné. Je ne sais pas où Onyx a obtenu des cartes de ce continent rocailleux, mais il semblait savoir où il allait lorsqu'il a recruté trois volontaires pour mener à bien cette mission avec lui. J'ai accepté tout de suite, évidemment. Gregory d'Argent et Sauni de Perle ont décidé de venir avec nous. Non seulement ils avaient des bras puissants, mais ils savaient aussi être silencieux et attentifs. C'est ce que notre commandant voulait. Juste avant le départ, Onyx nous a avertis qu'il n'avait pas informé Hadrian de son plan, parce qu'il lui aurait défendu de l'exécuter. Il ne semblait pas inquiet du tout de s'aventurer en territoire ennemi, mais Gregory, Sauni et moi, nous étions morts de peur. Nous sommes partis aux premières lueurs de l'aube. Onyx n'avait pas dormi de la nuit, mais il n'était pas fatigué. Il a créé le couloir de lumière devant lui et nous nous sommes retrouvés tous les quatre sur une plage de grosses roches.

Wellan releva brusquement la tête. Comment cela était-il possible ? Les vortex n'emmenaient leurs passagers que dans des endroits connus ! Il le savait avec certitude pour avoir fait plusieurs essais avec ses propres bracelets. Onyx connaissait-il déjà l'empire avant l'invasion ?

– Le renégat aurait-il eu des contacts avec les hommes-insectes avant la guerre ? s'alarma Bailey.

– Je n'en sais rien, mais il avait très certainement visité Irianeth, conclut Wellan. Dans son journal, Onyx parlait de traités sur les civilisations étranges qui nous entourent, mais il n'indiquait nulle part qu'il les avait visitées.

– Toi aussi, tu as lu des tas de bouquins de géographie, mais ils ne t'ont pas permis de te rendre dans tous ces lieux, renchérit Milos.

– C'est exact, mais Nomar a été l'un des maîtres d'Onyx, rappelle-toi.

– Pourquoi un Immortel aurait-il emmené un mortel au pays d'Amecareth ? s'étonna la jeune Robyn.

– Il y a beaucoup de choses que nous ignorons, commenta le grand chef, surtout au sujet de Nomar.

– Lis le reste du journal, je t'en prie, le supplia Callaan. Nous réglerons ce mystère un autre jour.

De toute façon, Wellan ne connaissait pas la réponse à la question de Robyn, ni aux autres interrogations qu'il sentait dans les esprits de ses compagnons.

– Partout autour de nous, de gros dragons noirs dormaient en boule, comme des chats, mais parce que le matin allait se lever, ils n'étaient pas dangereux. Enfin, c'est ce que nous a dit Onyx. Une fois qu'ils ont mangé pendant la nuit, ces monstres ont besoin de repos. Pourtant, ceux que nous avons combattus ne somnolaient pas souvent. Onyx nous a menés tout droit aux portes du niveau inférieur de la forteresse. Elles n'étaient même pas gardées. Il nous a remis des capes noires qui puaient et il nous a obligés à les jeter sur nos épaules. En agissant comme si nous faisions partie de la ruche, personne n'essaierait de nous arrêter, selon lui. Et il avait raison.

– C'est incroyable ! s'exclama Volpel.

Bailey le fit taire pour que Wellan puisse poursuivre le récit.

– Nous avons suivi plusieurs couloirs ronds comme les trous que les vers font dans les pommes. J'ai vu des centaines de petites cellules creusées un peu partout dans les murs. Lorsque nous sommes enfin arrivés devant celle où deux soldats se tenaient bien droits, j'ai tout de suite compris que nous avions trouvé le prince. Sans la moindre peur, Onyx a dégainé son épée. Il m'a demandé d'attaquer les gardes avec lui pendant que Gregory allait chercher l'enfant et que Sauni surveillait le couloir. Les deux insectes ne s'attendaient probablement pas à être assaillis au beau milieu de leur forteresse. Ils n'ont même pas cherché à se servir de leurs lances. En suivant l'exemple de mon commandant, j'ai fauché les deux bras du guerrier devant moi et Gregory a foncé dans la cellule pour se saisir du prince. Il fallait faire vite, parce que ces créatures sont capables de communiquer entre elles avec leurs esprits comme les magiciens. Nous avons couru comme des forcenés en revenant sur nos pas. Jamais je n'ai su comment Onyx arrivait à se repérer dans ces passages qui se ressemblaient tous.

– Parce qu'il connaissait déjà son chemin, sans doute, grommela Bianchi.

– Dans les fondations de la ruche, où il n'y avait personne, Onyx n'a pas attendu que nous soyons dehors pour créer le tunnel qui nous ramènerait chez nous, parce qu'il craignait que les dragons n'aient été réveillés par leurs maîtres. Nous avons abouti devant la tente d'Hadrian. Les soldats ont poussé de grands cris de joie et le roi est sorti de son pavillon. Avec un large sourire, Onyx a déposé l'enfant dans les bras de son père. Jamais je n'oublierai la joie que j'ai vue sur le visage du Roi d'Argent ce jour-là.

Wellan parcourut rapidement les lignes suivantes, qui décrivaient surtout les derniers combats entre les humains et les insectes. Inutile de les lire à ses Chevaliers, qui les connaissaient par cœur.

– Donc, la forteresse d'Amecareth n'avait aucun secret pour Onyx, fit Bailey en fronçant les sourcils. Comme c'est intéressant.

– Dommage que le Magicien de Cristal l'ait enfermé dans son épée dorée, car il aurait pu répondre aux questions que nous nous posons en ce moment, observa Volpel.

« Ce n'est pourtant pas le moment de leur parler de la libération inattendue du renégat », décida Wellan en refermant le journal et son esprit. Il diminua l'intensité du feu magique, puis s'allongea sur sa couverture. Devant son silence, les Chevaliers et les Écuyers l'imitèrent, sauf Zerrouk qui devait monter la garde pendant quelques heures encore avant de céder sa place à Hettrick.

Bridgess glissa tendrement ses doigts entre ceux de son époux couché près d'elle. Elle ressentit alors la vague d'amour qu'il lui envoyait, puis ferma les yeux en souriant.

21

SOUS LE CHOC

Au Royaume des Fées, Dempsey et Chloé établirent leur campement de l'autre côté des rochers noirs qui perçaient les galets tout le long de la côte comme une rangée de dents menaçantes. Sous les branches parsemées de feuilles turquoise d'un arbre transparent, les Chevaliers installèrent leurs affaires avec plaisir. Ils aimaient bien ces fleur géantes aux coloris chatoyants exultant des parfums enivrants et ces animaux amicaux venant mettre leur nez dans leurs sacoches sans aucune gêne.

Un peu après midi, les Fées vinrent à leur rencontre pour leur offrir un premier repas composé de mets provenant de tous les coins du continent. Elles les faisaient apparaître devant les Chevaliers et les Écuyers en riant de leur ébahissement. Pendant que les soldats se rassasiaient, les créatures magiques entourèrent Maïwen, une des leurs qui avait sacrifié ses ailes pour devenir soldat. La jeune femme répondit à leurs multiples questions avec beaucoup de patience, car elle comprenait leur curiosité. Le monde des humains était nouveau pour les Fées qui n'entretenaient de véritables contacts qu'avec leurs voisins, les Elfes.

Chloé partageait la responsabilité de ce groupe avec son époux. Tandis que Dempsey s'inquiétait davantage de l'étanchéité de leur abri, sa femme surveillait le moral de leurs compagnons. Son attention fut attirée par Swan, qui mangeait en silence dans son coin, les yeux baissés sur son repas, sans participer aux discussions pourtant intéressantes de ses amis. La guerrière avait attaché ses boucles brunes sur sa nuque comme elle le faisait lors des combats. Chloé sonda plus profondément sa sœur d'armes et ressentit son désarroi. Ces derniers jours au château auprès de Farrell et de ses enfants lui avaient rappelé le sacrifice qu'elle devait faire pour sauver le monde.

Chloé transporta son assiette jusqu'à sa compagne. Swan lui fit pitié par son air malheureux.

– Tes fils te manquent, n'est-ce pas ? s'attrista l'aînée.

– Plus que tu le crois, avoua Swan. Je pensais être suffisamment forte pour les confier à Farrell et retourner faire mon devoir au Royaume des Fées, mais, au fond, je ne le suis pas. Je commence même à croire que c'est une erreur de fonder une famille en temps de guerre.

– Pourrais-tu vraiment priver Farrell de ses merveilleux enfants ? Son visage s'illumine chaque fois qu'ils tendent les bras vers lui.

Swan ne dit rien. Elle se contenta de fixer sa grande sœur, les yeux humides. Les Chevaliers savaient que les deux garçons faisaient la fierté de leur père et qu'ils le motivaient à faire de plus en plus de progrès en magie.

– Heureusement qu'il est là, car Nemeroff et Atlance seraient aussi dépourvus que des orphelins, s'apitoya-t-elle en observant les fruits de mer qui ne la tentaient pas du tout.

– Bridgess et Wellan s'ennuient aussi de leur fille lorsqu'ils sont en mission.

– Mais eux, ils sont capables de communiquer avec elle le soir. Mes garçons à moi sont encore trop petits et rien ne prouve qu'ils pourront le faire un jour. Ce n'est pas parce que Farrell et moi possédons des pouvoirs magiques qu'ils en hériteront.

– Nemeroff a le même âge que mon fils Cameron, estima Nogait qui avait écouté leur conversation. Hawke nous a dit, à Amayelle et moi, qu'il est parfois difficile de détecter les facultés spéciales des gamins de deux ans, surtout lorsqu'ils sont en phase négative.

– Dans ce domaine, Nemeroff remporte la palme, confessa Swan en forçant un sourire. Il faut que je me batte avec lui juste pour le prendre dans mes bras.

– C'est la même chose avec Cameron. Arrête de t'inquiéter.

– De toute façon, si tes deux premiers fils ne deviennent pas des enfants magiques, je peux t'assurer que celui que tu portes en ce moment le sera, lui, commenta innocemment Derek, un Chevalier Elfe qui ressentait ce genre de chose avant tout le monde.

– Que je porte ? répéta Swan, en état de choc.

Elle n'avait passé que quelques jours au château avec son époux et elle était de nouveau enceinte ? Trop fière pour pleurer devant ses compagnons d'armes, Swan s'éloigna dans la forêt multicolore. Dempsey échangea un coup d'œil inquiet avec Chloé, mais cette dernière avait déjà déposé son assiette. Elle rattrapa sa jeune sœur au ruisseau translucide où des poissons fluorescents avaient sorti la tête de l'eau pour l'observer.

Chloé s'agenouilla derrière Swan, entoura ses épaules avec affection et attendit que ses sanglots deviennent moins amers.

– La maternité, c'est le plus beau cadeau que les dieux ont fait à la femme, Swan. Tu devrais les remercier de pouvoir concevoir aussi facilement.

– Mais à quoi cela sert-il d'avoir des enfants qui ne me reconnaissent même pas quand je rentre à la maison ? hoqueta-t-elle.

– Ils sont si jeunes qu'ils ne reconnaissent probablement personne d'autre que leur père qui les a constamment dans les bras. Quand ils seront plus vieux et qu'ils entendront chanter tes exploits, ils seront fiers de toi. Mais à ce moment-là, la guerre sera finie. Tu seras de retour sur ta ferme et tu les verras grandir. Je t'en prie, ma chérie, un peu de courage !

– C'est plus facile à dire qu'à faire...

– Et puis, si tu voulais quitter ton poste de Chevalier pour aller vivre avec ta famille, je suis certaine que Wellan le comprendrait.

– Je suis un soldat, protesta Swan en s'essuyant les yeux. Je suis née pour vaincre l'ennemi et délivrer le monde de sa menace...

– Dans ce cas, je pense que Farrell sera bien content d'avoir un troisième rejeton à cajoler en t'attendant.

Swan vit les yeux globuleux des silures colorés qui la regardaient et ne put que trouver la scène très drôle.

– Mêlez-vous donc de vos affaires ! maugréa-t-elle.

Au lieu de se sauver au milieu des algues mauves et roses valsant au fond du ruisseau, toute la bande écaillée se rapprocha davantage de la jeune femme. Même les grenouilles émergèrent des roseaux pour voir ce qui se passait.

– Mais pourquoi est-ce que je parle à des poissons ? se radoucit Swan.

Chloé éclata de rire. Cela sembla rassurer tous les habitants du cours d'eau, qui se mirent à faire des vrilles hors de l'eau.

Au lieu de la ramener tout de suite au milieu de ses frères, Chloé incita plutôt Swan à la suivre jusqu'à la plage. Elles passèrent entre les énormes rochers et s'aventurèrent sur les galets. Le soleil se couchait lentement dans les flots en peignant le ciel de teintes chaudes et apaisantes. Les deux femmes marchèrent un long moment sur le rivage en écoutant les plaintes des oiseaux marins. Swan examina alors les écueils qui protégeaient le pays des Fées.

– Je ne vois pas pourquoi on nous envoie ici, réfléchit-elle. Les dragons sont beaucoup trop gros pour franchir cette barrière naturelle.

– Mais pas les hommes-insectes, répliqua Chloé. Le Roi Tilly m'a raconté que, jadis, il avait refermé les rochers et caché son royaume aux yeux de l'ennemi.

Swan fronça les sourcils. Chloé ne connaissait que trop bien cet air de combat. En se concentrant profondément, la plus jeune rapprocha deux géants de pierre l'un de l'autre jusqu'à ce qu'ils se frappent avec un bruit sourd.

– Ils ne sont pas ancrés dans le sol, s'égaya Chloé. C'est pour cette raison que les Fées ont pu les déplacer si aisément. Mais je ne savais pas que tu pouvais manipuler les objets avec autant de facilité.

– J'ai commencé à m'exercer quand j'étais toute petite, même si ma mère me grondait chaque fois. À Opale, seuls les hommes ont le droit de se distinguer. Alors, je m'entraînais à faire voler mes jouets autour de moi quand j'étais seule dans ma chambre. Je ne savais pas que je pouvais mouvoir d'aussi gros objets.

– Je suis bien contente que tu sois devenue un Chevalier plutôt qu'une princesse du continent. De toute façon, je ne crois pas qu'un prince t'aurait endurée longtemps.

La plaisanterie fit sourire la future maman. *Chloé, Swan,* fit la voix de Dempsey dans leurs esprits. *Je préférerais que vous rentriez, toutes les deux.* Swan remit les rochers en place. Chloé prit sa main et la ramena vers leurs compagnons. Maïwen, Ursa, Kisilin et Dillawn réconfortèrent Swan de leur mieux jusqu'à la nuit tombée. Ils dormirent tous l'esprit en paix cette nuit-là. Au matin, Dempsey contacta Wellan pour lui annoncer que tout était calme de son côté.

Après un déjeuner copieux fourni par leurs hôtes, les Chevaliers explorèrent ensemble la plage des Fées, où ils auraient peut-être à combattre l'ennemi un jour. En soldat prudent, Dempsey leur fit sonder chaque recoin du territoire qu'ils devaient protéger pendant qu'il inspectait le sol. Ils avaient déjà affronté un sorcier sournois. Il ne voulait surtout pas être pris au dépourvu une seconde fois par un monstre comme Sélace.

Swan suivit ses frères et ses sœurs d'armes sans protester en tentant d'oublier sa grossesse. Pas question de l'annoncer à Farrell en utilisant ses facultés télépathiques. Elle ne lui en parlerait qu'à son retour au château, avant la rotation des soldats vers d'autres royaumes. Il serait certainement content d'apprendre qu'il allait être papa une troisième fois, car il adorait les enfants. Cependant, Swan craignait que son ventre, en se gonflant lentement comme un ballon, l'empêche de se battre aux côtés de ses compagnons. Peu nombreux, les Chevaliers ne pouvaient pas se permettre de perdre les services de bons soldats. « Ariane et Chloé ont pris une sage décision en ne concevant pas d'enfants durant la guerre », songea-t-elle.

Elle marchait derrière le groupe en traînant les pieds. Elle se surprit soudain à désirer que cet enfant soit une fille qui lui ressemblerait en tous points. Elle en ferait une fière guerrière. Cette pensée lui redonna du courage et dessina même un sourire sur ses lèvres, attitude que ses aînés remarquèrent, d'ailleurs. « Tout est rentré dans l'ordre », se réjouit Dempsey.

22

UNE MAGIE TRÈS ANCIENNE

Au Royaume d'Émeraude, après le départ de ses compagnons, Santo demanda à ses jeunes soldats de veiller sur les élèves magiques pendant les repas du matin, du midi et du soir et de les mettre ensuite au lit. Il était important de rassurer ces enfants si sensibles. Le reste du temps, les Chevaliers de garde au château étaient libres de faire ce qu'ils voulaient, sauf des bêtises évidemment.

La plupart choisirent de faire des recherches à la bibliothèque pour répondre à certaines questions embêtantes des enfants sur l'histoire du continent. Ceux qui avaient des Écuyers préférèrent poursuivre leur éducation guerrière dans la grande cour. Les autres entreprirent d'observer les étoiles, la nuit, afin d'identifier le héros mystérieux dont leur avait parlé Élund.

Santo leur donna également la permission de se balader à cheval dans la campagne environnante, à condition de ne pas quitter le château tous en même temps. Il savait que les apprentis, qui commençaient à peine à maîtriser leur destrier de combat, devaient continuer de s'exercer s'ils voulaient un jour devenir de bons soldats. La vie était décidément plus calme dans ce royaume éloigné de la mer, mais puisque

Émeraude abritait le porteur de lumière, les Chevaliers demeuraient vigilants.

Ce matin-là, Santo sortit prendre l'air dans la cour. Mann, son Écuyer, avait plutôt accompagné ses frères dans le hall du roi où les élèves d'Émeraude avalaient leur premier repas de la journée. Le temps était frais et les gros nuages qui roulaient à l'horizon ne semblaient pas menaçants. Santo décida d'étriller son cheval avant d'aller offrir ses services de guérisseur aux villages voisins.

En se rendant à l'écurie, il vit Farrell au pied de la tour du Magicien de Cristal. Sur le seuil, Armène tenait le petit Atlance dans ses bras, mais le papa éprouvait des ennuis avec Nemeroff, son fils aîné, qui se débattait furieusement au bout de sa main en hurlant. N'ayant aucune obligation pressante, Santo crut bon d'aller voir s'il ne pouvait pas régler le conflit. Les Chevaliers d'Émeraude étaient les gardiens de la paix, même dans les désaccords familiaux.

En s'approchant, le guérisseur constata la patience du père qui essayait d'amadouer son enfant. Mais Nemeroff, déjà sous le choc d'avoir vu repartir sa mère quelques jours à peine après son retour au château, ne voulait pas être séparé de son père.

– Lassa te permet de jouer avec tous ses jouets, voulut le tenter Farrell.

– Non ! Pas jouets !

– Puis-je vous venir en aide, maître Farrell ? proposa Santo.

En apercevant l'étranger, Nemeroff cessa toute résistance. Il fonça derrière les jambes de son père pour se cacher dans les plis de sa tunique et risqua un œil inquiet sur Santo.

– Il est encore bien étrange pour moi de vous entendre m'appeler ainsi, avoua le magicien avec un sourire aimable. Mais je ne vois pas comment vous pourriez m'aider, à moins que vous ne possédiez le don de raisonner les petits ouragans de deux ans.

– Je n'ai jamais été père moi-même, mais j'aime les enfants. S'il ne veut pas aller jouer dans la tour, c'est sans doute qu'il a envie de rester dehors. Il fait un temps magnifique, aujourd'hui. Me donnez-vous la permission de m'occuper de lui ?

– Si cela ne vous empêche pas de vous acquitter de vos devoirs, oui, je vous en serais reconnaissant.

Santo s'accroupit devant Nemeroff qui l'examinait de sa cachette.

– Est-ce que tu aimerais jouer avec moi ? l'invita-t-il en projetant une puissante vague d'apaisement vers lui. Je m'appelle Santo et je voudrais être ton ami.

– Jouer dehors..., geignit l'enfant en faisant la moue.

– Moi aussi, je veux jouer dehors.

Le garçonnet se réjouit enfin alors que les vibrations de Santo calmaient son âme. Il se précipita dans les bras du Chevalier avec tant de force qu'il faillit le faire basculer sur le sol. Santo se leva en le serrant contre lui et remarqua l'air ébahi du magicien.

– Il est généralement farouche avec les inconnus, s'étonna Farrell.

– Mais je n'en suis pas un, je suis son ami, assura le guérisseur en embrassant Nemeroff sur la joue.

– Vous avez très certainement un don.

– Pendant qu'Armène s'occupera de votre bébé et que j'amuserai son grand frère, vous pourrez donner vos cours la tête tranquille.

– Je ne sais pas comment vous remercier, sire Santo.

– Formez de bons élèves et je serai content.

Voyant que le Chevalier maîtrisait la situation, Armène disparut avec Atlance dans la grande tour du Magicien de Cristal, qui était désormais sa maison à elle.

– Veux-tu que nous accompagnions papa jusqu'à sa classe ? demanda Santo à Nemeroff.

– Non ! répondit-il sur un ton de petit dictateur.

– J'espère qu'il ne vous fera pas regretter votre bonté, plaisanta Farrell. Vous pourrez me le ramener lorsque vous serez à bout de forces.

Santo s'inclina respectueusement devant le magicien et le regarda s'éloigner en direction de sa tour, où les élèves le rejoindraient sous peu. Il connaissait ce paysan depuis quelques années déjà. Sa transformation depuis son mariage avec Swan ne cessait de le surprendre.

– Que faisons-nous maintenant, jeune homme ? fit le guérisseur en accordant toute son attention à l'enfant.

Il avait les cheveux noirs et les yeux pâles de son père, mais son visage était une réplique miniature de celui de Swan. Santo ressentait aussi la même énergie orageuse dans toutes les fibres de son corps d'enfant.

– Dis-moi à quoi tu veux jouer.

– Courir ! s'écria joyeusement Nemeroff.

« Cela ne doit pas lui être souvent permis pendant que son père enseigne la magie aux élèves d'Émeraude », pensa le guérisseur en le déposant sur le sable.

– C'est d'accord. Je suis un grand chat sauvage de Rubis et je vais te manger !

L'enfant détala en direction de l'écurie en poussant des cris de plaisir. Le Chevalier lui donna aussitôt la chasse. Ils se poursuivirent entre les bottes de foin, les charrettes, les poules, les chèvres et les serviteurs ahuris pendant plus d'une heure. Lorsque Mann, l'Écuyer de Santo, les rejoignit, ils pataugèrent ensemble dans l'étang contigu à l'écurie en essayant d'attraper des grenouilles.

Lorsque l'enfant demanda grâce, Santo et son apprenti décidèrent qu'il viendrait avec eux dans les villages voisins, où ils prodiguaient des soins de santé aux villageois. Le Chevalier informa Kerns de ses intentions afin qu'il surveille le château en son absence. En grimpant sur son cheval avec le petit, Santo songea que c'était la confiance que les Chevaliers plaçaient les uns dans les autres qui faisait de leur Ordre de chevalerie une unité de combat si efficace.

Nemeroff ouvrit tout grands les yeux en traversant les villages. Il resta sagement près de ses nouveaux amis pendant que Santo guérissait les paysans. L'enfant commençait à s'apercevoir que le monde s'étendait au-delà de la ferme où il avait vu le jour et du château où il vivait maintenant avec son père.

Un peu avant le coucher du soleil, Santo et Mann rentrèrent au bercail. Assis en selle devant le Chevalier, Nemeroff était beaucoup plus calme. Les classes n'étant pas encore terminées, le guérisseur emmena l'enfant aux bains avec lui. Il s'installa ensuite dans la nouvelle berceuse du hall des Chevaliers pour lui raconter une histoire. Son Écuyer en profita pour rejoindre les Chevaliers dans le hall du roi où ils attendaient les élèves.

Santo parla à Nemeroff des royaumes invisibles et des dieux qui y réglaient le sort des hommes. Le gamin écouta attentivement son récit, même s'il n'y comprenait rien du tout, en se laissant bercer avec contentement.

Lorsqu'il sentit que les jeunes avaient quitté leurs classes, Santo estima qu'il devait rendre son petit camarade à son père. Mais Farrell le devança. Avant que le Chevalier puisse se lever, le nouveau maître entra dans la grande pièce.

Nemeroff sauta sur le plancher, courut jusqu'à lui et grimpa dans ses bras. Pendant qu'ils se faisaient des câlins, Santo capta au fond de l'âme du paysan d'Émeraude une énergie qu'il avait cru disparue à tout jamais.

– Je vous remercie de lui avoir procuré autant de plaisir aujourd'hui, lui dit Farrell.

L'expression de stupeur sur le visage de Santo lui révéla qu'il était démasqué. Il devait donc mettre les choses au clair tout de suite avec lui avant qu'il alerte ses compagnons.

– N'ayez aucune crainte, Chevalier, le rassura le renégat d'une voix tranquille. Je ne suis pas revenu pour semer la destruction dans vos rangs. Tout comme je l'ai déjà expliqué à Wellan, je ne me suis pas emparé du corps de Farrell, je le partage avec lui.

– Wellan sait que vous êtes Onyx ? s'étonna Santo en se levant lentement.

– Il m'a surpris à la bibliothèque au milieu de la nuit. Il a accepté de ne pas me dénoncer.

Son fils dans les bras, Farrell s'assit sur un banc. Il fixa Santo de ses yeux très pâles en attendant sa réaction. Le guérisseur était un homme sensible et des arguments logiques ne suffiraient pas à le convaincre qu'il ne représentait aucun danger pour l'Ordre.

– Le Magicien de Cristal vous a éliminé, articula enfin le Chevalier, qui ne comprenait pas ce qui s'était passé.

– Il m'a enfermé dans les murs de sa tour, mais par un geste inconscient, Wellan m'a libéré de ma prison de pierre. Alors que je cherchais un nouveau corps, Abnar a bien failli m'achever. Je me suis tout de suite mis dans un état catatonique et il a cru que j'étais mort. En réalité, j'étais très faible. J'ai utilisé tout ce qu'il me restait d'énergie pour errer dans la campagne à la recherche d'un nouveau corps. J'ai eu beaucoup de chance d'atteindre aussi rapidement la ferme de Farrell, car il est plus facile pour moi de m'intégrer à la personnalité d'un de mes descendants.

– Quand cela est-il arrivé ?

– Avant la naissance de Nemeroff, mais Wellan ne m'a démasqué que tout récemment.

– Vous êtes revenu parmi nous depuis tout ce temps et personne ne s'en est rendu compte ? s'exclama Santo, de plus en plus stupéfait.

– J'ai conservé l'énergie de Farrell autour de moi pour dissimuler la mienne.

– Mon devoir de Chevalier d'Émeraude est de protéger les habitants du continent contre tout ce qui les menace, déclara bravement le guérisseur, même s'il savait que son interlocuteur était un puissant magicien.

– Je connais fort bien votre serment, puisque je l'ai prononcé il y a plusieurs centaines d'années, lui rappela Onyx. Vous n'avez rien à craindre, ma vengeance ne vise que les Immortels.

– Je suis l'un des protecteurs du porteur de lumière, souligna Santo.

– Je n'ai pas l'intention de mettre la vie de Lassa en danger. Je suis prêt à attendre que la prophétie se soit réalisée avant d'assouvir ma vengeance.

– Avez-vous seulement pensé à l'avenir de vos enfants si Abnar arrivait une fois encore à vous écraser ?

– Ils seront grands à ce moment-là et ils n'auront plus besoin de moi. J'ai tout prévu.

Santo le dévisagea pendant un moment. Farrell semblait très calme. Devait-il l'arrêter lui-même ou attendre le retour de Wellan ?

– J'ai beaucoup de respect pour vous, sire, poursuivit le magicien, qui captait ses pensées. Alors, ne m'obligez pas à me défendre en commettant un acte irréfléchi.

Le Chevalier guérisseur hésita. Si Wellan savait que ce meurtrier vivait parmi eux, pourquoi n'avait-il rien dit à personne ?

– Votre chef est un érudit tout comme l'était le grand Roi Hadrian d'Argent, répondit Onyx à sa question silencieuse. Il ne voit pas qu'un danger en moi, il voit aussi ce que je peux lui apporter de connaissances militaires et historiques. Et si cela ne vous importe pas, songez alors à mes enfants et à ma femme, qui seraient inconsolables si je devais m'exiler de nouveau.

Farrell savait qu'il ligoterait Santo en faisant appel à ses sentiments. Il se leva, en gardant ses yeux de loup sur le guérisseur toujours en proie à une grande confusion. Il ne pouvait pas s'ouvrir totalement à lui pour lui faire sentir sa véritable puissance, car ce geste risquait de faire sortir le Magicien de Cristal de sa cachette avant qu'il soit prêt à l'affronter. Il espéra de tout son cœur que Santo comprenne qu'il ne pouvait pas remporter un duel magique.

– Ami ? demanda Nemeroff en pointant le guérisseur.

– Oui, le Chevalier Santo est notre ami, affirma Farrell d'un air convaincu, ce qui rassura l'enfant. Et nous lui disons merci de t'avoir fait passer une aussi belle journée.

– Merci !

Farrell s'inclina devant le Chevalier d'Émeraude, bien qu'il eût préféré lui serrer le bras à la façon d'un frère pour sceller leur amitié. Chaque chose en son temps. Il fallait d'abord lui faire accepter son retour au château. Il lui tourna alors le dos, en élevant un bouclier de protection autour de lui et de son fils, et quitta la pièce.

23

Des soupçons endormis

Dès que Farrell eut quitté la grande salle, Santo s'affaissa dans la berceuse. Si le renégat avait réussi à endormir leur vigilance, le sorcier Asbeth y arriverait-il aussi ? Les Chevaliers d'Émeraude pouvaient-ils permettre à Onyx d'enseigner la magie aux enfants qui deviendraient un jour leurs apprentis ? La fille de Wellan et Lassa étaient dans son groupe. L'idée que cet homme du passé puisse ensemencer l'esprit de ces élèves avec ses propres idées de vengeance fit frissonner d'horreur le guérisseur.

Ressentant le désarroi de son maître, Mann accourut précipitamment avec les Chevaliers Kerns, Pencer, Brennan et Jana. Ils trouvèrent Santo assis à quelques pas de l'âtre.

– Maître ! s'écria l'apprenti en se jetant à genoux devant lui. Que se passe-t-il ?

– J'ai ressenti une menace, expliqua Santo en tentant de reprendre contenance.

Les Chevaliers se mirent à sonder les alentours avec leurs sens magiques, mais ils ne décelèrent rien.

– Pourrait-il s'agir d'un danger qui plane sur nos compagnons en mission ? suggéra Kerns.

– Je n'en sais rien...

Mann obligea Santo à boire un peu d'eau et lui transmit une vague d'apaisement. Le guérisseur scruta ses compagnons, convaincu qu'ils s'en prendraient au renégat s'il leur disait la vérité. Et alors, Onyx les tuerait tous.

– C'est arrivé trop rapidement et cela n'a duré qu'une seconde, prétendit-il en s'efforçant d'être crédible. Je suis désolé de vous avoir alarmés.

– C'est notre devoir de nous protéger les uns les autres, fit remarquer Pencer.

– Viens avec nous dans le hall du roi pour le repas du soir, l'invita la jeune femme Chevalier Jana.

– C'est une bonne idée, acquiesça Santo avec un large sourire qui acheva de les tranquilliser.

Il profita aussi de ce repas en compagnie de la centaine d'élèves d'Émeraude pour les étudier, question de s'assurer qu'Onyx ne leur implantait pas dans le cerveau des notions pouvant nuire à leur futur entraînement d'Écuyers. Il fut bien surpris de ne trouver dans leurs esprits que des formules magiques, des récits historiques et un nouvel alphabet. Onyx s'était-il réformé depuis son dernier emprisonnement dans la tour du Magicien de Cristal ?

Fâché contre Wellan qui avait choisi de ne pas révéler à ses frères la véritable identité de Farrell, Santo se promit d'avoir une franche discussion avec lui à son retour au château. Il ne pouvait évidemment pas le faire par télépathie sans alerter tout l'Ordre.

Il accompagna ensuite les garçons dans leur dortoir et leur parla de la cité d'Espérita en omettant le récit de la destruction du royaume voisin par un sorcier. Il voulait enrichir leurs connaissances, pas les terroriser avant de les mettre au lit. Il les borda, puis suivit ses compagnons d'armes et leurs Écuyers dans leur aile.

Santo se coucha sur le dos. Il attendit que Mann se soit assoupi dans son propre lit, à quelques pas du sien, avant de sortir admirer le ciel. Il s'assit sur la margelle du puits pour écouter les bruits du soir et regarder les étoiles. Les paroles d'Onyx continuaient de le hanter. Il tourna les yeux vers sa tour. De la lumière brillait dans les hautes fenêtres. Soudain, une force irrésistible le poussa à se lever et à s'y rendre.

Tout en espérant ne pas tomber dans un guet-apens, Santo gravit lentement les marches usées de l'édifice. Un silence inquiétant y régnait. Le guérisseur traversa la grande salle remplie de coussins et s'engagea dans le second escalier. Lorsqu'il arriva au deuxième étage, il le trouva à peine éclairé par quelques chandelles. Dans le grand lit dormaient Nemeroff et son petit frère. Debout au milieu de la pièce, Farrell portait une longue tunique verte miroitante. La puissante énergie que Santo capta en lui faillit lui faire rebrousser chemin.

– Je suis content que vous ayez répondu à mon appel, l'accueillit le magicien d'une voix apaisante.

« Cette force invisible qui m'a attiré vers la tour émanait de lui ? » se demanda le guérisseur. « Est-ce l'un des pouvoirs des anciens Chevaliers d'Émeraude ? »

– Je vous en prie, venez vous asseoir, Santo.

Farrell lui indiqua la table entourée de chaises où les attendaient une cruche et deux gobelets d'argent. Ne ressentant aucune intention hostile de la part du renégat, Santo avança avec prudence. Le nouveau professeur prit place devant lui et déboucha le contenant de céramique.

– Vous prendrez bien un peu de vin avec moi, offrit-il en versant un gobelet à son invité.

– Pourquoi vouliez-vous que je vienne ici ? s'enquit le guérisseur, sur ses gardes.

– Parce que je perçois de la frayeur dans votre esprit. J'aimerais qu'il n'y ait pas de mésentente entre nous. Je suis également un Chevalier d'Émeraude. J'ai aussi connu cet esprit de camaraderie si rassurant que vous avez établi entre vous. En fait, cela me manque beaucoup.

Santo garda le silence. Il réfléchissait à la terrifiante possibilité que cet homme sans pitié puisse devenir l'un des leurs. Wellan avait-il vu en lui un potentiel que lui-même ne discernait pas ?

– Que me reprochez-vous au juste ? s'enquit Farrell en versant du vin dans sa propre coupe.

– Vous êtes un meurtrier.

– Dans ce cas, vous aussi. Tout comme les Chevaliers actuels, je n'ai anéanti que des soldats de l'empereur qui menaçaient d'envahir notre monde.

– Vous avez tenté de tuer Jasson, Wellan, Kira et le Magicien de Cristal ! s'indigna Santo.

– Je dois avouer qu'à mon premier retour dans ce monde, la colère m'a aveuglé. Je voulais à tout prix me venger d'Abnar. Si je me suis attaqué à vos compagnons, c'est qu'ils voulaient m'empêcher de régler mes comptes avec le Magicien de Cristal. Je regrette infiniment mon attitude hostile. Mon courroux était, je le crains, le résultat de cinq cents ans de solitude à l'intérieur de mes armes après la mort de mon corps physique à Espérita.

– Comment être certain que vous me dites la vérité ? se méfia Santo. Vous pourriez être en train d'endormir ma vigilance, car vous en avez certainement le pouvoir.

– Je n'ai aucun intérêt à vous mentir et je ne veux surtout pas être votre ennemi. Je ne suis pas en colère contre l'Ordre, mais contre l'Immortel qui le dirige. En fait, le crime dont on m'accuse, c'est d'avoir lâchement fui la colère d'Abnar qui décimait nos rangs.

Santo demeura songeur, rappelant à sa mémoire les documents et les propos de Wellan au sujet des anciens Chevaliers. Certains soldats s'étaient entretués et d'autres avaient essayé de détrôner les rois de l'époque, mais il ne se souvenait pas qu'Onyx les ait imités.

– J'y ai songé, mais je ne l'ai jamais fait, le renseigna le magicien, qui suivait le cours de ses pensées. Je sais que l'envie et l'ambition sont des concepts étrangers aux nouveaux Chevaliers d'Émeraude, mais ils ont malheureusement fait partie de ma personnalité il y a fort longtemps. Je n'étais qu'un paysan pauvre que le destin a transformé en héros de guerre pour ensuite le rabaisser dans sa misère. Je suis sûr que même vous, qui êtes né prince et qui avez grandi sous la protection du Roi d'Émeraude, comprendrez ce que j'ai ressenti jadis.

Onyx but lentement le contenu de sa coupe en assistant au combat qui se déroulait dans le cœur de Santo.

– Si l'envie et l'ambition n'habitent plus votre âme, votre esprit de vengeance, lui, est toujours bien vivant, répliqua enfin le Chevalier.

– Je ne puis le nier.

– Votre colère pourrait représenter un danger pour nous et surtout pour les enfants que nous vous avons confiés.

– Si la parole d'un frère d'armes a encore de la valeur dans votre monde moderne, déclara le renégat en se redressant fièrement, alors je vous jure sur mon honneur de Chevalier d'Émeraude que je ne lèverai jamais la main contre vous ou contre mes élèves.

Le magicien tendit le bras. Santo hésita un moment avant de le saisir. Farrell le serra solidement en le regardant droit dans les yeux.

– Je vous jure aussi de venir en aide à l'Ordre chaque fois que vous me le demanderez. De votre avenir dépend le mien. C'est pour cette raison que je ne mettrai jamais la vie du porteur de lumière en péril.

La promesse d'un frère d'armes étant sacrée, Santo voulut bien croire le renégat. Pendant qu'il buvait lentement le vin, il écouta Onyx relater sa version de la première invasion et des agissements d'Abnar. Lentement, sa suspicion céda la place à la compassion. Le magicien lui raconta également de quelle façon il avait enfermé son âme dans son épée dorée grâce à une incantation apprise du maître magicien Nomar. Santo n'arrivait pas à imaginer comment un homme, même un soldat aussi fort qu'Onyx, ait pu patienter des centaines d'années dans le néant avant de pouvoir respirer de nouveau.

– C'est long, mais cela vous fait apprécier les petits plaisirs de la vie, s'égaya Farrell.

– Avez-vous l'intention de vous révéler à tous mes compagnons ?

– Seulement si cela devient nécessaire, mais je ne suis pas pressé. J'ai de jeunes esprits à former et des enfants à élever. Je ne prendrai les armes à vos côtés que si l'ennemi m'y oblige.

– Vos puissantes facultés seraient un atout pour nous, admit Santo.

– Mais elles indisposeraient le Magicien de Cristal, par contre, répliqua l'autre en riant.

– Nous ne savons pas où est Abnar.

– Moi, je pense qu'il se cache. Les Immortels ne sont pas les agneaux sans taches que vous croyez, Santo.

« C'est aussi ce que prétend Wellan », se rappela-t-il. Plus le grand chef en apprenait à leur sujet et moins il leur faisait confiance.

Farrell et Santo bavardèrent encore un peu. Lorsque le guérisseur quitta finalement la tour du magicien, il avait l'esprit en paix. En quelques minutes à peine, le renégat avait réussi à transformer son opinion de lui. Était-ce sa franchise qui avait opéré cette métamorphose ou sa puissante magie ? Trop fatigué pour y réfléchir davantage, Santo s'allongea sur son lit et s'endormit.

24

DES PROJETS NÉBULEUX

Dès qu'il fut de nouveau seul, Farrell s'assura que ses deux garçons dormaient profondément dans son lit, puis descendit à l'étage inférieur. Il promena lentement la main le long du mur, à la recherche d'un indice magique. C'est finalement derrière la table de cristal qu'il ressentit un léger picotement dans sa paume. Il recula d'un pas et tendit les deux bras en prononçant des mots dans l'ancienne langue d'Enkidiev. Les pierres se mirent à gémir, comme si on les réveillait après un long sommeil. Lentement, une porte s'y dessina, puis elle s'ouvrit vers l'extérieur.

Farrell décrocha l'un des flambeaux du mur, l'alluma magiquement et le brandit dans l'ouverture. Il s'agissait de l'entrée d'un escalier étroit. Peu de pas en avaient foulé les marches. Onyx avait appris son existence cinq cents ans plus tôt en épiant Nomar, son maître à l'époque. C'était maintenant à son tour de faire usage de la puissante magie qui se trouvait sous le palais.

Il arriva devant une porte de métal et proféra les incantations qu'il avait mémorisées. Le portail ensorcelé grinça sur ses gonds et lui céda le passage. Farrell s'y engagea sans la moindre crainte. Devant lui s'étendait une immense grotte. La voûte et le sol étaient parsemés de piliers et de franges calcaires rappelant les dents d'un loup. Mais ce qui intéressait le renégat, c'était la nappe d'eau glacée qui reposait entre les stalagmites.

Le magicien fit quelques pas en direction de l'étang magique. Sa surface s'illumina aussitôt. Un sourire s'étira sur le visage du visiteur nocturne.

– Tu reconnais encore tes maîtres, constata-t-il avec satisfaction.

Il déposa la torche sur le sol et s'approcha davantage du miroir de la destinée. Il leva les bras au-dessus de sa tête en prononçant les paroles qui devaient le ramener à la vie.

– Par les pouvoirs conférés jadis aux Empereurs d'Irianeth, je t'ordonne de me dévoiler tes secrets !

– *Et que voulez-vous savoir, monseigneur ?* gronda le miroir.

Sa voix métallique résonna dans la grotte. Un homme ordinaire aurait aussitôt pris la fuite, mais Onyx était un soldat sans peur, aveuglé par sa soif de vengeance.

– Je cherche un Immortel.

– *Les dieux déchus ne m'ont accordé que la faculté de voir l'avenir.*

– Je connais tes pouvoirs, démon de Jérianeth. N'essaie pas de me mentir ou je pourrais être tenté d'utiliser le sortilège de Nepaliath pour mettre fin à ta misérable existence.

Le miroir demeura silencieux, mais de fulgurants éclairs zigzaguèrent à sa surface, démontrant son déplaisir.

– Dis-moi où se trouve Abnar, le Magicien de Cristal.

Hawke dormait paisiblement dans sa tour lorsqu'une curieuse énergie lui traversa le corps. Il ouvrit les yeux et utilisa sa sensibilité d'Elfe pour localiser la perturbation. Il s'agissait d'une onde à peine perceptible qui se déplaçait comme les cercles concentriques sur un étang où l'on aurait jeté un caillou. Il ferma les yeux, augmentant la puissance de sa magie. De la sorcellerie ! Hawke bondit de son lit en pensant aux enfants. Maintenant qu'il était le magicien d'Émeraude, il lui revenait d'assurer leur sécurité en tout temps.

Sa vision elfique lui permettait de se déplacer dans l'obscurité. Il ne prit donc pas la peine d'allumer les torches. Il dégringola presque l'escalier de pierre qui menait à l'étage de ses classes. Il s'engagea dans le second escalier et s'arrêta dans le couloir désert du château. L'énergie négative circulait sous ses pieds ! Il s'élança vers la porte des catacombes, dans le vestibule, mais s'immobilisa en mettant la main sur la poignée de bronze : la force mystérieuse n'émanait pas des cryptes.

Affolé, Hawke se concentra davantage pour trouver la source de l'irrégularité. Il la traqua pas à pas, sans réfléchir, et s'arrêta devant la porte de la tour d'Élund. Farrell avait-il tenté quelque expérience en utilisant les vieux livres du défunt magicien ? Théoriquement, ce paysan était toujours son apprenti, même s'il enseignait désormais aux élèves d'Émeraude. C'était donc son devoir de lui rappeler ses responsabilités de professeur.

L'Elfe grimpa l'escalier. Il n'eut pas besoin d'aller plus loin. Tout au fond de la pièce circulaire se détachait une porte sombre qu'il n'avait jamais vue. Il tendit la main, captant tous les renseignements que sa paume sensible pouvait lui fournir. Dans les entrailles de la tour bouillait un terrible maelström. Hawke rassembla son courage. À pas feutrés, il descendit dans le gouffre. Au bas de l'escalier miroitait une étrange lueur bleue, comme s'il y avait eu une grande étendue d'eau lumineuse sous le château.

Le nouveau magicien d'Émeraude entra dans la caverne qui resplendissait de mille feux. Ses yeux mirent un moment à s'adapter à l'extraordinaire clarté des lieux. C'est alors qu'il vit Farrell, à quatre pattes devant ce qui semblait être un étang brillant. Son visage penché sur la surface cristalline était crispé. Craignant qu'il ne soit attiré par l'énergie maléfique qui émanait de l'eau, Hawke se précipita à son secours. Il lui agrippa les épaules et le tira en arrière, mettant aussitôt fin au sortilège.

La grotte reprit son aspect normal. Seule la torche éclairait désormais les deux hommes. Pendant qu'il serrait Farrell contre lui, l'Elfe en profita pour le sonder.

– Mais qui êtes-vous ? s'effraya-t-il en ne reconnaissant pas la force vitale de son apprenti.

– Je suis votre allié, haleta Farrell en reprenant ses esprits.

Le magicien d'Émeraude le libéra et s'éloigna de lui.

– Vous n'avez rien à craindre, maître Hawke. Je ne vous veux aucun mal.

– Vous n'avez pas répondu à ma question.

Onyx lui expliqua qu'il partageait le corps de son descendant, mais qu'il ne constituait une menace que pour les Immortels.

– Que faites-vous ici ? s'énerva l'Elfe. Comment saviez-vous que cet endroit existait ?

– J'ai suivi Nomar dans cette grotte, jadis. Il se servait du miroir de la destinée pour anticiper les décisions des Chevaliers d'Émeraude et de l'Empereur Noir.

– C'est lui qui vous a montré à vous en servir ?

– Non, j'ai appris par moi-même. Maître Hawke, je vous en conjure, cessez de me traiter comme un étranger. Lorsque j'ai commencé mon apprentissage auprès de vous, Onyx s'était déjà installé en moi. Je suis exactement le même homme.

L'Elfe fit quelques pas autour du flambeau en réfléchissant. Il connaissait les règlements du château et le code des Chevaliers, mais aucun n'avait prévu ce genre de situation.

– Je ne suis pas un traître, se défendit Farrell.

– Dans ce cas, tu n'auras pas d'objection à me dire ce que tu cherchais à apprendre ce soir, Farrell.

– Je voulais savoir où se cache Abnar.

– Cet étang ensorcelé te l'a-t-il dit ?

– Il prétend qu'il est détenu par un ennemi beaucoup plus dangereux que l'empereur. Apparemment, les choses ne tournent pas rond dans les mondes invisibles.

– Ne restons pas ici, paniqua Hawke.

Il saisit le bras de Farrell, l'aida à se relever et le poussa vers la sortie. Avant de franchir la porte, le paysan se retourna vers la caverne une fois de plus silencieuse. Il tendit la main. Le flambeau décolla et vola jusqu'à lui. Dès que les deux magiciens eurent commencé à gravir l'escalier, la lourde porte de métal claqua derrière eux.

Farrell illumina l'étage inférieur de sa tour. Épuisé, il se laissa tomber sur l'un des moelleux coussins. Hawke, quant à lui, préféra marcher de long en large dans la pièce.

– Dis-moi ce que tu as vu, exigea-t-il soudain en se tournant vers lui.

– Le miroir de la destinée m'a montré le visage de Nomar...

– C'est le Magicien de Cristal que tu cherchais, pas le seigneur du Royaume des Ombres.

– Le démon qui se cache sous l'étang possède des renseignements que les humains ne peuvent obtenir par des moyens conventionnels, maître Hawke. Il semble croire que Nomar est un des dieux déchus et qu'il a enlevé Abnar.

Cette fois, l'Elfe sembla terrorisé : on racontait souvent aux enfants turbulents que ces créatures bannies viendraient les tourmenter s'ils n'obéissaient pas à leurs parents.

– Parandar les a exilés dans un monde de désolation il y a des milliers d'années, expliqua Farrell. Apparemment, certains ont réussi à s'en échapper.

– Il pourrait y en avoir plusieurs ?

Le renégat hocha doucement la tête. Il ne voulait pas angoisser l'Elfe, mais il jugeait préférable de lui dire toute la vérité.

– Les enfants sont-ils en danger ? s'inquiéta Hawke.

– Seulement Lassa.

– Il faudra raconter à Wellan tout ce que tu as appris.

– C'est ce que je comptais faire.

Hawke se calmait progressivement. Farrell sentit même naître en lui une nouvelle détermination à sauver le monde.

– Il ne faudra pas parler de cette conspiration à tes élèves, même si tu t'es engagé à être toujours franc avec eux.

– Cela va de soi. Mais je pense quand même que nous devrions leur enseigner à se défendre, insinua le paysan.

– J'y réfléchirai, trancha le magicien. Tu devrais aller dormir, maintenant, sinon tu n'arriveras pas à tenir debout demain.

Farrell accepta docilement d'un geste de la tête. Apparemment, Hawke ignorait à qui il avait affaire, sinon il aurait su qu'il pouvait passer des jours sans sommeil.

– Comment dois-je t'appeler dorénavant ? lui demanda-t-il.

– Je suis Farrell d'Émeraude.

Hawke lui décocha un regard suspicieux avant de sortir. Dès qu'il eut quitté son antre, le renégat poussa un soupir de soulagement. Il n'avait pas dit au magicien tout ce qu'il avait vu dans le miroir et, heureusement, l'Elfe ne s'était pas servi de ses facultés magiques pour aller chercher le reste de l'information dans sa tête.

Farrell leva les yeux au plafond. Là-haut dormaient deux petits innocents qu'il soustrairait aux plans diaboliques de Nomar.

25

Les guetteurs

Au Royaume de Cristal, Bergeau s'occupa d'abord d'améliorer les installations des Chevaliers qui les y avaient précédés. Ses compagnons avaient progressivement bâti un village miniature au pied d'une petite colline en retrait de l'océan, près d'un ruisseau suffisamment large pour qu'ils puissent s'y baigner le matin. Il s'agissait d'une dizaine de petites habitations pas très hautes disposées en demi-cercle près du ruisseau, où trois adultes pouvaient dormir ou s'abriter de la pluie. Au centre des chaumières se trouvait un foyer en pierres des champs pour faire cuire les repas à l'abri du vent. Ce pays n'étant pas protégé par une falaise comme à Zénor, très peu d'arbres poussaient sur ses côtes continuellement balayées par les vents marins. Il fallait marcher pendant des heures à l'intérieur des terres avant d'y rencontrer des forêts.

Près de la mer, la terre était légèrement vallonnée et recouverte d'herbe fragile. On ne trouvait des buissons que près des petits cours d'eau. Ce terrain à découvert représentait un mal et un bien à la fois pour les Chevaliers puisque, d'une part, ils y subissaient la fureur des éléments, mais que, d'autre part, ils pouvaient voir arriver l'ennemi à des lieues sur les flots.

Bergeau dirigeait de jeunes soldats, le plus âgé étant Wimme, le Chevalier à la peau foncée et aux yeux bleus éclatants, qui venait d'avoir trente ans. Tous les autres étaient de jeunes loups dans la vingtaine avec de l'énergie à revendre.

Il utilisa donc cette vigueur dès le premier jour en leur faisant ramasser de grosses pierres qui amarreraient les murs de paille tressée, tendus entre des bâtons de bois. Lorsqu'il fut satisfait de leur travail, Bergeau envoya la moitié du groupe chercher du bois de plage et demanda à l'autre de patrouiller sur la côte. Le soleil commençait à descendre dans le ciel lorsque les plus jeunes revinrent enfin au campement avec du bois et des visiteurs. L'homme du Désert les sonda avant qu'ils n'atteignent leur petit village. Les inconnus étaient des guetteurs de Cristal, une quinzaine en tout, qui transportaient sur leurs dos des besaces de toile chargées de nourriture et de curieux filets. Ces hommes dépêchés par le Roi Cal avaient reçu l'ordre de s'informer des besoins des Chevaliers et de les combler. Bergeau les reçut chaleureusement, comme de vieux amis, et les laissa s'installer parmi eux. Leur chef, un solide gaillard aux yeux perçants, s'appelait Connor.

– Cal veut que vous sachiez que nous nous battrons à vos côtés si les hommes-insectes décident de débarquer ici, annonça-t-il à Bergeau.

– Je crois qu'il serait plus utile de le prévenir pour qu'il puisse mettre les femmes et les enfants à l'abri, répliqua Colville qui débouchait l'un des barils de bière qu'ils avaient apportés.

– Duane est notre plus rapide coureur, fit Connor avec un air sévère. C'est lui qui s'en chargera. Moi et les autres, nous resterons à vos côtés.

– Et nous vous en serons reconnaissants, coupa Bergeau pour que ses jeunes Chevaliers ne les insultent pas davantage.

Ce soir-là, les guetteurs préparèrent un repas de viande de mouton, de fromage dur et de baguettes de pain. Tout en mangeant, ils donnèrent aux soldats des nouvelles du Royaume de Cristal. Leur conteur s'appelait Ethan. C'était un homme dans la vingtaine à la peau brûlée par le soleil et au sourire perpétuel. Ses cheveux blonds rebelles balayaient ses épaules et ses yeux clairs étaient vifs et francs. Ce fut surtout lui qui parla au nom de ses compagnons plus tranquilles. Il leur apprit que son roi avait tenu plusieurs conseils avec tous les chefs de village. Tous étaient d'accord pour participer à la prochaine guerre contre les insectes, afin qu'ils soient repoussés dans la mer une fois pour toutes.

– Nous utiliserons les rivières et les lacs pour les piéger, comme l'ont fait nos ancêtres, affirma Ethan.

– Il est préférable d'utiliser le feu pour les détruire, riposta le Chevalier Kowal.

– Ou même les trappes, ajouta le Chevalier Daiklan.

– Peu importe comment, il suffira de les arrêter avant qu'ils s'attaquent aux humains, trancha une fois de plus Bergeau.

Après le repas, l'homme du Désert informa ses hôtes du décès d'Élund et de la nomination du jeune Hawke au rang de magicien d'Émeraude. Aucun mage n'œuvrait au Royaume de Cristal, mais ces personnages étranges inspiraient le plus grand respect à ce peuple combatif. Les guetteurs l'écoutèrent donc avec attention. Puis, inévitablement, Bergeau se lança dans ses récits de bataille préférés. Il amusa ses invités jusqu'à ce que l'obscurité les enveloppe tous. Les soldats d'Émeraude voulurent partager leurs huttes avec les guetteurs, mais ces derniers refusèrent poliment, étant habitués à vivre et à dormir au grand air. Ils s'enroulèrent plutôt dans leurs couvertures et se serrèrent les uns contre les autres près du feu.

Le lendemain, après la méditation des Chevaliers, Ethan et ses compagnons enseignèrent aux Chevaliers à pêcher le poisson en eaux peu profondes grâce à leurs filets. C'était, de leur avis, la seule façon de survivre sur le bord de l'océan, car le gibier ne s'y aventurait guère et la végétation y était rare. Bergeau vit qu'il s'agissait là d'une activité qui non seulement les nourrirait tous, mais qui maintiendrait aussi ses troupes en forme tout en occupant leur esprit.

La première pêche fut excellente. Encouragés, les jeunes soldats apprirent des guetteurs à capturer, apprêter et faire cuire leurs prises. Autour du feu, les hommes de Cristal leur racontèrent des légendes anciennes de leur pays. « D'autres histoires que Bergeau s'empressera d'exagérer à notre retour à Émeraude », pensa Wimme en souriant.

Ils ne se couchèrent que tard dans la nuit, après s'être bien amusés. Les Chevaliers Arca et Sheehy s'occupèrent du premier tour de garde, tandis que les autres sombraient dans un sommeil profond.

Au matin, au lieu de distribuer de nouveau les filets aux soldats, les guetteurs sortirent plutôt d'un de leurs sacs de toile une sphère de cuir cousu, aussi grosse que la tête d'un homme. Ils annoncèrent que, même si la vie était parfois dure au Royaume de Cristal, ses habitants savaient aussi se divertir. Ils firent alors une démonstration de leur habileté en lançant l'objet sur le sol puis en le dirigeant les uns vers les autres en n'utilisant que leurs pieds. Le jeu intéressa aussitôt les jeunes Chevaliers et Bergeau les laissa y participer. En les observant, les bras croisés, il préféra scruter la côte avec ses sens invisibles.

Devant lui, les deux équipes se disputaient un ballon sur un terrain délimité par des bornes de pierre. Chacune devait protéger son territoire tout en tentant de projeter le ballon au-delà des limites de son adversaire, à l'autre bout du terrain. Mais les soldats comprirent très rapidement qu'il n'était pas facile de déjouer les guetteurs, qui s'adonnaient à ce jeu depuis leur enfance. Bergeau les regarda courir dans un sens puis dans l'autre en essayant de ravir le ballon à ces habiles joueurs, puis tenter de le maîtriser suffisamment longtemps pour marquer des points. Il se mit alors à penser à ses filles et à son petit garçon qui adoreraient certainement ce jeu.

Les jeunes gens s'y adonnèrent toute la matinée puis cassèrent la croûte avant d'aller marcher sur les galets pour se détendre. Encore une fois, Bergeau préféra rester au campement. Wimme décida de lui tenir compagnie.

– Est-ce que ça va, Bergeau ? s'enquit-il. Habituellement, tu aimes bien te mêler à nos activités.

– Il faut bien que quelqu'un surveille la côte pendant que vous vous amusez. Je combats les serviteurs de l'empereur depuis si longtemps que je peux ressentir instinctivement leur approche.

La gaieté du plus jeune s'évanouit. Il tourna la tête vers l'océan et le sonda aussi loin que ses sens magiques le lui permettaient. Pourtant, il ne captait rien d'alarmant.

– Ce n'est pas quelque chose que je ressens avec ma magie, lui expliqua Bergeau. C'est comme un pincement au fond de mes tripes.

– Et cela signifie que nous allons bientôt être attaqués ?

– En général, cela se produit deux ou trois jours plus tard.

Wimme pensa à Kagan, son épouse, partie avec les autres sur la plage. Il lui ferait part des appréhensions de leur compagnon à son retour afin qu'elle soit davantage sur ses gardes. Il savait qu'elle pouvait se défendre aussi bien que ses frères d'armes, mais leur nouveau lien intime le rendait un peu plus protecteur à son égard. Bergeau suivit ses pensées et sourit intérieurement. Lui aussi s'inquiéterait si Catania était un Chevalier.

26

La compétition

Au même moment, à plusieurs lieues au sud, le groupe de Jasson avait élu domicile dans l'ancien Château de Zénor. Les Chevaliers qu'il dirigeait étaient dans la vingtaine, sauf le capitaine Kardey qui venait, tout comme lui, d'atteindre la quarantaine. Bien que sa troupe fût moins turbulente que celle de son frère Bergeau, Jasson décida tout de même d'occuper ses soldats de façon constructive.

Il remarqua que Farrell avait commencé à rebâtir le mur démoli du côté est de la forteresse lors de son séjour solitaire à Zénor, trois ans plus tôt. Jasson décida que l'achèvement de cet ouvrage permettrait à ses jeunes compagnons de perfectionner leurs pouvoirs de lévitation tout en les empêchant de faire des bêtises.

Ils installèrent leurs affaires dans le grand hall du château. Ils enlevèrent leurs cuirasses, puis Jasson les emmena dans la cour. D'énormes blocs de pierre gisaient un peu partout sur la plage et à l'intérieur des fortifications, monuments lugubres évoquant le terrible affrontement entre les sorciers et les magiciens d'antan.

Afin de rendre le défi encore plus intéressant, Jasson demanda à ses soldats de former deux équipes. Chacune d'elles devrait reconstruire le mur d'un côté de l'ancienne porte, en respectant le style d'architecture de l'époque. Il leur donna le droit d'utiliser tous leurs pouvoirs et leur annonça qu'il jugerait lui-même du meilleur résultat, une fois les travaux terminés.

Lorsqu'il quitta le château pour aller marcher sur la plage, Jasson fut incapable de réprimer un sourire en sentant la soudaine agitation de sa troupe. Il sonda la côte de Zénor jusqu'aux confins du Désert, mais capta surtout le mouvement des pierres derrière lui. Il se tourna plutôt vers l'océan, se rappelant l'attaque sauvage de Sélace contre ses frères. Tout semblait calme de ce côté.

Dans la grande cour, les Chevaliers se divisèrent spontanément en deux groupes. Le premier se mit aussitôt à discuter de stratégie, tandis que le second, sous la direction de Kardey, commença tout de suite à réunir les blocs devant le mur afin de décider leur position dans la construction. Même si ces magiciens avaient, au fil du temps, appris à déplacer des objets lourds dans les airs, il leur fallait également résoudre le problème du mortier.

– Si les habitants de Zénor ont jadis puisé tous les matériaux nécessaires dans les environs, nous sommes capables de le faire aussi, argumenta Sage.

Ariane s'approcha du mur. Elle passa doucement la main le long des joints pour en définir la composition, utilisant ses facultés magiques.

– Tu as raison, Sage, reconnut la Fée Chevalier. Il est composé de sable et de marne.

Kardey envoya donc Ariane, Sage et Kira à la recherche des ingrédients requis. Pour les transporter jusqu'au château, il fabriqua lui-même une brouette avec un vieux chariot déniché dans un coin de l'écurie. Pendant ce temps, Corbin, Yamina, Joslove ainsi que l'Écuyer Camilla continuèrent de rassembler les pierres nécessaires à la réfection de la partie gauche du mur.

Lorsqu'ils virent que leurs compagnons semblaient savoir ce qu'ils faisaient, l'équipe de Botti vint s'enquérir auprès de Kardey de la marche à suivre pour faire le même travail sur leur moitié du mur. Le capitaine leur donna volontiers des directives et, au bout d'un moment, les quatorze Chevaliers et les sept Écuyers se mirent à travailler ensemble plutôt que séparément.

Sage déchargea plusieurs brouettes de sable dans un grand trou creusé par la chute d'un des blocs de pierre durant la dernière guerre. Kardey y ajouta lui-même une certaine quantité de marne. Ils y lancèrent de petits fragments de pierre et y versèrent de l'eau. Satisfaite de la consistance du mélange, Kira se mit à malaxer le tout à l'aide d'une grosse branche. Pieds nus et ne portant que sa tunique mauve, elle remuait la mixture en se laissant chauffer au soleil, debout dans le mortier.

Elle reçut alors une masse humide et froide sur la nuque. Elle poussa un cri de surprise et vit la substance sablonneuse dégouliner sur ses épaules, trempant son vêtement. Ses compagnons éclatèrent de rire. Offensée, la Sholienne fit volte-face, à la recherche de l'auteur de cet affront. Interloquée, elle constata que c'était Sage. Il se tenait à l'autre extrémité du grand réservoir improvisé, du gâchis dans les mains et l'air coupable.

– Ce n'est pas toi que je visais, mais Corbin, s'excusa-t-il avec une attitude repentante qui ne convainquit personne.

Kira laissa tomber sa branche. Elle s'élança dans le mélange vaseux, en direction de son époux, avec l'intention de lui donner une leçon dont il se souviendrait longtemps. Son geste mit le feu aux poudres et tous les soldats plongèrent les mains dans la mixture, malgré les protestations de Kardey, qui voulait s'acquitter de la tâche que leur avait confiée Jasson.

– Les enfants ! cria-t-il au milieu des rires et des sifflements des projectiles humides. Vous êtes des Chevaliers d'Émeraude !

Il reçut une salve en plein visage. Oubliant qu'il était l'aîné du groupe, il sauta dans le trou et se mit à bombarder tous ceux qui l'entouraient.

À son retour de la plage, plusieurs heures plus tard, Jasson fut bien content de constater l'étendue des réparations apportées à la muraille. « Mais pourquoi ont-ils la mine déconfite et pourquoi sont-ils couverts de boue ? » s'étonna-t-il. Avant qu'il puisse leur demander ce qui s'était passé, Botti s'approcha en essuyant le mortier sur son visage.

– Mon équipe a perdu la partie, Jasson, car elle n'a pas suivi tes consignes, déplora-t-il en regardant le lieutenant droit dans les yeux. Au lieu de travailler de façon séparée, nous avons décidé d'unir nos efforts à ceux de l'équipe de Kardey afin d'être plus efficaces.

Un sourire de satisfaction fendit le visage de l'aîné. Botti comprit aussitôt que leur désobéissance ne le contrariait pas du tout.

– Vous avez compris la leçon beaucoup plus rapidement que je le croyais, avoua Jasson.

– Quelle leçon ? voulut savoir Joslove.

– Les Chevaliers sont forts parce qu'ils savent travailler ensemble, même lorsqu'on tente de les diviser. Je suis vraiment fier de vous.

Les soldats et leurs apprentis exprimèrent leur soulagement avec des cris de joie. Puisque la journée s'achevait, Jasson leur demanda de se nettoyer puis d'allumer un feu dans l'âtre du hall. Ils disposaient de vivres pour au moins une semaine. Il leur faudrait donc décider de la façon de se nourrir pendant le reste du mois.

Assis en rond dans la grande pièce froide et humide, alors que le soleil disparaissait rapidement dans la mer, les jeunes jetèrent leurs couvertures sur leurs épaules. À tour de rôle, ils partagèrent leur opinion au sujet de la survie dans cette contrée pauvre et sans ressources. Jasson les écouta avec attention en attisant le feu. Kardey voulait évidemment partir à la chasse. Mais les seuls endroits où ils pourraient trouver du gibier se trouvaient à des lieues au sud, là où les rivières des hauts plateaux se jetaient dans la mer, ou encore à l'est, sur la falaise, dans les forêts de Zénor. Ils n'étaient pas suffisamment nombreux pour se priver d'un homme ou deux pendant tout ce temps.

Sage regretta l'absence de ses faucons, car ils auraient sans doute pu chasser pour eux. Avec un sourire narquois, Kira lui fit remarquer que tous les parents avaient besoin de vacances de temps en temps. Les joues du guerrier devinrent cramoisies. Il baissa la tête pour éviter les moqueries de ses compagnons. Fabrice leur rappela alors que les habitants de Zénor pêchaient en mer à ce temps de l'année et qu'il leur suffisait de leur acheter du poisson à leur retour.

En silence, Kira sonda l'océan aussi loin qu'elle le put. Elle repéra effectivement les sept embarcations en haute mer. Les pêcheurs à leur bord semblaient contents, ce qui voulait dire que leurs filets étaient pleins.

– S'ils n'en ont pas à vendre, nous pourrions aller chercher de la nourriture au village sur la falaise, suggéra Dienelt. Nous serions partis moins longtemps que si nous étions à la chasse.

« Encore une fois, nous serions privés d'une partie de nos soldats... à moins d'envoyer des Écuyers au village du Roi Vail », pensa Jasson. Cela leur donnerait confiance en eux et le code lui permettait de se servir ainsi des apprentis, mais il n'en parla pas tout de suite à ses compagnons. Il continua plutôt d'écouter leurs suggestions. Puis, tout à coup, il se rendit compte que c'était sûrement ainsi que se sentait Wellan lorsqu'il devait prendre une décision pour tout le groupe. Il comprit pourquoi il ne pouvait pas toujours leur révéler le fond de sa pensée.

Lorsque le château fut plongé dans l'obscurité, les Chevaliers s'enroulèrent dans leurs couvertures près du feu qui chassait l'humidité. Jasson prit le premier tour de garde. Il serait remplacé par Brannock quelques heures plus tard. Il scruta magiquement la côte à la recherche de toute activité suspecte éventuelle. Rien.

27

LE RÊVE

Kira se blottit contre le dos de son époux et déposa un baiser sur son oreille, l'une des rares marques d'affection qu'ils pouvaient se permettre lors d'une mission. Elle sombra bientôt dans un sommeil profond mais, au lieu de rêver à Sage, à Lassa, à Armène ou à sa vie au Royaume d'Émeraude, comme elle le faisait habituellement, elle se retrouva debout sur la plage, à quelques pas du château. La lune baignait le paysage d'une belle lumière blanche.

Elle baissa les yeux. L'eau touchait ses pieds nus. Curieusement, elle ne ressentait rien et n'entendait pas le bruit des vagues qui venaient mourir sur les galets. Elle constata aussi qu'elle portait une robe de nuit légère que le vent frais agitait mais ne traversait pas. Elle releva la tête. Dans le ciel d'encre, une étoile brillait beaucoup plus que les autres. Une grande joie s'empara d'elle, sans qu'elle sache pourquoi. Le bel astre se mit à descendre lentement au-dessus des flots. Lorsqu'il atteignit finalement le rivage, une silhouette se détacha de la lumière aveuglante et s'avança vers la jeune femme mauve.

– Mama..., murmura Kira, ravie.

La Reine Fan de Shola se solidifia devant elle, vêtue d'une belle tunique blanche faite de nombreux voiles étincelants. Ses longs cheveux argentés flottaient dans la brise. Le maître magicien posa ses yeux lumineux sur sa fille. Tendrement, elle la serra dans ses bras. Kira se sentit enveloppée par l'amour de sa mère. Elle se laissa bercer un moment, puis le fantôme saisit sa main. Elles marchèrent côte à côte sur les cailloux trempés en s'éloignant du château.

– Je sais que ce n'est qu'un rêve, mais je suis contente de vous revoir, mama.

– Es-tu certaine que c'en est un ? répliqua Fan de sa voix douce.

Kira tourna la tête vers l'imposante forteresse qui dormait dans l'ombre. C'était bien l'endroit où elle était actuellement en mission avec son époux et ses compagnons, mais elle ne se souvenait pas d'avoir apporté cette robe de nuit dans ses affaires, encore moins d'avoir quitté le palais.

– La conscience n'a pas vraiment besoin du corps pour se déplacer là où elle en a envie, lui expliqua sa mère. Je t'ai demandé de me rencontrer ici et tu es venue dans ton sommeil.

– Je « suis » vraiment ici ?

– Ta conscience, oui, mais cette apparence physique est temporaire.

Ce qui expliquait pourquoi Kira n'avait aucune sensation. Ce corps, qui ressemblait en tous points au sien, n'était pas réel. Elle serra la main de Fan dans la sienne. Elle ne capta pas une impression physique, mais une émotion.

– Pourquoi vouliez-vous me voir, mama ?

– J'ai raconté aux dieux ce qui s'est passé sur Irianeth et ils veulent que tu apprennes à maîtriser tous tes pouvoirs. Tu dois poursuivre ton entraînement magique.

– C'est impossible. Maître Abnar a disparu.

– En fait, Parandar préférerait que ce ne soit pas un Immortel qui achève ta formation.

– Qui alors ?

– Il a pressenti quelques-uns des dieux.

– Mais pour étudier auprès d'eux, il faudrait que je sois... morte...

Fan conserva un silence approbateur.

– Non, c'est hors de question ! explosa Kira. Je suis un Chevalier désormais, mama ! J'ai prêté le serment de combattre auprès de mes frères d'armes ! Comment pourrais-je les abandonner maintenant ?

– Ne sais-tu pas que c'est grâce à toi qu'ils pourront tous survivre si tu es suffisamment forte pour protéger le porteur de lumière ?

Elle croyait Lassa en sécurité au Château d'Émeraude, car la magie d'Abnar continuait de protéger la forteresse même en son absence. C'était d'ailleurs pour cette raison qu'elle suivait les Chevaliers sur la côte afin d'apprendre à mieux combattre l'ennemi.

– Et tu crois que ta seule valeur guerrière te permettra de défendre ce prince contre les pouvoirs dévastateurs d'un sorcier ?

– Wellan dit qu'on peut les tuer en les tranchant en deux.

– Encore faut-il pouvoir s'en approcher, mon enfant. Les pouvoirs d'Asbeth n'ont cessé de croître et il ne commettra pas les mêmes erreurs. Et s'il échoue, c'est l'empereur lui-même que tu affronteras.

– Comment pourrais-je consciemment me donner la mort ? paniqua le Chevalier mauve. Cela va à l'encontre de tout ce qu'on m'a enseigné !

– Les maîtres magiciens ne meurent pas. Tu serais beaucoup plus puissante si tu agissais à partir des mondes invisibles.

– Non, je ne peux pas m'y résoudre. Demandez à Parandar de donner à un autre Immortel le pouvoir de se matérialiser dans le monde physique afin de parfaire mon éducation. Dites-lui que j'aimerais que ce soit Dylan.

– Ton frère est trop jeune pour t'enseigner quoi que ce soit, répliqua Fan, contrariée. D'ailleurs, tu exerces trop d'influence sur lui. Tu as besoin d'un maître bien plus sévère.

– Je n'apprends rien sous la contrainte.

– Les monarques de ce monde ont un sens du devoir aigu, Kira. Si c'était moi qui t'avais élevée à Shola, tu aurais appris à mettre tes émotions de côté pour le plus grand bien de tous.

Kira se rappela comment sa mère avait séduit le Chevalier Wellan à la demande des dieux pour ensuite disparaître de sa vie en lui causant beaucoup de chagrin. Jamais elle n'aurait été capable de briser ainsi le cœur de Sage.

– Alors, que dois-je répondre à Parandar ? s'obstina Fan.

– Dites-lui que je dois d'abord en parler avec mon époux. Les dieux peuvent bien attendre un peu, non ?

– Je leur transmettrai ton message et je reviendrai bientôt pour connaître ta décision.

Le fantôme embrassa Kira sur le front. Même si elle ne ressentait rien physiquement, son cœur se remplit de bonheur. Elle ouvrit les yeux et constata qu'elle était couchée tout contre Sage. Les braises du feu éclairaient à peine la grande pièce sombre. Elle passa le bras autour de la taille de son mari et enfouit son visage entre ses omoplates. Comment pourrait-elle se séparer de lui, même pour sauver Enkidiev ? Elle lui raconterait sa conversation avec Fan au matin pour connaître son opinion. Elle ne remettrait son sort entre les mains des maîtres célestes qu'avec son assentiment.

Lorsqu'elle se réveilla, Sage la serrait dans ses bras, le menton appuyé sur ses cheveux violets. Elle sentit tout de suite qu'il ne dormait pas. Avait-il lu ses pensées durant la nuit ? Dès qu'elle remua un peu, le jeune guerrier relâcha son emprise. Kira admira ses yeux opalescents. Il était le plus beau des hommes et il méritait tout son amour. Il ouvrit la bouche pour lui dire bonjour, mais elle ne lui laissa pas le temps de prononcer un seul mot. Leurs lèvres se rencontrèrent et ils échangèrent un long baiser amoureux.

– Je savais bien qu'ils seraient incapables de s'en empêcher ! se moqua Corbin, à quelques pas d'eux.

– C'est seulement un baiser, protesta Kira en se tournant vers lui. Si tu avais une compagne et si tu étais en mission avec elle, tu ferais exactement la même chose !

– Pas de querelle, les enfants, exigea Jasson en entrant dans la salle. L'eau de l'ancienne salle d'audience est froide, mais elle est propre. Alors, que ceux qui le désirent s'y rendent maintenant, parce que je perçois l'approche des bateaux.

Kira embrassa Sage une dernière fois, puis suivit Ariane, Yamina et Joslove dans ce bain improvisé. L'eau n'était pas froide, elle était glaciale ! La jeune femme mauve n'y resta que quelques secondes, le temps de purifier prestement son corps. Elle enfila sa tunique en grelottant et regretta de ne pas avoir apporté sa couverture avec elle pour se réchauffer.

En attendant les hommes, les femmes sortirent dans la cour pour profiter du soleil. Joslove alluma un feu et Yamina fit chauffer de l'eau pour le thé. En sortant de la nourriture de ses sacoches de cuir, Ariane remarqua la tristesse de sa jeune sœur d'armes à la cuirasse mauve.

– Corbin n'a pas voulu te blesser, la consola la Fée en posant une douce main sur son épaule.

– Je sais..., soupira Kira en levant un regard découragé sur elle.

– Alors, pourquoi as-tu le cœur en peine ? s'enquit Yamina en éloignant la petite marmite d'eau des flammes.

– J'ai rêvé à ma mère la nuit dernière.

Les trois femmes vinrent s'asseoir près d'elle pour écouter son récit. Leur air soucieux lui prouva qu'elle avait les meilleures sœurs de tout l'univers. Elle leur répéta les mots de la Reine Fan et parla de sa crainte de briser le cœur de son mari si elle décidait de poursuivre son entraînement magique auprès des dieux.

– Sage t'adore, mais il aime aussi Enkidiev, commenta Yamina. Il comprendra que tu as besoin d'apprendre à maîtriser ta puissance.

– Mais je ne serais plus mortelle ! s'effraya Kira.

– Je suis certaine que les dieux te récompenseraient en vous réunissant plus tard, affirma Ariane, car eux aussi connaissent l'amour.

– S'ils insistent tant, c'est sûrement que le sorcier est sur le point de s'en prendre à Lassa, la pressa Joslove.

– Tu as raison, admit la Sholienne. La survie du porteur de lumière devrait passer avant la mienne. Vous êtes bien gentilles de me rassurer ainsi, mais, je vous en conjure, ne dites rien à Sage pour l'instant. Je veux lui en parler moi-même.

Elles lui promirent de ne pas répéter ses aveux à qui que ce soit. Kira les étreignit avec gratitude. Lorsque les hommes les rejoignirent une heure plus tard, ils mangèrent un repas léger tout en discutant de la quantité de poisson nécessaire pour s'alimenter pendant quelques jours. Kira demeura silencieuse auprès de son époux à écouter ses arguments et à graver son visage dans sa mémoire, mais elle préféra attendre au soir pour lui parler en privé.

✧ ✧
✧

Les bateaux de Zénor s'échouèrent sur les bancs de sable à la fin de l'après-midi et les pêcheurs furent bien contents de rencontrer la nouvelle équipe de Chevaliers installée au château. Cependant, ils ne voulurent pas accepter leur argent en échange du poisson dont ils avaient besoin. Ce soir-là, ces braves hommes de la mer préparèrent un délicieux repas pour leurs protecteurs et partagèrent même leurs barils de bière avec eux. Leurs récits de monstres marins et de tempêtes effroyables captivèrent Sage au point où Kira décida de repousser ses aveux jusqu'au lendemain.

Mais, à son réveil, elle ne le trouva pas auprès d'elle. En fait, il ne restait plus que quelques dormeurs dans le hall. Elle se servit de ses sens magiques et repéra son époux sur la plage avec d'autres Chevaliers. En se rendant aux bains glacés, elle s'arrêta sur la terrasse. S'étirant le cou, elle tenta de voir ce que faisaient ses frères. À son grand étonnement, elle aperçut des séchoirs de bois sur lesquels les pêcheurs suspendaient des prises de toutes tailles, coupées en deux et nettoyées pour le plus grand bonheur des oiseaux marins qui se disputaient leurs entrailles. Plusieurs Chevaliers, accroupis autour des filets, apprenaient à préparer le poisson afin de le conserver le plus longtemps possible.

Sage se trouvait parmi eux. Il affichait un grand intérêt pour cette activité. Kira pouvait sentir sa soif d'apprendre et son bonheur de participer à cette activité collective. Ses sœurs avaient raison : il aimait profondément le continent et il accepterait de faire des sacrifices pour le protéger. Mais elle ne se sentait pas encore le courage de l'abandonner. Elle l'observa un long moment puis se promit qu'ils vivraient au bord de l'océan tous les deux lorsque la guerre serait terminée. Ce bel homme du nord pourrait ainsi pêcher tout le reste de sa vie, si les dieux se montraient cléments.

En quittant la terrasse pour aller se baigner dans le palais, Kira remit encore une fois à plus tard sa discussion avec Sage. Parandar devait se douter que ce n'était pas une décision facile à prendre.

28

Le chagrin de Kevin

Le même matin, sur la plage du Royaume d'Argent, le groupe de Falcon effectuait sa première patrouille de la journée. Le soldat superstitieux n'aimait pas vraiment cette affectation dans un royaume entouré d'une épaisse muraille où ses soldats n'auraient aucun espace pour manœuvrer s'ils devaient être attaqués par l'ennemi. Les quelques Chevaliers qui les avaient précédés à ce poste avaient bâti des abris temporaires pour les hommes et les chevaux le long des remparts, mais l'aîné désirait offrir plus de sécurité à ses hommes. Les habitants d'Argent avaient commencé à percer de nombreuses portes dans les murs, mais surtout le long de leurs frontières avec les Royaumes de Cristal, d'Émeraude et des Fées. Il n'y en avait aucune encore du côté de l'océan.

Ils établirent leur campement sur les galets et entreprirent aussitôt de creuser une brèche dans les remparts de l'ouest. Les Chevaliers pourraient mettre les chevaux à l'ombre à l'intérieur du Royaume d'Argent et avoir accès au puits du plus proche village. Si le Roi Cull s'opposait à cette initiative, alors ils refermeraient l'ouverture avant leur départ pour le Royaume d'Émeraude.

Ce jour-là, tout était calme sur la côte. Les jeunes Chevaliers et leurs Écuyers continuaient d'élargir l'ouverture avec leurs pouvoirs magiques et d'incendier les pieux qui s'élevaient derrière la muraille. Le Chevalier Kruse vint alors prévenir son chef que des visiteurs approchaient. Une vingtaine de cavaliers arrivaient au galop, portant l'armure argentée de la garde royale. Falcon se douta du but de leur visite.

Le Prince Rhee arrêta ses hommes devant les Chevaliers. Falcon le sonda rapidement. Il ne capta pas de colère ni de contrariété dans son cœur. Il n'était donc pas venu pour lui faire des reproches au sujet de la brèche. Sans plus de façons, le prince mit pied à terre et se jeta dans les bras du Chevalier pour le serrer avec affection.

– Je suis si content que vous soyez ici, Falcon ! s'exclama joyeusement Rhee. Ces tours de garde sont si récents que, d'une fois à l'autre, je ne sais jamais lequel d'entre vous est affecté à la défense de mon royaume !

– Je suis également heureux de vous revoir, Altesse, se réjouit le Chevalier.

– Lorsque nos sentinelles nous ont dit que vous aviez commencé à creuser votre propre ouverture, j'ai décidé de vous garantir mon appui.

– Vous m'en voyez fort soulagé.

– Il est tout naturel que mon royaume permette aux Chevaliers d'Émeraude d'accéder à un endroit où ils peuvent se protéger du soleil le jour et dormir en sécurité la nuit. J'ai aussi demandé à nos ouvriers de préparer des portes fortifiées qu'ils pourront installer ici même, selon vos instructions.

– Nous vous en sommes très reconnaissants.

Le prince inspecta le campement des Chevaliers à l'intérieur des remparts et jugea qu'ils n'y étaient pas suffisamment à l'abri de la pluie. À cette époque de l'année, de terribles tempêtes s'abattaient brusquement sur la côte. Il demanda donc à ses propres soldats d'aller chercher des volontaires dans les villages environnants afin de construire un pavillon plus étanche.

Rhee ne quitta les Chevaliers qu'au coucher du soleil. Des menuisiers avaient apporté les poutres qui supporteraient le grand toit de chaume. Le tout fut assemblé en un tour de main.

Dès que la délégation royale fut partie, Falcon fit allumer un feu dans le campement. Les douze Chevaliers y prirent place avec les deux Écuyers qui les accompagnaient. Il faisait très chaud durant la journée, mais les nuits étaient fraîches. Ils se rapprochèrent des flammes. Jetant des couvertures sur leurs épaules, ils avalèrent le potage préparé par les Chevaliers Salmo et Fallon.

Falcon ne ressentait aucun danger, mais il continuait quand même de sonder l'océan à intervalles réguliers. Ses jeunes soldats ne semblaient nullement inquiets. Au contraire, ils aimaient bien ces patrouilles qui leur permettaient de voir du pays et de mettre leur ingéniosité à l'épreuve. Mais, assis près de lui, Kevin promenait la cuillère dans sa gamelle sans rien manger. Falcon jeta un coup d'œil dans son cœur et y découvrit une grande tristesse. Kevin pensait à ses meilleurs amis, Sage et Nogait, assignés à des groupes différents, qui avaient eu le bonheur de rencontrer leur âme sœur.

– Ton tour viendra, assura Falcon en posant une main rassurante sur son épaule.

– J'en doute, mon frère, s'affligea le plus jeune d'une voix malheureuse. J'ai parcouru tout le continent depuis que je suis Chevalier. Jamais je n'ai rencontré une partenaire qui fasse battre mon cœur. Je sais maintenant qu'il n'en existe pas pour moi.

– Les dieux ne mettent personne sur la terre sans compagne ou compagnon. Tu l'as appris comme moi, Kevin. Et puis, peut-être ne regardes-tu pas au bon endroit ? Il y a plusieurs jeunes femmes disponibles dans nos rangs qui aimeraient certainement partager ta vie.

– Mais aucune ne m'attire, Falcon. Je veux que l'amour que j'éprouverai pour ma compagne soit le même qui la poussera vers moi. J'ai déjà fait des avances à des femmes qui n'en voulaient pas et cela m'a fait très mal.

– C'est bien la première fois que tu nous en parles, s'étonna l'aîné.

– Je n'aime pas partager mes déboires. Même Sage et Nogait n'en savent rien. Je ne voulais surtout pas gâcher leur bonheur en leur confiant ma peine.

– Dans ce cas, à notre retour au château, je ferai porter un avis à tous les royaumes recherchant une épouse selon tes spécifications, blagua-t-il pour l'égayer.

– Ne fais pas l'idiot, l'avertit Kevin.

– Je prendrai même le temps de les trier sur le volet pour toi.

– Non, tu n'en feras rien, parce que je demanderai à Wellan de t'en empêcher. Je ne veux pas que tu brises inutilement le cœur de toutes ces femmes dont je ne voudrai probablement pas parce qu'elles m'auront été imposées.

Kevin déposa son écuelle sur le sol et quitta ses compagnons, sa couverture serrée autour de lui. Falcon le regarda s'éloigner sans savoir comment le réconforter. Il comprenait le vide terrifiant que le jeune soldat ressentait ainsi que sa peur de finir ses jours sans avoir connu l'amour et la complicité d'une épouse, mais il ne trouverait pas l'élue de son cœur en s'isolant. Il voulut se lever pour aller le chercher, mais Fallon, la seule femme Chevalier de son équipe, le retint.

– Ce n'est pas le genre de chagrin que tu peux consoler par des mots, Falcon.

– Que puis-je faire, alors ?

– Rien pour l'instant. Le mieux est d'attendre que nous soyons de retour à Émeraude. Ses amis sauront sans doute le réconforter.

– Je veux bien, à condition que son chagrin ne devienne pas plus profond.

Falcon termina son repas en surveillant furtivement l'obscurité, où Kevin s'était dissimulé.

29

L'attaque surprise

Wellan était assis dans la grande hutte du pays des Elfes, au milieu de son groupe. Seul Volpel veillait avec lui. Tous les autres dormaient, enroulés dans leurs couvertures, sur le plancher de paille tressée. Ayant lu le journal du Roi Hadrian durant la journée, le grand chef étudiait maintenant les cartes géographiques que contenait le troisième ouvrage emprunté à la cachette du Roi Hamil.

Contrairement à ses frères d'armes qui relataient surtout les combats auxquels ils avaient participé, l'ancien Roi d'Argent livrait plutôt en quelques pages ses pensées les plus intimes sur sa vie personnelle. En parcourant toutes ses confidences sur le pouvoir, l'hérédité, la famille, les enfants, la guerre et la paix, Wellan eut l'impression de le connaître depuis toujours. Tout comme Onyx le prétendait, l'ancien et le nouveau chef des Chevaliers partageaient la même opinion sur de nombreux sujets.

Les cartes géographiques, par contre, lui étaient tout à fait inconnues. Aucune ne représentait le continent. Elles montraient plutôt des terres montagneuses ou sillonnées de cours d'eau qui appartenaient très certainement à un autre monde. L'empire des insectes ? Ou ces contrées lointaines dont Onyx parlait dans son journal ? Les quelques indications manuscrites accompagnant les illustrations ne l'aidaient guère, car une fois traduites de la langue des anciens à la langue moderne, elles ne voulaient plus rien dire. Wellan aurait donc une foule de questions à poser à Farrell à son retour à Émeraude.

Fatigué, il referma l'ouvrage contenant les cartes et le déposa avec les autres livres près de l'endroit où il dormait, puis il s'allongea à son tour. Il se remit alors à penser au médaillon magique qu'il avait laissé en lieu sûr au Château d'Émeraude. Hadrian ne l'avait jamais utilisé pour épier l'empereur et ses sorciers... Possédait-il des effets néfastes dont les Elfes ne parlaient pas dans leur grimoire ?

Une main glacée se posa sur la bouche de Wellan, le sortant brutalement de ses réflexions. Il avisa l'attitude crispée de l'adolescent de lumière agenouillé près de lui. Dylan retira sa main de ses lèvres.

– Père, vous êtes en danger, l'avertit l'Immortel.

– De quelle façon ? s'alarma Wellan en s'asseyant.

– Le sorcier approche avec des soldats.

– Est-ce ici qu'ils se dirigent ?

– Les bateaux se sont divisés pour attaquer toutes les plages du continent.

Wellan ferma les yeux pour scruter magiquement la côte. Il ne capta pourtant pas la présence de l'ennemi. Rêvait-il qu'il parlait à son fils ?

– Personne ne peut les ressentir à cause d'un sortilège du sorcier, expliqua Dylan.

– Mais toi, tu le peux ?

– Je ne suis pas comme les autres Immortels. J'ai des pouvoirs qu'ils ne possèdent pas. Je vous en prie, père, réveillez vos soldats et armez-vous, sinon ils vous assassineront dans votre sommeil.

Dylan s'évapora, laissant Wellan inquiet. Il commença immédiatement à concevoir sa stratégie. *Chevaliers !* appela le grand chef. Les guerriers qui dormaient autour de lui sursautèrent. Ceux qui se trouvaient dans les autres royaumes répondirent sur-le-champ. *Qu'y a-t-il, Wellan ?* s'informa Jasson. *L'ennemi est presque sur nous !* leur apprit Wellan en se relevant et en revêtant sa cuirasse verte. *Plantez des flambeaux dans les galets et allumez-les lorsque l'ennemi aura débarqué !*

Quelques minutes plus tard, le groupe de Wellan courait sur la plage, arme au poing. Les Chevaliers s'empressèrent de placer à intervalles réguliers les torches préparées durant la journée. Ils se placèrent ensuite de chaque côté de leur chef pour inspecter l'océan à l'aide de leurs sens invisibles.

– Mais je ne capte rien du tout ! s'emporta Hettrick.

– Es-tu bien certain qu'ils sont là ? douta Curtis.

Ils sont protégés par de la sorcellerie, affirma Wellan par télépathie pour que tous ses soldats profitent de ses informations. Il continuait de fouiller du regard les vagues sombres. *Soyez prêts à tout !* Le grand Chevalier regretta de ne pas avoir demandé plus de détails à son fils. Il ne savait pas combien d'embarcations fonçaient sur eux ni le nombre de guerriers impériaux qui se trouvaient à leur bord. Avaient-ils emmené des dragons avec eux ? Il ignorait que le sorcier Asbeth, lui, connaissait l'exact emplacement de chaque groupe de soldats humains.

Wellan allait rappeler Dylan lorsqu'il perçut un son étranger au milieu du roulement des vagues. D'un geste de la main, il alluma les torches. Les flammes leur révélèrent la coque d'un vaisseau s'échouant sur les galets. Ils en cherchèrent d'autres, en vain.

Ils arrivent ! annonça Chloé qui assistait à une scène semblable au Royaume des Fées. *Mais il n'y a qu'un seul bateau !* s'étonna Dempsey. Les groupes de Bergeau et Jasson remarquèrent la même chose. Wellan vit alors s'abattre sur la plage une énorme passerelle. Ce n'était plus le moment d'essayer de deviner la stratégie de l'empereur.

Détruisez les embarcations avant que l'ennemi puisse en descendre ! ordonna-t-il en pensant qu'il avait encore le temps d'empêcher les combats. D'un même mouvement, tous les Chevaliers allumèrent leurs paumes. Ils projetèrent des rayons incendiaires sur le vaisseau qui prit rapidement feu en illuminant toute la plage. Mais Wellan ne voulait pas crier victoire trop rapidement. Il observa le vaisseau qui se consumait, prêt à attaquer ceux qui tenteraient de s'en échapper.

Des planches fumantes commencèrent à se détacher du bateau. Le premier devoir d'un Chevalier consistait à offrir à son ennemi l'occasion de se rendre sans répandre son sang, mais l'empereur avait depuis longtemps refusé ce choix. Jamais Wellan ne laisserait les insectes s'emparer de son monde et le réduire en esclavage.

Tous ses sens aux aguets, le grand chef surveillait attentivement le brasier. Les documents anciens prétendaient que les insectes détestaient l'eau et qu'ils pouvaient être détruits par le feu. Mais le journal d'Onyx lui avait aussi appris que les véritables guerriers d'Amecareth étaient supérieurs aux soldats qu'ils avaient affrontés jusque-là.

Ils ne brûlent pas ! fit Bergeau, stupéfait. Avant même que Wellan puisse réviser ses ordres, Bridgess réclama son attention. Au milieu des flammes s'avançaient une vingtaine de soldats insectes d'une nouvelle espèce. Ils étaient plus grands que Wellan. Leur corps musclé semblait entièrement recouvert d'une carapace noire sur laquelle l'incendie se reflétait. Leurs yeux brillaient comme des braises. Dans leurs mains armées de longues griffes, ils tenaient des lances argentées.

Que les Écuyers se replient et qu'ils aillent prévenir tous les rois si nous tombons au combat ! commanda Wellan. *Et que les dieux soient avec nous !* Il chargea ses mains de la terrible énergie qu'il avait appris à maîtriser au Royaume des Ombres. Les serpents électrifiés se mirent à danser entre ses paumes. Sans attendre que l'ennemi approche davantage, il projeta les éclairs fulgurants sur les premiers insectes. La décharge les frappa en pleine poitrine, où elle se brisa en un millier d'étincelles crépitantes en ne leur causant que des blessures superficielles. N'ayant reculé que de quelques pas sous le coup, les guerriers noirs ne se montrèrent nullement incommodés par l'intervention de Wellan.

– Comment allons-nous les arrêter ? paniqua Bailey.

Wellan se remémora rapidement un passage du journal d'Onyx. Seules des épées ensorcelées pouvaient venir à bout de ces monstres, à condition qu'elles frappent un endroit précis de leur corps... *Le coude !* s'exclama le chef. *Il faut les frapper à l'intérieur du coude et sectionner leurs bras !*

« Facile à dire », pensa Bridgess en guettant ces gigantesques adversaires. La seule façon d'y arriver, pour elle et ses sœurs d'armes moins fortes que leurs frères, consistait à déstabiliser les guerriers impériaux tout en évitant la pointe acérée de leurs lances.

Dès qu'un groupe aura vaincu l'ennemi, qu'il aille prêter main-forte à un autre groupe ! exigea Wellan, surtout pour redonner du courage à ses hommes, car il n'était pas certain qu'une dizaine de Chevaliers puissent facilement vaincre ces guerriers noirs deux fois plus nombreux qu'eux.

Les scarabées géants avançaient avec une cadence lente et égale. Les humains pouvaient maintenant entendre le cliquetis métallique de leurs mandibules. Puisque leur magie ne servait à rien contre ces épaisses carapaces, les Chevaliers empoignèrent solidement leurs épées. Wellan espéra que les Écuyers suivent ses ordres, car il n'avait plus le temps de s'occuper d'eux. *Dispersez-vous !* conseilla-t-il à ses soldats.

Les Chevaliers s'empressèrent d'obéir. Ils s'espacèrent de façon à pouvoir combattre sans risquer de blesser leurs compagnons. La manœuvre désorienta le groupe compact d'insectes noirs qui avaient visiblement pour stratégie de foncer dans leurs rangs à la manière du soc d'une charrue. Ils échangèrent des sifflements stridents, puis se séparèrent afin d'attaquer les Chevaliers.

Wellan se planta sur ses pieds en tenant fermement son épée. Il pria Theandras de lui venir en aide. Avant que son premier adversaire puisse s'approcher de lui avec son javelot pointé sur son cœur, le grand chef fonça.

L'effet de surprise lui fournit les quelques précieuses secondes qui lui permirent de ne pas se faire tuer. Il assena un puissant coup d'épée sur la lance de son ennemi et réussit à lui faire suffisamment écarter le bras pour enfoncer la pointe de sa lame à l'intérieur de son coude. Le guerrier impérial fit entendre une terrible lamentation et son bras devint mou comme du chiffon. L'odeur du sang noir s'échappant de la plaie était répugnante, mais le grand Chevalier n'en tint pas compte. Il poursuivit son travail avec acharnement. L'insecte agrippa solidement sa lance de l'autre main et s'apprêta à l'enfoncer dans les côtes de l'humain qui lui avait causé cette souffrance.

Wellan retira sa lame de l'articulation. Deux autres guerriers noirs convergeaient sur lui. Il s'empara de la lance de son adversaire et la tira brusquement vers lui en effectuant un large arc de cercle avec son épée dans l'autre main. La lame magique toucha sa cible, fauchant le coude de l'insecte. Ayant utilisé toute sa force pour tirer sur la lance de l'ennemi, Wellan perdit l'équilibre lorsque le bras du guerrier fut sectionné. Il s'écrasa sur le dos en même temps que l'insecte agonisant tombait sur les genoux. Les deux autres guerriers foncèrent sur l'humain vulnérable et le grand Chevalier crut sa dernière heure arrivée.

Les deux soldats impériaux levèrent leurs javelots d'un même mouvement au-dessus de sa poitrine. Coincé entre eux, Wellan ne pouvait rouler ni d'un côté ni de l'autre pour leur échapper. Il savait que son armure de cuir ne le protégerait pas de la pointe affilée de ces armes. Il remit son âme entre les mains des dieux et se débattit furieusement. Il roua de coups les jambes musclées de ses adversaires sans pouvoir les faire reculer. Au moment où les insectes allaient l'embrocher, des flèches partirent de la forêt et s'enfoncèrent à l'intérieur de leurs coudes.

Les deux guerriers noirs laissèrent tomber leurs lances et s'écrasèrent dans les galets en couinant. Wellan bondit sur ses pieds. Il pivota sur lui-même pour obtenir un tableau complet des combats. Il vit alors les Elfes en rang devant les Écuyers, l'arc à la main, leurs yeux perçants cherchant de nouvelles cibles. Ils avaient donc entendu eux aussi sa recommandation télépathique de viser leurs membres supérieurs.

Le grand chef aperçut aussi ses jeunes frères et sœurs d'armes évitant les pointes des lances ennemies avec beaucoup d'agilité, mais sans arriver à porter de coups mortels. *Faites-leur lever ou écarter les bras !* ordonna-t-il, sachant que les archers sylvestres n'avaient besoin que de quelques secondes pour viser et tirer.

Un peu plus loin, Bridgess étourdissait lentement mais sûrement son adversaire en marchant autour de lui. Du coin de l'œil, Wellan vit un autre guerrier noir qui fonçait sur sa femme. Le scélérat profitait de sa concentration intense pour l'attaquer. Wellan s'élança aussitôt. Il frappa durement l'insecte sur le dos avec sa lame, même s'il savait qu'elle n'arriverait pas à entailler sa carapace. Il voulait seulement attirer son attention afin de l'éloigner de Bridgess.

Le guerrier noir se retourna pour affronter Wellan. Lourdes et puissantes, ces créatures n'étaient pas rapides. Le Chevalier s'en prit surtout à la lance de son adversaire, esquivant toutes ses estocades. Il força ainsi son adversaire à relever de plus en plus les bras. En ne lui offrant aucune cible à la hauteur de sa poitrine, il espérait que son ennemi tenterait éventuellement de lui transpercer la gorge. De cette façon, les Elfes auraient une ouverture. Voyant que l'humain ne protégeait pas sa tête, l'insecte releva finalement sa lance. Le grand Chevalier entendit siffler la première flèche près de son oreille.

30

Des techniques inhabituelles

Au même moment, au milieu des torches illuminant la plage du Royaume des Fées, Chloé et Dempsey, qui ne pouvaient pas compter sur des collaborateurs aussi précieux que les Elfes, optèrent pour une stratégie différente. Après avoir tenté en vain de couper les bras des guerriers noirs qui se défendaient habilement, Swan comprit qu'ils gaspillaient leurs forces.

Possédant toutes deux le don d'influencer les éléments, Chloé et Maïwen se mirent à faire valser les galets sous les orteils griffus des gros insectes. Plusieurs perdirent l'équilibre et s'écrasèrent finalement sur le dos. Sans perdre une seconde, Nogait, Swan et leurs compagnons se précipitèrent sur eux pour leur faucher les bras. Ce n'était pas le genre de combat auquel ils avaient été entraînés, mais contre un ennemi aussi puissant, il s'agissait surtout de survivre. Ils triomphèrent ainsi de plus de la moitié de leurs adversaires. Les autres se replièrent à proximité des gros rochers émergeant de la plage afin d'échapper au sol mouvant. C'est alors que Swan eut une idée.

Attirez-les entre les rochers et je me charge de leur faire perdre du poids ! s'exclama la combative jeune femme. Nogait, qui n'avait peur de rien, décida de lui venir en aide. Il détala en direction des insectes sous les yeux inquiets des Chevaliers, qui, épée à la main, tentaient d'attirer l'ennemi en direction opposée.

– Essayez donc de m'attraper, bande de guerriers puants ! cria Nogait en passant sous le nez des insectes.

Le Chevalier fila en direction des écueils. La réaction des guerriers noirs fut d'abord la confusion. Les humains avaient-ils l'intention de les affronter ou de fuir ? Ils échangèrent des cliquetis et des sifflements étranges, puis s'éparpillèrent devant les Chevaliers. L'un d'eux suivit Nogait. Dès qu'il s'avança entre deux colosses de pierre, Swan utilisa ses pouvoirs de lévitation et l'écrasa en ramenant vivement les rochers l'un contre l'autre. La jeune femme poussa un cri de victoire qui redonna aussitôt du courage aux siens. Mais Dempsey n'aimait pas voir ses jeunes compagnons devenir aussi confiants.

Nogait réapparut un peu plus loin entre d'autres rochers. Il se mit à injurier les insectes en gesticulant comme un pantin au bout de ses fils. Deux guerriers noirs se retournèrent d'un seul bloc, tandis que les autres recommençaient à attaquer les Chevaliers demeurés sur la plage. Swan dut faire preuve d'un peu plus de patience. Elle marcha derrière ses frères d'armes pour se couvrir. Elle ne pouvait pas se battre à l'épée et broyer des insectes en même temps.

Les deux guerriers mirent finalement le pied entre les rochers. Swan utilisa une fois de plus sa magie pour les y aplatir comme des galettes. En voyant que les efforts de leurs compagnons donnaient de bons résultats, Herrior, Offman et Reiser se joignirent à eux. Les soldats insectes savaient se battre avec leurs lances, mais leur intelligence ne semblait pas leur permettre de s'adapter rapidement à la situation. Ils voyaient bien que leurs camarades se faisaient réduire en bouillie dès qu'ils s'aventuraient entre les écueils, mais ils y poursuivaient tout de même les humains. Swan continua de les anéantir impitoyablement, tout en se tenant en retrait des combats singuliers. Elle ne put s'empêcher de penser que son père, le Roi d'Opale, aurait été bien fier d'elle, car elle faisait preuve d'autant de courage et d'ingéniosité que ses meilleurs soldats.

Lorsqu'il ne resta plus que deux insectes vivants, tous les Chevaliers les entourèrent sur les galets comme une meute de loups. Il aurait été inutile de les sommer de se rendre, puisqu'ils ne parlaient pas la même langue. Ils ne pouvaient pas repartir chez eux non plus, puisque leur vaisseau avait été réduit en cendres. Il ne restait plus aux Chevaliers qu'à les achever et aller prêter main-forte à leurs compagnons dans les autres royaumes côtiers.

Bergeau éprouvait des problèmes fort différents. Au moment où il avait reçu l'avertissement de Wellan, un grand nombre de guetteurs du Royaume de Cristal dormaient près du feu afin de pouvoir disputer une partie de ballon avec les Chevaliers le lendemain. Ce peuple étant de nature combative, il fut impossible d'empêcher ces hommes armés de glaives de se jeter dans la mêlée. Tout comme leurs ancêtres jadis, ils voulurent épauler les Chevaliers d'Émeraude.

Dès que les guerriers noirs émergèrent des flammes de leur vaisseau échoué sur la plage, les guetteurs se ruèrent sur eux sans que les Chevaliers puissent les arrêter. Les premiers furent projetés plus loin par les longues lances des insectes. En sautillant autour des soldats insectes, les autres les rouèrent de coups dans les jambes, dans le dos et sur les bras. Mais cette diversion permit à Bergeau et à ses soldats de s'approcher suffisamment de ces monstres répugnants pour leur faire perdre leur emprise sur leurs lances. Ils visèrent aussitôt l'intérieur des coudes.

Puisqu'il ne servait à rien de les expédier dans les fosses creusées jadis pour les y incinérer, car ils ne brûlaient pas, Bergeau se concentra plutôt sur les combats singuliers. La première surprise passée, les guerriers humains se montrèrent un peu trop audacieux au goût de l'homme du Désert. À la portée des armes des insectes, ils tentaient de leur faire écarter suffisamment les bras pour y plonger l'épée.

Voyant que ses hommes terrassaient l'envahisseur malgré un manque de discipline flagrant, Bergeau cessa de vouloir organiser l'attaque comme on le lui avait enseigné à Émeraude. Il se précipita plutôt parmi ses hommes pour achever les monstres. Ils devaient se presser afin d'aider leurs frères aux prises avec le même ennemi sur les plages voisines. Avec l'aide des infatigables guetteurs de Cristal, les Chevaliers bravèrent le danger et réussirent finalement à éliminer les guerriers noirs un à un.

Bien que son groupe fût surtout composé de jeunes soldats, Jasson pouvait aussi compter sur l'expérience militaire du capitaine Kardey et sur la force surhumaine de Kira. « Mais cela sera-t-il suffisant pour repousser les colosses de l'empereur ? » se demanda-t-il.

Les yeux rouges de ces insectes énormes brillaient avec la même intensité que les flammes qui dévoraient leur vaisseau. Lentement, d'un pas lourd, ils avançaient vers les Chevaliers qui formaient une ligne devant eux.

Pour pouvoir leur couper les bras, il faudrait d'abord leur enlever ces lances ! s'exclama Ariane. *Si quelqu'un a une suggestion à me faire, j'aimerais bien l'entendre maintenant !* exigea Jasson en relevant son épée qu'il tenait fermement à deux mains.

Kira observa attentivement les guerriers recouverts d'une carapace luisante. À côté d'elle, Sage serrait bravement son épée, mais elle ressentait sa peur. Elle pria le ciel que leurs ennemis n'aient pas la faculté de capter les émotions humaines. Elle allait faire apparaître son épée double lorsqu'elle se rappela la leçon que Wellan lui avait servie, dans ce royaume même, le jour où elle avait combattu le Prince Zach de Zénor.

Elle tendit la main et ses yeux violets s'illuminèrent. Une puissante force d'attraction émana alors de tout son corps. Les insectes qui ne serraient pas leurs lances assez fermement les virent s'envoler jusqu'à Narvath. *Quelque chose comme ça ?* fit Kira d'une voix moqueuse, tandis que les armes ennemies s'empilaient à ses pieds.

– Foncez ! cria Jasson, de peur que les insectes ne se remettent rapidement de leur étonnement.

Les quatre guerriers noirs ayant réussi à conserver leur javelot voulurent couvrir leurs congénères. Jasson, Ariane, Kardey et Kira s'élancèrent sur les premiers alors que leurs compagnons plus jeunes attaquaient les autres. À sa grande surprise, la Sholienne vit l'insecte répugnant reculer devant elle au lieu de riposter. Elle ignorait évidemment que l'empereur avait transmis l'image de sa fille à l'esprit de la collectivité.

Kira aurait préféré un combat honnête, mais ses ordres étaient clairs. Elle fit donc tourner sa longue épée à deux lames devant le guerrier. Il posa un genou dans les galets en guise de soumission. Sans se poser de questions sur son comportement étrange, Kira donna un coup de pied sur sa lance. Au moment où elle allait abattre sa lame sur son bras, elle entendit une série de sifflements stridents dans son esprit. À son grand étonnement, même si elle ne percevait aucun mot humain dans ce message, elle en comprit la portée ! *Je ne lèverai pas la main sur la Princesse d'Irianeth.* Stupéfaite, Kira recula en chancelant.

La croyant en difficulté, Jasson se détourna du guerrier qu'il combattait et se porta à son secours. Avant que la jeune femme mauve puisse lui faire part de ce qui venait de se passer, l'aîné faucha les bras de l'insecte en deux coups d'épée. Il fit ensuite volte-face pour s'occuper de l'autre guerrier qui arrivait sur lui.

Incapable de bouger un seul muscle, Kira vit le scarabée géant s'effondrer à ses pieds. Il agonisait, mais son message continuait de résonner dans sa tête. Un cri de douleur derrière elle la fit sursauter. Elle pivota et aperçut le sang coulant sur le bras de Sage. Secouant sa léthargie, elle s'élança à son secours. Sans sa lance, l'insecte qu'affrontait son mari se défendait avec ses longues griffes. Son bras d'épée meurtri resserré contre sa poitrine, Sage s'esquivait de son mieux. Mais il risquait de perdre pied sur les galets humides et d'être cruellement embroché.

Le Chevalier mauve se précipita entre l'insecte et son mari en adoptant une posture défensive. Tout comme son premier adversaire, le guerrier s'agenouilla. Trop tard. Yamina et Brannock convergèrent vers la princesse et, d'un seul mouvement, ils sectionnèrent les bras du guerrier. L'insecte s'écroula lourdement sur le sol et les deux Chevaliers foncèrent sur d'autres adversaires.

Kira se retourna vers Sage en faisant disparaître son épée double. Elle posa les mains sur sa blessure. Ses paumes s'illuminèrent sur-le-champ, apportant un grand soulagement au jeune guerrier.

– Ça va aller, assura Sage, ce n'est qu'une égratignure.

Le code de chevalerie exigeait que les blessés ne soient soignés qu'à la fin d'un affrontement, mais l'attachement de Kira pour son époux était trop important pour qu'elle le laisse mourir au bout de son sang.

– Kira ! Derrière toi ! cria Dienelt.

Elle se retourna : de longues griffes s'abattaient sur elle ! Pour les éviter, elle bondit en arrière et fit trébucher Sage. La main de l'insecte fendit le vent. Quelques pas plus loin, Jasson vit tout le corps de sa sœur d'armes s'illuminer de mauve. *Repliez-vous !* ordonna-t-il. Tous les Chevaliers le rejoignirent en courant, même ceux qui étaient en train de triompher de leurs adversaires.

En apercevant la femme lumineuse s'élevant lentement dans les airs, les guerriers noirs s'immobilisèrent en échangeant des cliquetis affolés. Un halo violet s'échappa des bras de Kira. Avec un terrible grésillement, il pulvérisa tous les insectes sur le rivage, avant de se perdre dans les vagues. La jeune femme retomba sur ses pieds et la lumière s'estompa. Jasson s'élança vers elle.

– Est-ce que ça va ?

– J'ai un sacré mal de tête, mais je peux continuer à me battre, estima-t-elle.

– Contre qui ? la questionna Kardey. Il n'y a plus personne !

– Wellan nous a demandé de prêter main-forte aux autres groupes, leur rappela Jasson.

– Ce serait utile que tu apprennes un jour à maîtriser ce pouvoir, chuchota Sage à l'oreille de son épouse.

« Même si je dois te quitter pour toujours ? » s'effraya Kira en posant des yeux malheureux sur lui. Son mari se dirigea vers le vortex de Jasson avant qu'elle puisse lui répondre.

31

UNE DÉCISION SPONTANÉE

Au Château d'Émeraude, Santo et les Chevaliers sous son commandement s'étaient réunis dans le hall dès le début des affrontements sur la côte. Même Wanda se joignit à eux, malgré sa grossesse avancée. Ses compagnons avaient tous revêtu leurs cuirasses et portaient leurs armes à la ceinture, car Wellan pouvait les appeler à son secours d'un moment à l'autre.

Au bout de l'une des deux longues tables, les coudes appuyés sur la surface de bois, le menton reposant sur ses jointures crispées, Santo écoutait attentivement les échanges télépathiques. Tout autour de lui, les plus jeunes soldats ne tenaient pas en place, mais le guérisseur ne les voyait pas. Toute sa concentration se portait sur les combats. Plus loin, Wanda pleurait en silence et priait les dieux de sauver ses frères.

– Ne t'inquiète pas pour Falcon, la calma Brennan. Tu sais bien qu'il possède des bracelets et qu'il s'en servira si les choses devaient tourner en faveur de l'empereur.

Mais la jeune femme pressentait un terrible danger pour son époux. Santo aussi savait que ses frères étaient en péril, mais il ne pouvait pas désobéir aux ordres de Wellan. Il devait attendre qu'il lui demande expressément d'intervenir.

Au-dessus d'eux, dans les dortoirs du palais, les enfants magiques avaient été réveillés par la menace qui pesait sur l'Ordre. Assis en boule sur leur lit, ils utilisaient eux aussi leurs facultés magiques pour suivre l'action. Les serviteurs ne savaient plus comment les apaiser. Ils allumèrent donc des chandelles et distribuèrent des bols de lait chaud en espérant qu'ils finissent par s'endormir.

Au milieu des petites filles, Jenifael dirigea ses sens invisibles vers la côte dès qu'elle entendit son père donner ses premiers commandements. Elle était incapable de fermer l'œil malgré sa fatigue. Elle savait que son père et sa mère étaient de puissants guerriers, mais elle ne pouvait s'empêcher de s'inquiéter pour eux, car l'empereur possédait une grande armée. Elle aurait voulu que Wellan la rassure, mais elle ne pouvait pas lui parler. Cette distraction risquerait de lui coûter la vie. Alors, elle fit la seule chose qu'elle pouvait faire.

Dès que les serviteurs eurent le dos tourné, elle descendit de son lit et se faufila dans le couloir. Si Liam n'arrivait pas à la rassurer, alors elle se rendrait à la tour de Lassa. Elle mit prudemment la tête dans la porte du dortoir des garçons. Ils ne dormaient pas non plus. Elle repéra facilement son ami, debout devant la fenêtre, à regarder vers l'ouest, inquiet pour son père.

Jenifael courut entre les lits sans que personne ne l'arrête. Elle serra Liam par derrière. Le gamin se retourna et les deux enfants échangèrent un regard tourmenté pendant quelques secondes. Mais le fils de Jasson n'aimant pas avouer ses faiblesses aux autres, il se redressa fièrement et adopta un air d'autorité.

– Rien ne leur arrivera, Jeni, parce qu'ils sont les plus forts, proclama-t-il.

Mais la fillette ne voulait pas entendre ses paroles d'encouragement, elle voulait juste du réconfort. Elle se jeta dans ses bras et cacha son visage dans son cou en sanglotant. Liam était désemparé. Lassa était décidément plus doué que lui du côté des sentiments.

– Regarde, chuchota Liam à son oreille.

Il dirigea le regard de son amie vers la tour du Magicien de Cristal. La silhouette du Prince de Zénor se détachait dans la fenêtre.

Lassa..., voulut l'appeler Liam. Jenifael le plaqua aussitôt contre le mur pour le faire taire.

– Pas de communications avec ton esprit ! ordonna-t-elle. Il ne faut pas distraire nos pères !

De l'autre côté du château, dans sa propre tour, Farrell était lui aussi à l'affût des progrès des humains. La bataille qu'il percevait au loin faisait remonter en lui les émotions autrefois éprouvées par Onyx. Une partie de son esprit appartenait au renégat, toujours Chevalier d'Émeraude, et ses frères d'armes étaient aux prises avec un ennemi qu'il connaissait mieux qu'eux.

Il se mit à tourner en rond comme un fauve en cage. Il ne pouvait tout simplement pas laisser Wellan et ses compagnons se faire massacrer sur la côte. Il aurait beaucoup de mal à expliquer sa décision à Swan et il serait sans doute forcé de révéler sa véritable identité aux Chevaliers qui le verraient combattre à leurs côtés, mais il ne pouvait plus rester à rien faire.

Il se rappela que la tour qui abritait Lassa était protégée par la magie des Immortels. Même la sorcellerie de l'empereur ne pouvait y détecter la présence du petit prince. C'était donc l'endroit le plus sûr du monde pour abriter ses fils.

Il s'approcha du berceau et y cueillit Atlance. Il le maintint contre lui d'un bras, puis, de l'autre, il s'empara de Nemeroff. Armène n'aurait certainement aucune objection à s'occuper de ses enfants pendant la nuit.

32

UNE AIDE INATTENDUE

Contrairement à leurs frères, Falcon et ses hommes virent à la lumière des flambeaux, non pas un, mais trois bateaux s'échouer sur la plage du Royaume d'Argent. Lorsqu'ils tentèrent de mettre le feu aux embarcations, leurs rayons brillants se heurtèrent à un mur invisible.

– De la sorcellerie ! s'écria Kruse.

Les passerelles s'abattirent sur le sol sans que les Chevaliers puissent les détruire. Plus d'une soixantaine d'insectes géants émergèrent des embarcations immobiles, comme une colonie de fourmis quittant son nid.

– Ils sont trop nombreux ! s'énerva Chesley.

Falcon ne le savait que trop bien. De plus, ils étaient coincés devant l'imposante muraille d'Argent. Allait-il laisser ces monstrueuses créatures les exterminer ou tenter de sauver ses soldats ? C'était une décision difficile et il aurait bien aimé que Wellan soit là pour la prendre à sa place.

Une fois tous les guerriers descendus des vaisseaux, Falcon comprit qu'il ne pouvait plus attendre. La masse compacte de mandibules cliquetantes s'avançait vers eux.

Douze Chevaliers contre tant de machines à tuer impériales... Comment leurs compagnons, dans les autres royaumes, avaient-ils choisi de les combattre ?

– Falcon, c'est du suicide ! s'alarma Kevin à quelques pas de lui.

Lornan tendit la main, dirigeant un rayon incendiaire sur les soldats insectes. Ils entendirent crépiter le feu sur leurs carapaces, mais les guerriers noirs n'arrêtèrent pas leur progression pour autant.

– On pourrait les attirer dans les trappes à dragons et les écraser avec une avalanche de galets, suggéra Davis.

– Ou nous replier derrière les remparts et demander de l'aide ! s'exclama Fallon. Nous ne sauverons pas le Royaume d'Argent en nous faisant tous massacrer.

Falcon promena son regard turquoise sur ses ennemis. Sa sœur d'armes avait raison. *Tous à la brèche !* ordonna-t-il. Les Chevaliers tournèrent prestement les talons. Ils coururent à toutes jambes vers l'ouverture où une seule des deux portes d'acier avait été installée. En utilisant leur magie, ils pourraient soulever la deuxième et la sceller contre la première. Puis, ils grimperaient sur le mur pour trouver une autre façon de combattre ces adversaires trop nombreux.

Candiell fut le premier à atteindre l'ouverture dans le mur, mais il dut s'arrêter en catastrophe. Une horrible créature noire recouverte de plumes venait de s'y matérialiser. Fuyant les insectes, ses frères foncèrent dans le dos de Candiell, le projetant dans les bras du sorcier. Asbeth enfonça ses serres dans sa gorge, le tuant instantanément. Derrière lui, Fallon brandit son poignard pour l'attaquer. L'homme-oiseau laissa tomber le corps inanimé du Chevalier. Utilisant sa magie, il força la jeune femme à retourner son arme contre elle-même. Fallon poussa un cri déchirant tandis que sa propre lame s'enfonçait dans sa poitrine. Elle s'écroula sur le sol aux côtés de Candiell.

Effrayé, Falcon arrêta d'un geste la course de ses compagnons. Il les empêcha ainsi de se précipiter dans les griffes du sorcier, qui n'attendait que ce moment pour les tuer un à un.

Les Chevaliers se retrouvèrent donc coincés entre Asbeth et les guerriers impériaux qui continuaient de se rapprocher d'un pas lourd. Falcon ramena ses bras l'un vers l'autre avec l'intention de créer le vortex qui les sauverait tous, mais ses poignets ne se touchèrent pas. Une force invisible empêchait ses bracelets magiques d'entrer en contact l'un avec l'autre.

– Pensiez-vous vraiment pouvoir m'échapper ? ricana le sorcier de sa voix de corneille.

Les Chevaliers se placèrent dos à dos, afin de pouvoir surveiller en même temps l'avance des guerriers noirs et les manigances d'Asbeth pendant que Falcon tentait de les sortir de cette impasse.

– Je suis venu chercher l'un d'entre vous, continua l'homme-oiseau.

– Vous ne prendrez personne ! se hérissa Falcon, qui tentait toujours de faire surgir le couloir magique.

– Ce sont de braves paroles dans la bouche d'un homme que je tiens en mon pouvoir, railla Asbeth.

Ils ressentirent alors l'incroyable énergie que déployait Kira sur la plage de Zénor.

– Narvath ! la reconnut le sorcier. Cette expédition devient de plus en plus intéressante...

Les Chevaliers encerclés sur la plage d'Argent entendirent les messages de leurs compagnons qui avaient apparemment réussi à vaincre leurs adversaires dans leurs royaumes respectifs. Asbeth pencha légèrement la tête de côté, car il pouvait capter lui aussi leurs conversations. Contrairement aux guerriers noirs, il comprenait la langue des humains.

Où en êtes-vous ? s'enquit Wellan. *Nous les avons tous écrasés... littéralement*, indiqua Chloé. *À Zénor, ils ont été pulvérisés par vous savez qui*, les informa Jasson. *Et nous venons tout juste d'abattre le dernier au Royaume de Cristal*, rapporta Bergeau.

Falcon fixa le sorcier en se demandant ce qu'il devait répondre à son grand chef. *Falcon ?* l'appela Wellan. *Réponds-moi !* Asbeth pencha la tête de l'autre côté, ses yeux mauves tourmentant le Chevalier paralysé. Falcon ne voulait surtout pas provoquer une réaction offensive de la part de ses ennemis. Il garda le silence, sachant fort bien qu'il serait interprété comme un appel à l'aide par ses compagnons. *Au Royaume d'Argent !* ordonna le grand chef.

Asbeth capta le soulagement de ses prisonniers et comprit que des renforts allaient bientôt arriver. Il tendit ses serres vers les guerriers noirs qui encerclaient les humains. Une de leurs lances vola aussitôt jusqu'à lui.

– Ils arriveront trop tard, siffla-t-il.

D'un geste brusque, il enfonça la pointe de son arme dans la poitrine de Falcon, déchirant sa cuirasse et sa chair. Le Chevalier poussa un gémissement de douleur. Il s'écrasa sur les genoux, en agrippant la lance de ses deux mains. *Wellan...*, appela-t-il faiblement, sentant ses forces le quitter. Il ferma les yeux et s'écrasa entre Candiell et Fallon.

– Défendez-vous ! ordonna Kevin en prenant aussitôt la place de son commandant.

N'ayant plus rien à perdre, les Chevaliers se mirent à frapper brutalement sur tout ce qui se trouvait devant eux, bras, lances et têtes, essayant de se frayer un chemin à travers cette masse compacte d'insectes. Ils savaient que leurs compagnons allaient bientôt arriver et cette pensée leur redonna du courage. Saisissant fermement à deux mains le pommeau de son épée, Kevin multiplia les coups sur ses ennemis. Les lames de ses frères résonnaient autour de lui. Tandis qu'il faisait finalement reculer les guerriers, quelque chose le heurta durement sur la nuque. Les torches valsèrent devant ses yeux, puis ce fut le noir.

Des vortex se mirent à apparaître sur la plage et de ces tourbillons lumineux émergèrent des Chevaliers d'Émeraude, arme au poing, se portant à la rescousse de leurs compagnons. Sans aucune hésitation, ils s'élancèrent dans la bataille, soulageant leurs frères d'armes qui devaient combattre plusieurs insectes à la fois. Wellan n'eut pas le temps de s'assurer que tous ses hommes l'avaient suivi, car l'ennemi s'était retourné vers les nouveaux arrivants. Chloé, Dempsey et leurs jeunes soldats accoururent à droite du grand chef, tandis que les groupes de Jasson et de Bergeau se matérialisaient de l'autre côté.

Pendant que les combats faisaient rage sur la plage d'Argent, le groupe de Santo apparut près des murailles. Frais et dispos, ses soldats se précipitèrent dans la mêlée. Le guérisseur aperçut ses frères tombés au combat. N'écoutant que son cœur, il rengaina son épée pour les soigner. Il constata avec tristesse le décès de Candiell et de Fallon, mais vit que Falcon respirait toujours. Il le retourna sur le dos. Ses yeux turquoise étaient voilés par la douleur.

– Tiens bon, l'encouragea Santo en déterminant la profondeur de sa blessure avec ses mains lumineuses.

– C'est trop tard..., murmura Falcon, de plus en plus pâle. Occupe-toi des autres...

– C'est moi le guérisseur. Tais-toi et laisse-moi faire mon travail.

La pointe de la lance avait perforé des organes importants. En la retirant, Santo risquait de provoquer une grave hémorragie. Il leva les yeux pour voir si Kira se trouvait dans les parages. Un peu plus loin, elle fauchait des adversaires qui, curieusement, reculaient devant elle. Un homme en longue tunique blanche se pencha alors de l'autre côté de Falcon. Santo reconnut les yeux pâles de Farrell à la lueur des torches.

– Laissez-moi faire, souffla le maître de classe.

« Si quelqu'un peut sauver Falcon, c'est bien lui », comprit Santo en hochant vivement la tête.

– Vous a-t-on enseigné à neutraliser la douleur ? lui demanda Farrell tout en examinant la blessure.

– Évidemment, répondit Santo en se plaçant derrière la tête de Falcon.

Farrell attendit qu'il ait engourdi les sens du Chevalier blessé puis alluma ses paumes. La lumière blanche qui s'en échappa était aveuglante. Les yeux plissés, Santo assista au travail de cet homme d'un autre temps avec admiration et crainte à la fois, car il ressentait en lui un pouvoir capable de les anéantir tous. Farrell plaça les mains sur la cuirasse, autour de la lance. L'arme s'éleva toute seule dans les airs pour ensuite retomber plus loin. Ses paumes toujours appuyées contre la plaie, il ferma les yeux, projetant de l'énergie à l'intérieur du corps du blessé. Falcon poussa un grondement rauque, malgré tous les efforts de Santo pour l'anesthésier.

– J'ai arrêté le sang pour l'instant, mais il aura besoin de soins pressants lorsque vous l'aurez transporté ailleurs, l'informa Farrell en ouvrant les yeux.

Il se tourna vers les deux autres Chevaliers gisant sur le sol à proximité. Il ne pouvait plus rien faire pour eux. Ses mains s'éteignirent. Il promena son regard sur le champ de bataille où les soldats d'Émeraude s'évertuaient à repousser les insectes géants.

– Vous n'êtes pas obligé de risquer votre vie pour nous, l'avertit Santo en devinant ses intentions. Les enfants ont besoin de vous à Émeraude.

– J'ai accepté d'enseigner la magie pour vous rendre service, mais je suis d'abord et avant tout Chevalier d'Émeraude, rétorqua Farrell en redressant fièrement le torse.

Il salua Santo d'un mouvement de la tête, s'empara de l'épée de Candiell et se leva. Le guérisseur fut alors témoin d'un phénomène extraordinaire : de la main de Farrell émanèrent de petits serpents bleus d'énergie qui coururent sur la lame d'acier en la rendant très brillante. Wellan avait donc raison de dire que ces anciens soldats étaient très forts.

Farrell se précipita au milieu des Chevaliers qui combattaient l'ennemi avec courage. « D'autres braves hommes que le Magicien de Cristal condamne à une mort certaine », pensa-t-il en effectuant un grand arc de cercle avec son épée électrifiée et en l'abattant durement sur l'extérieur du coude du premier guerrier noir qu'il croisa. L'insecte lui opposa sa lance. Farrell para simplement son attaque en observant sa stratégie. « Cinq cents ans plus tard, ces créatures répugnantes se battent toujours de la même façon », constata-t-il.

Le renégat exécuta une pirouette à la vitesse de l'éclair et assena sur la lance une botte si robuste qu'elle échappa à son adversaire. Avant qu'il puisse la reprendre, la lame de l'humain en tunique blanche s'abattait à l'intérieur de son bras, le fauchant d'un coup sec. L'insecte recula d'un pas, mais Farrell l'attaqua sans répit pour finalement lui trancher l'autre bras.

Sans attendre que le guerrier mortellement blessé s'écrase sur les galets, le renégat courut au secours de jeunes Chevaliers qui faiblissaient sous les coups des soldats impériaux. Le combat le ramena tout droit dans les plus lointains souvenirs de sa vie auprès de son ami Hadrian. Fier de pouvoir venir en aide une fois de plus à ses frères d'armes, il se battit avec le courage d'un véritable Chevalier d'Émeraude.

33

La colère de Swan

Un peu plus loin, Kira aurait bien voulu se servir des techniques qu'elle avait apprises auprès du défunt Roi d'Argent, mais les guerriers noirs refusaient de l'affronter. Elle devait donc se contenter de les faucher avec son épée double sans qu'ils lui opposent la moindre résistance. Inquiète, elle chercha Sage du regard. Il se débrouillait fort bien. Elle choisit tout de même de demeurer près de lui, juste au cas.

Elle promena ses sens invisibles sur la plage. Ses frères perdaient rapidement des forces devant les insectes infatigables. Il lui fallait au plus vite faire pencher la balance en leur faveur sans utiliser ses halos violets qui risquaient de tuer tout le monde.

Pourrait-elle faire voler les lances impériales à ses pieds sans priver en même temps ses compagnons de leurs épées ? Il restait autant d'insectes que d'humains dans la mêlée et elle ne connaissait pas encore l'étendue de ses pouvoirs. Mais elle ne pouvait pas non plus laisser l'ennemi massacrer ses frères. Ses yeux s'illuminèrent. Elle leva les bras pour procéder au désarmement de l'ennemi, mais n'eut pas le temps de se servir de sa magie.

Une décharge bleutée venue de nulle part la frappa au milieu du corps et la projeta violemment contre la muraille de pierres. Elle s'y frappa durement la tête et retomba face contre terre à quelques pas seulement de Santo. Le guérisseur s'élança sur elle pour refermer l'entaille sur son crâne.

– Mais que s'est-il passé ? s'étonna Kira en tentant de s'asseoir. Qui m'a attaquée ?

– J'ai seulement vu le rayon d'énergie et ce n'était pas l'un des nôtres, l'informa Santo en continuant d'illuminer sa plaie.

– Mais ces insectes n'ont pas de pouvoirs magiques, tout le monde le sait !

Elle ignorait évidemment que le sorcier Asbeth se trouvait sur la plage, entouré d'un écran de protection. Il avait réussi à s'emparer d'un de ces vaniteux soldats verts. Pendant que des guerriers le ramenaient à leur vaisseau, il demeurait en retrait de la bataille pour continuer d'épier les humains. Son ennemi juré, le Chevalier Wellan, se trouvait parmi eux. Il combattait avec une force presque aussi grande que celle des guerriers d'élite de l'empereur. Le mage noir aurait bien aimé se mesurer à lui, mais il ne pouvait pas risquer d'être blessé.

Tandis qu'il s'apprêtait à s'envoler vers son vaisseau, Asbeth avait perçu une énergie familière sur la plage. Il avait tout de suite su qu'il s'agissait de la fille d'Amecareth. Elle rassemblait en elle une force d'attraction risquant de désarmer les guerriers noirs et d'en faire des proies faciles pour les humains déchaînés. Alors, au risque d'être repéré par les Chevaliers, Asbeth avait lancé un rayon affaiblissant sur la princesse. Tandis qu'elle s'écrasait contre les remparts, le sorcier avait jeté un coup d'œil en direction de Wellan. Le grand chef ne l'avait pas repéré.

L'homme-oiseau se demanda s'il pourrait s'emparer de la fille de l'empereur malgré la présence de tous ces défenseurs. Son maître le récompenserait richement s'il lui rapportait ce trophée...

C'est alors que s'avança vers lui un humain qui ne portait pas l'armure des Chevaliers. Pourtant, il tenait une de leurs épées magiques à la main. En le sondant, le sorcier s'aperçut qu'il ne s'agissait pas d'un soldat ordinaire, mais d'un puissant magicien. Avait-il ressenti sa présence malgré son cocon protecteur ?

– Je croyais que nous avions éliminé tous les sorciers de l'empereur ! s'échauffa l'homme en tunique blanche.

L'orgueil du mage noir faillit causer sa perte. Malgré la courte apparition de Sélace, il était fier d'être l'unique sorcier d'Irianeth depuis au moins une centaine d'années. Il laissa donc tomber son écran d'invisibilité pour que cet insolent le voie dans toute sa splendeur. Mais son geste n'impressionna guère Farrell.

– Je suis Asbeth ! rugit-il.

– Vous portez des noms, maintenant ? ricana l'homme qui continuait d'approcher.

– Je suis le seul sorcier de l'empereur du monde !

– Dans ce cas, je n'en aurai qu'un seul à tuer.

Les paumes de Farrell se mirent à briller d'une lumière éclatante. Asbeth comprit qu'il avait commis une erreur. Cet homme vêtu de blanc était beaucoup plus puissant que les Chevaliers. Sans perdre une seconde, il décolla vers le ciel comme une étoile filante. Le magicien humain laissa partir une sphère brûlante qui lui frôla les plumes. Cet ennemi inattendu risquait de faire échouer ses plans. Asbeth se dirigea à toute vitesse vers le bateau qui transportait son précieux cargo, oubliant la princesse sur la plage. Il reviendrait s'en saisir plus tard, lorsqu'elle ne serait pas entourée d'un si grand nombre de Chevaliers.

Ayant suivi la course du sorcier des yeux, Farrell eut juste le temps de se jeter à plat ventre sur le sol détrempé : il évita ainsi d'être embroché sur la lance du guerrier noir qui venait de surgir derrière lui. Il roula sur le dos et enfonça la lame de son épée à l'intérieur du coude de l'insecte. Ce dernier poussa un grondement rauque en tentant de saisir sa lance de l'autre main. Mais Farrell fut plus rapide que lui. Avant que l'arme argentée ait bougé, son épée trancha le deuxième bras du guerrier noir.

C'est à ce moment que Wellan remarqua l'étranger en tunique blanche qui se battait dans son camp, soulageant les Chevaliers débordés. Cet habile escrimeur abattait tout sur son passage comme une tornade. Ce fut seulement lorsque tous les insectes restés sur la plage furent détruits que le grand chef put se rapprocher de ce sauveteur providentiel.

– Farrell ? Mais comment êtes-vous arrivé ici ?

Les cheveux collés sur le crâne par la sueur et la tunique souillée de sang noir et de sang rouge, le magicien pivota vers lui. Son visage était radieux.

– De la même façon que vous, répondit-il en tentant de reprendre son souffle.

– Mais vous ne possédez pas de bracelets !

– Je n'en ai nul besoin. Mes pouvoirs sont bien plus étendus que les vôtres. Et, avant que vous ne me le demandiez, non, je ne pouvais pas rester à Émeraude pendant que des frères Chevaliers se faisaient massacrer sur la côte.

Les deux hommes s'observèrent un moment. Wellan ne put s'empêcher de penser qu'autrefois, toute une armée de soldats aussi vaillants qu'Onyx d'Émeraude protégeaient Enkidiev.

– Vous ne m'en voudrez pas, j'espère, de vous avoir privé du plaisir de tuer ces insectes vous-même, le taquina le renégat.

« Comment peut-il faire de l'humour après toute cette destruction ? » se demanda Wellan, alors que lui n'arrivait tout simplement pas à s'y habituer. Conscient des émotions conflictuelles qui assaillaient le chef des nouveaux Chevaliers, Farrell étudia davantage ses traits. Wellan ne ressemblait pas physiquement à Hadrian, mais leur essence était la même. Ce géant possédait un cœur d'or et un grand sens de la justice. Sa seule motivation dans cette guerre insensée consistait à assurer une paix définitive aux siens.

– On finit par s'y faire, lui dit Farrell en haussant les épaules.

Sans dire un mot, Wellan lui tendit les bras. Le renégat les serra à la manière des Chevaliers. Il savait que son initiative allait le rendre populaire parmi les soldats, mais qu'elle risquait aussi d'attirer sur lui les foudres du Magicien de Cristal, qui cherchait toujours à lui retirer sa magie. Mais cette nuit-là, au milieu de femmes et d'hommes aussi courageux que lui, rien de tout cela n'avait d'importance.

– Vous n'êtes pas blessé, au moins ? s'inquiéta Wellan.

– Seulement quelques éraflures, rien de sérieux. Mais quelques-uns de vos hommes ont besoin d'aide.

Ce commentaire ramena le grand chef à la réalité. Il scruta la plage, captant lui aussi la souffrance de plusieurs de ses Chevaliers. Farrell sur les talons, il fonça vers la muraille. Santo, Chloé et Jasson prodiguaient déjà des soins aux blessés. Il fut très surpris d'apercevoir Kira allongée sur le dos, Sage à ses côtés.

– Que s'est-il passé ? s'alarma Wellan.

– Elle a reçu une décharge ensorcelée, mais elle s'en remet, expliqua Sage en posant un regard confiant sur son chef.

– Ensorcelée ?

– Il y avait en effet un sorcier parmi les guerriers noirs, confirma Farrell. Il s'appelle Asbeth.

Tous les regards se tournèrent vers lui et le silence tomba sur la plage d'Argent. Ce n'étaient pas ses paroles qui les étonnaient, mais sa présence sur le champ de bataille. Pour la majorité d'entre eux, il n'était qu'un apprenti magicien et le nouveau professeur des élèves d'Émeraude, pas un soldat.

– Mais que faites-vous ici, maître Farrell ? lui reprocha Bergeau. Après ce qui vous est arrivé jadis à Zénor, vous devriez savoir que la côte est un endroit dangereux !

Les yeux pâles du renégat cherchèrent ceux du grand Chevalier. Il ne savait pas s'il pouvait leur avouer tout de suite la vérité.

– Je l'ai vu combattre, Bergeau, le défendit Herrior. Sa lame est encore plus redoutable que la tienne.

– Il est venu m'aider à terrasser mon adversaire, renchérit Volpel.

– Et il a tranché d'un seul coup les deux bras de l'insecte qui essayait de me décapiter, ajouta Joslove.

Farrell se retrouva dans un véritable tourbillon de commentaires de la part de tous les jeunes Chevaliers l'ayant vu à l'œuvre. Mais il s'en trouva une qui n'avait aucun éloge à lui faire. Bouillante de rage, Swan marcha entre les blessés. Elle agrippa solidement son époux par le col de sa tunique. Avant qu'il puisse protester, elle le fit reculer jusqu'à la muraille, contre laquelle elle lui plaqua brutalement le dos.

– Où sont les enfants ? rugit-elle comme un fauve.

– Ils sont chez Armène, répondit-il en réprimant un sourire.

– Comment as-tu osé les abandonner à Émeraude et pourquoi es-tu venu risquer stupidement ta vie sur ce champ de bataille ?

– Vous aviez besoin d'aide et j'ai pensé que...

– Tu es un professeur de magie, Farrell, pas un soldat !

– Je me débrouille avec une épée, je t'assure.

– Ta place est auprès de nos fils, pas au milieu des Chevaliers d'Émeraude !

Wellan jugea que ce n'était ni le moment ni l'endroit pour une scène conjugale. Il fit un pas en direction du couple, mais Farrell leva discrètement la main pour l'arrêter.

– Je suis venu soigner les blessés, susurra le jeune époux en s'efforçant de demeurer sérieux.

– Nous sommes capables de le faire nous-mêmes ! hurla Swan, le visage écarlate. Je veux que tu retournes au château pour t'occuper de nos enfants !

Wellan analysa la situation. Santo, Chloé et Jasson refermaient les blessures les plus graves alors que leurs compagnons traitaient leurs écorchures entre eux. Il n'avait donc pas besoin des services d'un guérisseur supplémentaire. Devait-il rapatrier ses soldats à Émeraude ?

Ce serait une sage décision, puisque les vaisseaux qui ont échappé à votre fureur sont maintenant hors de votre portée et ne reviendront pas, résonna la voix d'Onyx dans sa tête pendant que Swan continuait de l'invectiver.

Curieusement, aucun des soldats ne sembla entendre cette communication. *C'est à vous que je parle, Wellan, pas à vos frères*, précisa la voix. Les anciens Chevaliers possédaient-ils le pouvoir de communiquer par télépathie avec un seul individu à la fois ? Wellan hocha lentement la tête pour faire comprendre au renégat qu'il était d'accord. Il décida par contre de le soustraire à la colère de son épouse.

– Chevaliers, écoutez-moi ! réclama-t-il d'une voix forte. Lorsque vos plaies seront refermées, retournez dans vos royaumes respectifs avec vos commandants et allez chercher vos Écuyers et vos chevaux ! Nous ferons le point au Château d'Émeraude à l'heure du midi demain ! Quant au groupe de Santo, il ramènera les blessés plus graves !

Les soldats se rassemblèrent immédiatement autour de leurs commandants, mais Swan continua à tempêter devant Farrell, qui adoptait une expression de contrition destinée à la calmer.

– Cet ordre s'adresse aussi à toi, Swan, l'enjoignit Wellan.

Fougueuse et indépendante, elle finissait toujours par lui obéir, même lorsque ses consignes la contrariaient. Elle poussa un cri de rage, frappa la poitrine de Farrell de ses deux poings et rejoignit le groupe de Dempsey.

34

L'ENLÈVEMENT

Le groupe de Falcon se rassembla, malgré l'absence de leur commandant gisant toujours sur le sol près des corps de Candiell et de Fallon. C'est à ce moment que les jeunes Chevaliers remarquèrent que Kevin manquait à l'appel. Ils fouillèrent toute la plage avec leurs sens magiques, espérant le retrouver blessé sous la carcasse d'un insecte, mais ne relevèrent aucune trace de lui. Chesley se précipita enfin vers leur grand chef et ses compagnons le suivirent.

– Nous ne trouvons pas Kevin ! s'effraya le jeune homme.

Wellan pivota vers l'océan. Il scruta lui-même le champ de bataille. Il ne ressentit pas non plus l'énergie de Kevin et craignit qu'il n'ait perdu la vie pendant l'affrontement. Il donna donc l'ordre à ses hommes de le chercher une fois de plus. Tous s'élancèrent sans exception, remettant leur départ à plus tard, mais au bout d'une heure, ils durent en venir à la conclusion que le jeune guerrier avait disparu.

Debout au milieu des galets rendus visqueux par le sang noir de leurs ennemis, Wellan sentit une grande terreur s'emparer de lui. Farrell enjamba les cadavres pour se planter près de lui. Les yeux bleus du grand chef se remplirent de larmes et sa peine toucha profondément le renégat.

– Le sorcier a dû l'enlever, avança Farrell.

– Non ! hurla Wellan, furieux.

Son éclat se répercuta sur les remparts d'Argent. Tous ses soldats s'immobilisèrent en captant sa détresse. Trois embarcations avaient réussi à s'échapper : l'une d'elles emmenait leur frère d'armes. Wellan tendit les bras devant lui pour envoyer sur les flots toute la force d'attraction qu'il possédait. Il entra aussitôt en contact avec les vaisseaux ennemis. Utilisant toute sa concentration, il les tira à lui. Pendant un moment, il crut qu'il allait réussir, mais la sorcellerie d'Asbeth rompit brusquement le filet d'énergie qu'il tissait autour des bateaux. Le grand chef tomba à la renverse au milieu des cadavres d'insectes en poussant un rugissement de colère. Farrell lui saisit les bras et l'aida à se relever.

– Votre magie est plus puissante que la mienne, alors dites-moi si Kevin est encore vivant, le supplia Wellan.

– L'empereur n'aurait pas demandé qu'on lui ramène un soldat mort. Alors oui, je crois qu'il est sauf, mais je ne sais pas pour combien de temps encore.

– Le fils d'Hadrian a autrefois été secouru sur le continent de l'empereur, se rappela le grand chef. Je l'ai lu dans le journal d'un Chevalier d'Émeraude.

– Nous en reparlerons plus tard, rétorqua Farrell en devenant très sombre. Pour l'instant, il faut vous débarrasser de ces répugnantes créatures avant qu'elles sèment la maladie.

– Mais comment ? demanda Bailey en s'approchant. Ils sont sortis de leurs vaisseaux en flammes sans en être le moindrement incommodés !

– Ils ne brûlent que lorsqu'ils sont morts, le renseigna Farrell. Il y a plusieurs façons de se débarrasser de ces animaux sans cervelle, mais le feu est la plus rapide.

Pour vérifier ses dires, Bailey projeta sur une carcasse un faisceau incendiaire. La carapace s'enflamma si rapidement que le jeune Chevalier dut reculer pour ne pas être blessé.

Retournez dans vos royaumes et détruisez les corps que vous y avez laissés, ordonna Wellan sur un ton glacial. Les vortex apparurent un à un sur les galets, engouffrant les différents groupes pendant que Chesley, Lornan, Davis, Dyksta, Prorok, Kruse, Salmo et Carlo enflammaient les cadavres sur la plage d'Argent où ils avaient été affectés. Puis, lorsque tous les insectes furent réduits en cendres, ils allèrent chercher les deux Écuyers de leur groupe ainsi que leurs chevaux, à l'abri derrière la muraille, afin de rentrer à Émeraude.

Au lieu de ramener son détachement au pays des Elfes, Wellan se dirigea plutôt vers les blessés que Santo soignait maintenant seul, puisque Chloé et Jasson étaient repartis avec leurs soldats. Il aperçut un large trou sur la cuirasse tachée de sang de Falcon et accéléra le pas. Bouleversé, il se jeta à genoux près de son frère d'armes. Même s'il savait que Santo était le meilleur guérisseur de l'Ordre, il passa rapidement la main au-dessus de la poitrine de Falcon pour s'informer lui-même de la gravité de sa blessure.

– Je vais m'en sortir, murmura le Chevalier en ouvrant les yeux.

Wellan glissa le bras sous le dos de son compagnon. Avec douceur, il l'attira contre lui avant que Santo proteste contre cette marque d'affection qui risquait d'aggraver l'état de son patient. Les jeunes contemplèrent la scène émouvante en silence. Ils savaient que les sept Chevaliers aînés avaient grandi ensemble, comme de véritables frères. Il existait entre eux un lien très étroit.

– L'insecte qui t'a blessé est mort, chuchota Wellan.

– Ce n'était pas un insecte, c'était ton ami Asbeth, répliqua Falcon.

– Il paiera pour tout le mal qu'il nous a fait, je t'en fais la promesse, siffla le grand chef entre ses dents.

Santo dut décrocher Falcon des bras de leur grand chef en rappelant à Wellan qu'il devait se reposer.

– Tu as encore du travail à faire au pays des Elfes, ajouta le guérisseur. Nous allons ramener les blessés et les morts au château comme tu nous l'as demandé.

– Les morts..., répéta Wellan en pâlissant.

Il tourna la tête vers les corps de Candiell et de Fallon allongés côte à côte et marcha sur ses genoux jusqu'à eux. Il caressa leurs visages livides. Dans l'enfer des combats, il n'avait même pas ressenti leur départ pour les grandes plaines de lumière.

– Nous t'attendrons à Émeraude avant de libérer leurs âmes, lui promit Gabrelle en posant une main rassurante sur l'épaule de son chef.

Wellan hocha faiblement la tête. Sans chercher à cacher sa peine, il se leva. Bridgess l'attendait avec leurs jeunes soldats, l'air aussi triste que lui. Le grand chef chercha Farrell des yeux pour le remercier de son aide précieuse dans cette bataille, mais ne le vit nulle part. Il avait donc décidé de rentrer à la maison avant sa femme.

35

UN TRISTE RETOUR

Les groupes arrivèrent au Château d'Émeraude à des heures différentes jusqu'à l'aurore. Tous se dirigèrent d'abord vers les bains pour se purifier après l'épuisante bataille sur la côte, puis ils allèrent dormir quelques heures dans leurs chambres. Quant à lui, Santo porta les blessés dans le hall des Chevaliers. Au fur et à mesure que les plaies étaient refermées, il les laissait regagner leur lit.

À la demande du guérisseur, les soldats transportèrent Falcon dans ses quartiers. Ils le déposèrent en douceur sur son lit. Wanda les remercia et referma ensuite la porte derrière eux. Elle essuya ses larmes et s'assit au chevet de son époux, peinée de le voir en si piteux état.

– Je t'avais dit que je reviendrais, voulut la rassurer Falcon en forçant un sourire.

– Mais dans quel état ? rétorqua Wanda, les yeux rouges.

– Juste un peu amoché... et je n'ai même pas combattu.

Ses compagnons lui avaient enlevé sa cuirasse, ses armes, ses bottes et sa tunique, mais laissé son pantalon. Wanda effleura la cicatrice fraîche sur la poitrine de son époux.

– C'est une épée qui a fait tout ce dommage ?

– Non, c'est une lance.

La femme Chevalier trempa une éponge dans un bol d'eau et se mit à nettoyer le sang séché.

– Tu prends bien soin de moi, Wanda d'Émeraude.

– Pas assez, apparemment.

Elle le lava des pieds à la tête, puis le recouvrit d'une couette pour le tenir au chaud. Elle se coucha à ses côtés, appuyant son gros ventre contre lui. Le bébé se mit alors à s'agiter dans son sein. Falcon ressentit même de petits coups de pied.

– On dirait bien qu'il a envie de sortir, plaisanta-t-il.

– Il bouge sans arrêt, mais ce n'est pas encore le moment de lui laisser respirer l'air frais. Maître Hawke ne prévoit pas sa naissance avant un mois.

– Je n'aurais jamais connu le repos dans les grandes plaines de lumière en sachant que je vous avais abandonnés ainsi tous les deux, s'étrangla Falcon, ému. Je t'aime, Wanda.

– Pas autant que moi.

Elle embrassa ses lèvres dangereusement froides. Wellan leur avait déjà parlé de blessures qui s'envenimaient avec le temps. Essayant de se montrer brave, elle remonta la couverture jusqu'à leurs mentons. Elle éteignit magiquement les chandelles et remercia les dieux de lui avoir laissé son époux.

Pendant ce temps, dans la chapelle du palais, les serviteurs installaient les corps de Candiell et de Fallon sur des planches après les avoir nettoyés et revêtus de leurs vêtements d'apparat. Une centaine de cierges se consumaient sur les autels consacrés à tous les dieux d'Enkidiev et de l'encens brûlait sur celui du dieu d'Émeraude. À tour de rôle, les Chevaliers vinrent se recueillir près de leurs compagnons pour leur dire au revoir car, au matin, ils seraient brûlés afin de libérer leurs âmes.

De tous les groupes, celui de Falcon avait subi les plus grandes pertes : Candiell et Fallon étaient tombés au combat, Kevin avait été enlevé et Falcon, grièvement blessé. Les autres groupes comptaient plusieurs blessés, mais il s'agissait surtout d'écorchures et d'ecchymoses.

Après un bain silencieux en compagnie de ses frères épuisés, Nogait enfila une tunique propre. Il se dirigea d'abord vers la chapelle pour rendre ses derniers hommages à ses compagnons. L'endroit sacré était maintenant désert. Il s'agenouilla devant les deux Chevaliers sans vie et recommanda leurs âmes aux dieux. Il savait bien qu'ils étaient tous mortels, qu'un jour ou l'autre, ils partiraient tous pour les grands champs célestes, mais ces deux soldats étaient si jeunes...

Il se mit ensuite à penser à Kevin. Que lui était-il vraiment arrivé ? En nettoyant la plage du Royaume des Fées avec son groupe, il n'avait cessé de l'appeler avec son esprit sans recevoir de réponse. Asbeth l'avait-il enlevé uniquement pour le tuer ? L'avait-il jeté par-dessus bord au milieu de l'océan ? Kruse, Salmo et Carlo entrèrent dans le sanctuaire pour veiller leurs compagnons d'équipe. Ils tapotèrent le dos de Nogait pour l'encourager, mais ce dernier était inconsolable.

L'âme en peine, il se rendit aux appartements qu'il partageait avec la Princesse des Elfes et leur petit garçon de deux ans. Le soleil allait bientôt se lever. Tout le palais baignait dans une douce lumière rose, mais cela ne lui apporta aucun réconfort. Il poussa la porte sans faire de bruit, ne voulant surtout pas réveiller sa famille, mais Amayelle vint à lui dès qu'il mit les pieds dans le vestibule. Il fixa son épouse, incapable de prononcer un seul mot. Ses yeux bleus se remplirent de larmes et il éclata finalement en sanglots amers. La princesse l'enlaça.

– C'est fini maintenant, *anyeth*, le rassura-t-elle. Vous les avez tous détruits.

– Ils ont enlevé Kevin, pleura-t-il.

– Mais ils ne capturent jamais personne ! s'effraya-t-elle.

– Ces horribles insectes l'ont pris sur la plage et ils l'ont emmené avec eux. Ils vont le torturer et nous ne pourrons pas lui porter secours, parce que nous ne savons pas où se trouve la forteresse de l'empereur.

Kevin et Sage étaient les meilleurs amis de Nogait. Même si les Elfes ne ressentaient pas les émotions de la même façon que les humains, Amayelle comprenait que cette perte lui déchirait le cœur.

– Mon père possède des cartes très anciennes, déclara-t-elle pour lui redonner du courage. Je suis certaine que nous pourrons retrouver cet endroit et porter secours à Kevin.

Tombant de fatigue, Nogait n'arrivait même plus à raisonner. Amayelle le tira donc vers leur chambre à coucher en pensant qu'il serait plus facile de le consoler lorsqu'il aurait dormi quelques heures. Elle le déshabilla en douceur. Les bras de Nogait étaient zébrés de marques rouges et de contusions. Il s'enfonça dans le matelas de plumes en poussant un gémissement.

Amayelle fit apparaître dans ses paumes une douce lumière ambrée. Nogait ferma les yeux avec soulagement tandis qu'elle les promenait au-dessus de son corps meurtri. Plus le temps passait, plus la Princesse des Elfes aimait cet homme au grand cœur, même s'il le cachait plus souvent qu'autrement derrière un mur de sarcasmes. Elle le connaissait désormais mieux que lui-même. De tous les Chevaliers, il était celui qui se souciait le plus du sort de l'humanité.

Le mignon visage de leur fils apparut de l'autre côté du lit. Un magnifique sourire l'éclaira lorsqu'il reconnut son père. Avant que sa mère puisse l'arrêter, Cameron grimpa sur le matelas.

– Enfin ! s'exclama le bambin en imitant Amayelle.

Nogait se saisit de lui et le serra contre sa poitrine en pensant que Kevin n'aurait jamais la joie d'être père. Cameron se redressa.

– Papa pleure ? déplora-t-il.

Nogait admira son minois d'enfant encadré de cheveux bruns doux comme de la soie à travers desquels se dressaient deux petites oreilles pointues d'Elfe.

– Il s'est produit des choses terribles aujourd'hui, lui expliqua le soldat d'une voix étranglée. Nous en reparlerons plus tard, si tu veux bien.

– Oui, veux bien.

– Il faut laisser papa se reposer maintenant, Cameron, l'avertit la mère en l'attrapant par la taille.

Le bambin ne protesta pas, mais il fut incapable de détacher son regard des traits de Nogait tandis que la princesse allait le recoucher.

Dans les appartements voisins, Sage déposa Kira sous les couvertures après lui avoir donné lui-même un bain dans leurs installations privées. Depuis l'attaque sournoise d'Asbeth sur la plage d'Argent, elle montrait des signes évidents de faiblesse, mais Hawke, qui l'avait examinée à leur arrivée au château, lui avait dit que les effets de cette sorcellerie s'estomperaient dans les prochains jours.

– Reste avec moi, geignit la femme mauve, les yeux à demi ouverts.

– Tu sais bien que je n'ai pas l'intention de te quitter une seule seconde, susurra le jeune homme en éteignant les chandelles.

Sur leurs perchoirs, les six faucons, mystérieusement revenus de leur longue absence, émirent de petits cris, mais Sage ne leur accorda aucune attention. Tous assez vieux maintenant pour se débrouiller seuls et trouver eux-mêmes leur nourriture, ils pouvaient circuler à leur guise, la fenêtre de la chambre étant toujours ouverte.

Sage se coucha près de son épouse mauve et l'attira dans ses bras. Sa peau était brûlante comme du feu, mais il ne ressentait aucun maléfice dans son corps.

– Tu as bien combattu, murmura-t-elle.

– Arrête de parler et dors, ronchonna son mari.

– C'étaient des insectes énormes et tu t'es défendu comme un vrai Chevalier. Je suis fière de toi.

– Toi aussi, tu as impressionné la galerie, mais tu as besoin de sommeil, maintenant.

– Je me débrouillais pas mal jusqu'à ce que le sorcier me lance je ne sais trop quoi.

– Il voulait juste te mettre hors de combat, rien de plus. Santo, Farrell et Hawke me l'ont tous trois confirmé. Maintenant, essaie de dormir, sinon je t'assomme moi-même.

Elle voulut continuer de parler, mais il mit sa main sur sa bouche, au risque de voir ses petites dents pointues s'enfoncer dans sa chair. Kira n'en fit rien. Il libéra donc ses lèvres violettes, la pressa davantage contre lui et lui transmit une vague d'apaisement. Ayant souvent rêvé de sa disparition lors de la guerre, Sage avait eu très peur de la perdre pour toujours sur la plage d'Argent. Content que ses craintes ne se soient pas concrétisées, il ferma les yeux.

– Pardonne-moi de n'avoir pas pu arrêter le sorcier, lui dit Kira.

– Tu ne savais même pas qu'il était là.

– J'aurais dû le sentir.

– Kira, je t'en prie, tu dois te reposer.

– Je m'en veux de l'avoir laissé prendre Kevin...

Elle éclata en sanglots, bouleversant Sage. Les événements malheureux de la nuit lui brisaient aussi le cœur, surtout l'enlèvement de son meilleur ami. Kevin se trouvait entre les mains de l'Empereur Noir et ce monstre allait certainement le faire souffrir pour se venger de toute la race humaine.

Au lieu de réconforter Kira, l'hybride se mit à pleurer avec elle. Ils ignoraient évidemment tous les deux qu'au même moment, Wellan échafaudait déjà un plan pour récupérer son jeune Chevalier.

Le groupe de Wellan fut le dernier à rentrer au château, s'étant attardé au Royaume d'Argent avant de se diriger vers celui des Elfes. Malgré sa fatigue, le grand Chevalier avait aidé ses hommes à incinérer les cadavres des guerriers noirs gisant épars sur les galets et à rassembler leurs lances près de la hutte.

Après avoir récupéré les Écuyers, les chevaux et les livres prêtés par Hamil, il mit finalement le cap sur le Royaume d'Émeraude. Une fois dans la grande cour, il libéra ses soldats exténués. Il cacha ensuite les vieux volumes dans sa chambre pour que sa petite déesse ne les trouve pas et repensa au combat. Heureusement que Dylan l'avait prévenu du danger, autrement tout le groupe de Falcon aurait péri. Son fils de lumière pourrait-il aussi lui montrer comment délivrer Kevin des griffes de l'ennemi ? Sinon, il s'adresserait à Farrell, car ce dernier connaissait la géographie du continent de l'empereur.

Wellan se laissa tomber sur son lit. Il se dévêtit lentement en regardant le ciel se colorer en rose par la fenêtre de sa chambre. Les Chevaliers d'Émeraude avaient remporté une importante victoire, mais son cœur était en pièces. Il ne s'habituerait jamais à perdre des soldats.

En faisant rapidement le compte des insectes débarqués dans chacun des royaumes, il comprit qu'il ne s'agissait là que d'une petite fraction des forces impériales. Chaque groupe de Chevaliers avait affronté une vingtaine d'insectes seulement, sauf celui du Royaume d'Argent.

Bridgess entra dans la pièce, détacha sa cuirasse et s'assit près de son époux.

– Le sorcier accompagnait les troupes qui ont attaqué Falcon, signala-t-elle. Je commence à croire qu'il est venu uniquement pour capturer l'un des nôtres et ce n'était pas Kira, puisqu'elle était à Zénor.

– Jadis, l'Empereur Noir a enlevé le fils du Roi Hadrian au même endroit.

– En s'emparant de Kevin, il a fait un bon choix, Wellan. Après Santo, c'est le plus sensible d'entre nous et celui qui maîtrise le mieux les forces invisibles.

– Mais pourquoi voudrait-il prendre un Chevalier vivant alors que son seul but depuis toutes ces années a été de nous éliminer ?

– Je n'en sais rien. Je n'ai pas l'esprit tortueux d'un mage noir.

« Mais sans doute Farrell pourrait-il répondre à cette question », pensa le grand chef. Ce Chevalier avait eu affaire à cet ennemi bien plus souvent que lui.

– Farrell ? s'étonna son épouse en lisant ses pensées. Comment le saurait-il ?

Wellan se tourna vers Bridgess : ses yeux bleus le fixaient intensément. Le grand Chevalier avait décidé, le jour de son mariage, de ne jamais rien cacher à la femme de sa vie.

– Il sait beaucoup plus de choses que moi au sujet de l'empereur, parce qu'il partage son corps avec l'esprit d'Onyx, avoua-t-il finalement.

– Quoi ! Onyx s'est évadé ! Mais il faut le faire sortir de là sans tarder ! explosa la femme Chevalier en bondissant sur ses pieds.

– Je crains que ce ne soit pas possible, l'avisa Wellan. De toute façon, Farrell a accepté cette fusion parce qu'elle faisait de lui un homme plus instruit, un père capable d'éduquer ses enfants.

– Pourquoi n'es-tu pas alarmé de le savoir parmi nous ?

– Parce que le renégat a décidé de ne pas adopter un comportement agressif envers nous. Il attendra son heure avant de se venger d'Abnar, ce qui nous donnera suffisamment de temps pour l'en dissuader. Je ne perçois aucune menace de sa part, Bridgess. Au contraire, il est le réceptacle d'un savoir immense qui pourrait nous permettre de gagner cette guerre.

– Mais c'est un assassin !

– Onyx n'a tué que des ennemis. Tu as entendu ce que ses hommes pensaient de lui quand je vous ai lu des passages de leurs mémoires. Il a combattu Amecareth et ses sorciers dans le passé. Il peut certainement nous conseiller pour élaborer une meilleure stratégie. L'as-tu seulement vu à l'œuvre aujourd'hui sur la plage d'Argent ?

– Non... mais j'ai entendu les commentaires de nos frères, se radoucit son épouse. J'admets que j'ai été surprise d'apprendre que ce jeune paysan savait se battre. Quand je l'ai aperçu avec toi, j'ai cru qu'il était venu supplier Swan de ne pas mettre inutilement sa vie en danger. Mais comment a-t-il réussi à nous rejoindre aussi rapidement au Royaume d'Argent ?

– Il possède, lui aussi, la faculté de se déplacer dans l'espace et il n'a même pas besoin de bracelets.

L'admiration qu'elle percevait dans les yeux de son mari inquiéta profondément Bridgess.

– Le journal que tu as lu disait aussi qu'il arrachait la carapace de ses ennemis à mains nues, grimaça Bridgess. Il s'est servi de la peau d'un insecte pour confectionner la couverture de son propre journal. Est-ce le genre de professeur que tu veux pour notre fille ?

– Je l'ai observé pendant ses cours. Il est encore plus doué que Bergeau avec les enfants. Il ne leur enseigne que la magie et l'histoire.

– Mais pourquoi le protèges-tu alors que tu étais prêt à le tuer lorsqu'il s'est attaqué à Abnar ?

– Parce qu'il peut nous aider à retrouver Kevin. Il est déjà allé sur le continent d'Amecareth, donc il peut m'y emmener.

– Je suis d'accord pour que nous nous portions au secours de notre compagnon, mais il n'est pas question que tu partes seul avec un bandit.

N'ayant plus la force de se quereller avec Bridgess, Wellan se leva, prit sa main et l'entraîna en direction des bains, malgré ses protestations et ses commentaires désobligeants au sujet d'Onyx. Tout en marchant dans le couloir, Wellan sentit la présence de ses compagnons endormis dans leur chambre. Cela le rassura de les savoir tous en sécurité à Émeraude.

Le couple entra dans la grande pièce d'où s'échappaient des filets de vapeur. Elle était déserte. Personne ne s'apercevrait qu'ils enfreignaient les règlements du château en prenant leur bain ensemble. L'eau chaude les réconforta et ils y restèrent un long moment en silence.

Des pas précipités résonnèrent alors dans le couloir. Avant qu'ils puissent se servir de leurs sens magiques pour identifier l'intrus, Jenifael courut jusqu'au bassin. Soulagée de retrouver ses parents, elle se jeta dans l'eau, en chemise de nuit. De peur qu'elle ne s'emmêle dans ses vêtements trempés, Wellan nagea rapidement jusqu'à elle. La fillette l'agrippa par le cou en parsemant son visage de baisers.

– J'ai eu si peur pour vous !

– Mais Jeni, tu as des parents invincibles ! répondit son père en souriant pour la calmer.

Bridgess les rejoignit. Jenifael sauta des bras de son père à ceux de sa mère. Ils savaient bien qu'elle devait toujours demeurer avec les élèves d'Émeraude, mais ils n'eurent pas le cœur de la gronder.

– Les élèves ne pouvaient pas dormir. Ils écoutaient tout ce que vous vous disiez, leur raconta la fillette. Est-ce que c'est vrai que Kevin a disparu ?

Wellan décocha un regard suppliant à son épouse, car il ne savait pas comment aborder la question sans terroriser sa fille.

– Oui, c'est vrai, choisit de répondre Bridgess.

– J'ai bien suivi vos conversations, maman. À mon avis, il a été capturé par Asbeth.

« Mais comment peut-elle être au courant de cela ? » se demanda Wellan. Avaient-ils échangé autant d'information avec leur esprit ? Tous les autres enfants magiques étaient-ils aussi perspicaces ?

– C'est ce que nous pensons aussi, confirma la mère. Mais nous avons un plan pour le sauver.

– Avec l'aide de Farrell, n'est-ce pas ?

Wellan ouvrit la bouche pour dire quelque chose, puis se ravisa en jugeant que sa fille en savait déjà assez.

– Nous en reparlerons plus tard, si tu veux bien, ma chérie, décida Bridgess en l'embrassant sur le front. Papa et moi sommes éreintés.

– Est-ce que je peux dormir avec vous ?

Wellan allait dire non, mais Bridgess lui accorda cette permission. Il se cala donc dans l'eau chaude encore un instant avant d'aller retrouver le confort de son lit.

36

UN TROISIÈME HOMME

Farrell était rentré au Château d'Émeraude avant les Chevaliers, puisqu'il devait donner des cours au matin. Il ne restait que quelques heures avant le lever du soleil. Il n'alla pas réclamer ses fils à Armène afin de ne pas troubler leur sommeil. Il se rendit plutôt aux bains. Il se trempa dans l'eau chaude un bon moment en se rappelant les combats qu'il avait menés autrefois aux côtés d'Hadrian. Cinq cents ans déjà... Son bon ami était mort depuis longtemps. Il aurait aimé pouvoir le ramener à la vie, mais même la sorcellerie qu'il avait apprise auprès de Nomar ne lui permettait pas d'accomplir cet exploit.

Il enfila une tunique propre, jeta l'autre aux ordures et retourna à sa tour en essorant ses longs cheveux noirs. L'empereur pressait son offensive, comme jadis. Onyx savait très bien ce qu'il préparait. Il ajouterait donc à ses cours quelques leçons de magie un peu plus agressive. Ces enfants innocents étaient de futurs Écuyers qui allaient bientôt seconder les Chevaliers dans cette terrible guerre : c'était son devoir de s'assurer qu'ils puissent se défendre.

Avant même d'arriver dans la grande salle inondée de coussins multicolores, il capta la présence orageuse de Swan. Il grimpa les marches de pierre et risqua un œil dans la pièce. Son épouse avait allumé les torches accrochées au mur. Elle faisait les cent pas, le visage cramoisi. « Aussi bien l'affronter avant l'arrivée des élèves », pensa Farrell.

– Je sais que tu es là, grogna Swan.

Farrell s'avança prudemment. Ses deux premières épouses avaient été des femmes soumises qui n'émettaient jamais leur opinion. Swan était décidément d'une autre époque. Mais il ne détestait pas qu'on lui tienne tête de temps en temps.

– Tu as beaucoup d'explications à me donner et Wellan n'est pas là pour te défendre, cette fois, poursuivit-elle, les mains sur les hanches.

– Depuis quand ai-je besoin de sa protection ? répliqua-t-il en faisant de gros efforts pour ne pas sourire.

– Quand et où as-tu appris à te battre à l'épée ?

– On me l'a enseigné il y a fort longtemps, ici même au Château d'Émeraude.

– Alors, tu m'as menti lorsque tu m'as raconté que tu n'étais qu'un pauvre paysan qui ne savait rien faire ?

– Non. Je t'ai dit la vérité. À cette époque, je n'avais jamais manié une épée.

Ses déclarations contradictoires irritèrent profondément la jeune femme. Avait-il absorbé de l'alcool en rentrant au château ? Avait-il perdu la raison sur le champ de bataille ?

– Je ne suis plus tout à fait l'homme que tu as rencontré, insinua-t-il.

– Tout le monde change, j'en conviens, mais pas à ce point, Farrell. Et comment as-tu réussi à nous rejoindre aussi rapidement sur la côte ?

– J'ai utilisé un vortex, évidemment.

– Mais tu n'as pas reçu de bracelets magiques, à ce que je sache. À moins que tu en aies trouvé la recette dans un vieux grimoire. Encore là, il aurait fallu que tu puisses déchiffrer la langue ancienne.

– Mes pouvoirs sont beaucoup plus étendus que tu le crois, Swan.

« Comment lui dire la vérité sans aviver sa colère ? » se demanda-t-il. Il aurait été injuste que tout le monde connaisse sa double identité sauf elle.

– Il y a trois ans, lorsque nous avons commencé à vivre dans notre maison, j'ai reçu un visiteur inattendu, commença-t-il.

– Un magicien ? Un sorcier ? Un empereur ? railla-t-elle.

– Un serpent de fumée, déclara-t-il très sérieusement.

Swan lui servit un regard incrédule.

– Il venait de s'échapper de la tour d'Abnar, poursuivit-il.

– Onyx ! s'exclama-t-elle, furieuse.

Farrell hocha doucement la tête et attendit sa réaction. Allait-elle deviner le reste de l'histoire toute seule ? Il capta toutes les émotions qui se bousculaient dans son cœur. Puisqu'elle ne semblait pas en venir à une conclusion, il voulut étoffer sa réponse.

– Il est entré en moi et...

– Non ! s'horrifia la jeune femme en reculant.

– Il ne m'a pas emprisonné au fond de mon être comme il l'avait fait avec Sage, la rassura Farrell. Nous avons plutôt eu de longues discussions à ce sujet, lui et moi, et...

– Dis-moi qu'il est reparti ! cria Swan, au bord de l'hystérie. Dis-le-moi !

– Je n'ai pas voulu qu'il reparte.

– Non..., balbutia-t-elle en trébuchant dans les coussins. Tout ceci n'a aucun sens... Je suis en train de faire un cauchemar... Oui, c'est ça, j'ai perdu conscience sur la plage et je suis en train d'imaginer que tu y étais toi aussi...

Son dos heurta le mur de pierre en la convainquant que cette conversation était malheureusement bien réelle. Des larmes de colère se mirent à couler sur ses joues, alors qu'elle se rendait compte qu'elle partageait la vie du renégat depuis des années. Elle lui avait même donné des enfants !

– Je ne voulais pas te dire la vérité parce que je craignais que tu réagisses ainsi, expliqua-t-il. Mais je veux que tu saches que je suis beaucoup plus heureux depuis que le Chevalier s'est intégré à ma personnalité.

– Mais tu n'es plus l'homme que j'ai épousé...

– Je suis toujours Farrell, mais je n'ai plus peur des abeilles géantes.

Ce souvenir provenait d'une époque antérieure à la visite du renégat à la ferme et fit comprendre à Swan qu'Onyx n'avait peut-être pas détruit la personnalité de Farrell, en fin de compte.

– En se fondant en moi, il m'a rendu plus instruit, argumenta-t-il d'une voix douce mais insistante.

– Non, je ne veux pas entendre ça ! se hérissa-t-elle en se mettant les mains sur ses oreilles.

– Je peux maintenant lire les ouvrages de mon choix dans la langue moderne et dans celle des Enkievs. Je sais écrire et je sais aussi compter. Le renégat ne pouvait pas m'offrir un plus beau cadeau.

– En échange de quoi ? éclata Swan en baissant les bras.

– Il voulait seulement respirer de nouveau l'air de son pays natal, sentir le soleil sur sa peau, recevoir l'amour d'une femme merveilleuse et serrer des enfants dans ses bras. Il a été privé de toutes ces joies autrefois. Même l'histoire a refusé de reconnaître sa contribution à la victoire des anciens Chevaliers d'Émeraude. Je lui permets d'accomplir toutes ces choses et il fait de moi un homme meilleur.

La jeune femme était ahurie. Comment avait-il osé conclure un tel pacte avec le renégat sans lui en parler ?

– Onyx ne représente aucun danger pour vous, affirma Farrell en lisant ses pensées.

– Il a essayé de tuer tout le monde lorsqu'il était dans le corps de Sage !

– Il regrette de s'être emporté contre ceux et celles qui essayaient de l'empêcher de se venger du Magicien de Cristal. En réalité, les Chevaliers d'Émeraude sont ses frères et sœurs d'armes. Il n'a jamais renoncé à son titre de Chevalier, tu sais. Il est toujours lié par son serment.

– Et lequel des deux es-tu maintenant ?

– Nous faisons désormais partie l'un de l'autre. Je ne crois pas me tromper en disant que nous sommes devenus un troisième homme, différent de nous deux. Nous partageons tous nos pouvoirs et toutes nos émotions. C'est d'ailleurs avec ce nouvel homme que tu vis depuis trois ans, Swan.

Elle continua de le fixer en se demandant si Onyx mettait toutes ces paroles dans la bouche de son mari pour l'amadouer.

– Je pensais que tu m'aimerais davantage si je pouvais aider nos enfants à développer toutes leurs facultés, ajouta Farrell. Je voulais être parfait, pour toi.

Il la sentit céder graduellement devant ses arguments, mais il ne lui avait pas encore porté le coup de grâce. Swan cacha son beau visage dans ses mains pendant quelques minutes en se rappelant tous les bons moments de sa vie avec Farrell. Elle tentait de trouver des indices qui trahissaient la présence du renégat dans son âme. Il n'avait pourtant eu pour elle que des gestes de tendresse et de confiance...

– Je comprends que tu te sentes trahie, concéda-t-il. J'aurais dû t'avouer la vérité bien avant aujourd'hui. Je t'en demande pardon. Si tu ne veux plus de moi, maintenant que tu connais mon terrible secret, je partirai. Tu seras alors libre d'unir ta vie à un homme digne de toi, même si cela me brise le cœur.

– Farrell, ne me fais pas souffrir davantage.

– Mais si je dois te quitter, je ne veux pas que ton nouveau mari devienne le père de mes enfants, même de celui que tu portes. Je les aime trop pour les abandonner à un autre homme, aussi méritant soit-il.

La jeune femme se mordit les lèvres jusqu'au sang.

– Je regrette d'avoir pris cette décision sans toi, Swan, mais je ne peux plus la changer, maintenant. Quoi qu'il advienne, je veux que tu saches que ces trois dernières années ont été les plus belles de toute ma vie. Je suis tombé amoureux de toi quand nous nous sommes rencontrés à Zénor et je ne cesserai jamais de t'aimer, même si tu choisis de me mépriser.

Il baissa tristement la tête et tourna les talons. En prenant tout son temps, il monta à l'étage supérieur. La jeune femme demeura immobile, appuyée contre le mur, à se demander si elle devait hurler de colère ou pleurer toutes les larmes de son corps. Elle se contenta de fixer l'escalier de pierre. Les dernières paroles de Farrell se répercutaient dans sa tête avec de plus en plus d'insistance. Il savait qu'elle était enceinte et il aimait déjà cet enfant !

Avait-il raison de prétendre qu'il était un homme différent du Chevalier et du paysan ? Le comportement méchant et arrogant de Sage lors de sa possession par le renégat n'avait rien en commun avec la compréhension et l'affection de son époux.

– Farrell ! implora-t-elle en traversant l'océan de coussins multicolores.

Elle grimpa au deuxième étage de la tour. Le magicien se tenait debout devant la table. Ses yeux pâles fixaient l'épée de Candiell qu'il avait ramenée des combats. La jeune femme courut jusqu'à lui, passa ses bras autour de sa taille et appuya la joue dans son dos.

– Je ne pourrais pas trouver un meilleur mari que toi, Farrell ou Onyx... je ne sais plus comment t'appeler.

– Tu peux me donner le nom que tu veux, ma chérie, dit-il, un sourire éclairant son visage.

– Je veux que nous restions ensemble, mais je t'interdis de laisser entrer d'autres fantômes chez nous.

Farrell se retourna et l'embrassa avec passion.

– Et moi, je ne pourrais pas trouver une meilleure épouse que toi, chuchota-t-il à son oreille. Je suis content de sentir un troisième petit garçon en toi.

– Pas un autre, geignit-elle. Je voulais une fille.

Il la souleva dans ses bras et la porta jusqu'à leur lit en continuant de l'embrasser.

– Combien d'épouses as-tu eues avant moi ?

– Deux, mais tu n'as rien à craindre. Je suis veuf depuis cinq cents ans.

Elle éclata de rire et il en profita pour lui retirer sa tunique. Swan se laissa gagner par son ardeur en pensant que, tout compte fait, elle aimait bien le troisième homme qu'il était devenu.

Tandis que Farrell la caressait, elle s'inquiéta de la réaction qu'aurait Jasson lorsqu'il apprendrait qu'Onyx habitait désormais le corps du paysan. Le renégat lui avait fait beaucoup de mal, autrefois. Farrell sentit que ses pensées s'égaraient. Il multiplia donc les baisers pour ramener son attention sur leurs jeux amoureux.

– Comment s'appelaient tes autres femmes ? demanda-t-elle.

– Tu es impossible ! s'exclama-t-il en se redressant.

Elle le saisit par ses longues mèches noires et l'attira dans ses bras. En riant, elle s'abandonna complètement à lui, oubliant la guerre, les insectes et les épreuves qui les attendaient.

37

UN PRISONNIER FAROUCHE

Lorsque Kevin ouvrit finalement les yeux, il reposait dans l'obscurité la plus totale. Alors que ses sens se réveillaient un à un, il sentit que le sol bougeait sous lui. Au bout d'un moment, il comprit qu'il était couché sur le ventre. Le mouvement du plancher le faisait légèrement glisser de gauche à droite. Il n'était donc pas sur la terre ferme, mais dans un chariot ou quelque autre moyen de transport similaire. Il voulut se dresser sur les coudes. Une terrible douleur à la tête l'en empêcha. Il chercha aussitôt la cause de son mal : on l'avait frappé avec un objet lourd qui avait bien failli lui fracasser le crâne. À l'aide de ses pouvoirs de guérison, il enraya son mal sans trop de difficulté.

De plus en plus conscient, il capta une odeur de pourriture autour de lui. L'avait-on cru mort sur le champ de bataille et jeté dans un fardier rempli de cadavres pour le ramener à Émeraude ? Si oui, il lui fallait rapidement faire savoir à ses frères qu'il était toujours vivant !

En rassemblant ses forces, il parvint à se retourner sur le dos. Depuis combien de temps se trouvait-il dans cet endroit lugubre ? Les grondements de son estomac semblaient indiquer un long coma, mais il n'avait aucune façon de le vérifier.

Ses yeux s'habituèrent graduellement à la noirceur. Il tendit davantage l'oreille. Il perçut le bruit des vagues tout près. Allait-il être brûlé sur la plage ? Un cliquetis métallique de mandibules ennemies lui glaça le sang. Ses sens magiques repérèrent une vingtaine de guerriers noirs autour de lui. Il était dans la cale d'un vaisseau impérial !

En poussant son exploration, il découvrit que le bateau naviguait en pleine mer. Seul au milieu de ses ennemis, ses frères ne pouvaient plus lui venir en aide. Les insectes le ramenaient sans doute sur leur continent, mais il n'arrivait pas à déchiffrer la signification de leurs sifflements. Il repassa donc dans son esprit tout ce qu'il savait sur l'empire. Machines à tuer cruelles, les guerriers noirs ne faisaient jamais de prisonniers, d'après Wellan. Le seul humain capturé par Amecareth avait été conduit dans sa forteresse par ses sorciers. Il s'agissait du fils d'Hadrian d'Argent. Son enlèvement avait été destiné à obliger les Chevaliers d'Émeraude à se soumettre.

Mais Kevin n'était qu'un simple soldat, pas un prince. De toute façon, Wellan ne céderait pas à un tel chantage, même si la vie de ses Chevaliers lui tenait à cœur. Le grand chef ne condamnerait jamais tout Enkidiev pour sauver un seul homme. Il n'en tenait donc qu'à lui de se sortir tout seul de ce mauvais pas. Il allait enfin savoir si son entraînement valait quelque chose.

La meilleure façon de se soustraire aux tourments qui l'attendaient dans la forteresse d'Amecareth consistait à couler l'embarcation avant qu'elle n'atteigne sa destination, même s'il devait perdre la vie en même temps que tous les guerriers noirs. Il leva la main vers le gouffre obscur devant lui. Un rayon incendiaire s'échappa aussitôt de sa paume, illuminant la cale de bois et enflammant les poutres transversales. Un terrible bourdonnement s'éleva dans le vaisseau. D'un seul bloc, les énormes insectes foncèrent sur lui pour qu'il ne lance pas d'autres faisceaux semblables.

Kevin recula aussi rapidement qu'il le put en rampant, mais il heurta un obstacle. Les insectes s'arrêtèrent à quelques pas de lui, hésitants. En levant le regard, Kevin aperçut au-dessus de lui le corps recouvert de plumes noires et le bec menaçant d'Asbeth. Le Chevalier tendit aussitôt les deux bras pour l'attaquer, mais le sorcier ne lui en donna pas le temps.

Il planta ses serres sur sa gorge, le clouant brutalement sur le plancher. Au lieu de laisser partir les rayons meurtriers, Kevin se servit plutôt de ses mains pour tenter de se dégager.

– Si tu ne restes pas tranquille, je les laisserai te dévorer, le menaça Asbeth de sa voix éraillée.

Incapable de se libérer et ressentant le besoin urgent de respirer, Kevin cessa de se débattre. Le mage noir le lâcha et l'observa tandis qu'il reprenait son souffle en se frictionnant la gorge. Puis, d'un battement d'aile, Asbeth éteignit le feu qui léchait les traverses. Il éclaira ensuite toute la cale de lumière bleue. Ce geste calma immédiatement les guerriers de l'empereur. Un à un, ils reprirent leur place contre les murs arrondis et semblèrent s'assoupir.

– Que me voulez-vous ? maugréa Kevin, la voix rauque.

– Il y a fort longtemps que je n'ai pas eu le plaisir de posséder un petit animal de compagnie, ricana Asbeth.

– Je ne suis pas un animal, je suis un être humain !

– Ta race fait partie des créatures inférieures de l'univers. J'ai parfaitement le droit de te capturer et de disposer de toi à ma guise. Comment t'appelle-t-on, vermine ?

Kevin demeura silencieux. Il n'allait certainement pas lui rendre la vie facile pendant sa captivité. Asbeth se déplaça autour de lui en l'examinant attentivement.

– Si tu ne me dis pas ton nom, je t'en donnerai un.

– Ce serait une pure perte de temps, puisque je ne prévois pas rester longtemps, riposta le Chevalier avec bravade.

Asbeth se mit à croasser bruyamment et Kevin devina qu'il s'agissait là de sa façon de rire. « Il va bientôt trouver cela moins drôle », se promit le Chevalier, car il avait la ferme intention de lui donner du fil à retordre.

– J'aime les animaux capricieux, approuva le sorcier en penchant la tête de côté. Ils sont plus intéressants, même s'ils ne vivent pas longtemps. Je crois bien que je vais t'appeler Argoth. Dans ta langue primitive, cela veut dire « défi ».

Asbeth s'accroupit lentement près du Chevalier. Kevin tenta de le sonder : il ne capta que des sifflements et des cliquetis dans son esprit.

– Si tu te sers une autre fois de tes pouvoirs, je serai obligé de te corriger, l'avertit Asbeth.

Kevin trouva l'homme-oiseau bien naïf de croire qu'il allait docilement se laisser conduire à l'abattoir. Mais il ne répliqua pas pour ne pas s'attirer sa colère. Satisfait, Asbeth s'éloigna. Le Chevalier posa aussitôt ses mains à plat sur les planches pour en déterminer l'épaisseur. Elles étaient étonnamment minces. Il ne serait donc pas difficile de les percer avec quelques rayons d'énergie. Il devait s'assurer de causer le plus de dommages possible au vaisseau pour éliminer les éventuels poursuivants. Il laissa donc ses sens magiques parcourir attentivement le plancher. Plusieurs endroits offraient des faiblesses. Il lui faudrait agir rapidement pour éviter les serres d'Asbeth.

Kevin commença par s'asseoir en observant la réaction de ses geôliers. Aucun d'eux ne remua un muscle. Alors il passa à l'attaque, dirigeant deux courts rayons lumineux sur les planches qu'il avait ciblées. Avant que qui que ce soit puisse réagir, le plancher du vaisseau vola en éclats et l'eau s'infiltra en tourbillons meurtriers dans la cale.

La force de l'impact projeta Kevin contre une rangée de tonneaux. Heureusement pour lui, le choc ne lui fit pas perdre conscience. Il plongea immédiatement dans l'eau froide et nagea entre les jambes musclées des guerriers noirs qui cherchaient tous à grimper sur le pont. Le courant, par contre, s'avéra coriace. Dès que l'eau eut complètement envahi l'intérieur de l'embarcation, le Chevalier n'eut aucun mal à sortir par le trou béant.

Kevin s'éloigna le plus possible avant de faire surface. Il aurait bien aimé se rendre encore plus loin, mais ses poumons avaient besoin d'air. Sa tête émergea des vagues sombres. Il chercha à s'orienter. Plus loin, devant lui, le vaisseau impérial sombrait lentement au milieu des cris de détresse de ses passagers. À son grand désarroi, il vit que deux autres embarcations le suivaient ! Kevin n'avait plus le choix : il devait les détruire aussi.

Le poids de sa cuirasse mouillée et de sa cape qui s'emmêlait dans ses jambes risquait de l'entraîner vers le fond. Il en détacha donc les courroies de cuir et les laissa couler.

Des cliquetis de colère s'élevaient des autres bateaux. Kevin n'avait jamais eu à combattre ailleurs que sur la terre ferme. « Il y a toujours une première fois », pensa-t-il. Sans savoir s'il aurait du succès, il pointa ses paumes trempées vers ses poursuivants et laissa partir de puissants rayons. « Mes mains fonctionnent même dans l'eau ! » se réjouit-il.

Le premier faisceau lumineux faucha toutes les rames du même côté de l'embarcation. L'autre ouvrit un trou béant dans sa coque. Kevin n'avait pas le temps d'attendre qu'elle coule. Le deuxième vaisseau fonçait droit sur lui. Il laissa partir des jets incendiaires en nageant sur place. Ils enflammèrent tout ce qui se trouvait sur le pont – équipage, cordages et vivres –, mais ne ralentirent pas la course du bâtiment de guerre pour autant. L'arête de la proue approchait à vive allure.

Désespéré, Kevin tendit les deux mains, priant tous les dieux de lui venir en aide. L'embarcation trembla comme si elle avait heurté un écueil. Le Chevalier tourna ensuite les poignets, faisant chavirer le bateau sur le côté. Ignorant si ces guerriers noirs, différents de tous ceux qu'il avait affrontés dans le passé, savaient se mouvoir dans l'eau, le Chevalier décida de ne pas s'attarder. Dans la pâle luminosité du matin, il distingua les contours de la côte. Se croyant en vue d'Enkidiev, il y mit le cap sans hésitation. Il battit des jambes pendant de longues heures. Lorsque ses genoux touchèrent enfin la vase, le soleil se levait au-dessus des flots. Il comprit tout de suite qu'il se trouvait en territoire inconnu, car, chez lui, l'astre du jour se couchait dans l'océan au lieu de s'y lever. Il était sur Irianeth !

Kevin reprit son souffle en marchant à quatre pattes dans l'eau qui lui arrivait aux épaules. Il atteignit une vaste plage dénudée, composée surtout de gros rochers et de cailloux. En tentant d'échapper aux griffes d'Asbeth, il s'était lui-même jeté dans la gueule de l'Empereur Noir !

Le Chevalier étudia le terrain. Il se doutait bien que le sorcier mettrait tout en œuvre pour le retrouver. À sa gauche se dressait une imposante montagne isolée sur la plage. Il y dirigea ses sens magiques et y capta d'innombrables créatures vivantes. « Est-ce la forteresse d'Amecareth ? » se demanda-t-il. Il poursuivit son exploration vers le nord, où courait une chaîne de montagnes escarpées. Sa partie occidentale recelait de la vie, mais pas sa partie la plus éloignée. Il pourrait sans doute s'y réfugier, le temps de concevoir un plan pour rentrer chez lui.

Kevin sortit de l'eau. Ses vêtements de toile lui collaient à la peau et ses cheveux noirs étaient plaqués sur ses joues. Il contourna les rochers. Le soleil montait de plus en plus dans le ciel. Il le réchauffait graduellement tout en faisant sécher sa tunique et son pantalon, mais ses bottes humides devenaient de plus en plus inconfortables. Les montagnes se trouvaient très loin de la mer. Il mettrait sans doute plusieurs jours à les atteindre, mais il ne voyait pas d'autre option. Il songea à communiquer avec Wellan, puis se rappela que ses ennemis captaient les transmissions de pensées, même s'ils n'en comprenaient pas la teneur. Ils le repéreraient sans difficulté.

Refusant de capituler, Kevin marcha jusqu'au crépuscule, tiraillé par la faim et ralenti par ses muscles endoloris. Il entendit alors des grondements rauques. Pour avoir participé à plusieurs chasses au dragon, il reconnut tout de suite ces rugissements.

Il tourna la tête : un troupeau d'une dizaine d'animaux suivaient sa trace ! « Pas question que je leur serve de repas ! » décida le soldat. Il s'élança en terrain découvert vers un groupe d'énormes rochers érodés par la mer. Le sol se mit à trembler sous ses pieds. Les énormes bêtes le pourchassaient comme une meute de loups affamés.

38

IRIANETH

Kevin atteignit enfin les étocs. Une mâchoire se referma sèchement sur ses talons. Le Chevalier plongea dans l'ouverture d'une petite grotte au pied de l'amas minéral et se traîna à quatre pattes aussi loin qu'il le put dans cette cachette providentielle. Le dragon introduisit son cou effilé derrière lui. Sa tête hideuse réussit à se faufiler jusqu'à sa proie humaine.

Le Chevalier fouilla le sol en vitesse, saisit une pierre et l'écrasa entre les yeux rouges du monstre. La bête poussa un cri de rage. Elle rétracta son cou en faisant trembler la caverne. Des coups sourds se mirent alors à résonner autour du soldat. Les dragons essayaient de détruire la tanière ! Des fragments se détachèrent des parois et il dut protéger sa tête avec ses bras. L'attaque se poursuivit pendant d'interminables minutes, puis des fissures laissèrent finalement entrer dans le refuge la lumière dorée de la fin du jour. Des larmes de frayeur coulant sur son visage sale, Kevin se mit à prier Ivana, la déesse protectrice de Zénor, même si elle avait souvent failli à sa tâche dans le passé.

Le rocher se fendit en deux comme une coquille d'œuf. Dans un tourbillon de poussière, le Chevalier aperçut les têtes des dragons noirs qui cherchaient à le dévorer. Terrorisé, il détala comme un lapin en direction d'un autre rassemblement de menhirs déchiquetés. Il entendit claquer les mâchoires de plusieurs créatures dans son dos. S'il n'était pas en sécurité à l'intérieur du roc, peut-être le serait-il dans les hauteurs... Il atteignit les pics et se mit à grimper.

Les grondements cessèrent brusquement. Au sommet de son nouveau sanctuaire, Kevin risqua un œil sous lui : les dragons l'observaient en remuant la queue comme des chats mécontents. Le Chevalier ne comprit la raison de leur soudaine docilité que lorsque le sorcier Asbeth s'éleva doucement dans les airs, près de lui. Saisi de panique, Kevin lui opposa aussitôt sa paume lumineuse, mais aucun rayon mortel ne s'en échappa. Au contraire, sa propre énergie lui causa une terrible douleur dans tout le bras. Il faillit même perdre son emprise dans les anfractuosités du pic.

– Je suis très fâché contre toi, Argoth, siffla le sorcier.

Asbeth fonça sur le Chevalier à la manière d'un faucon et le saisit à la gorge d'une seule serre. Kevin était si épuisé qu'il ne se débattit même pas lorsque le mage noir le transporta par la voie des airs jusqu'à une ouverture ronde dans la grande montagne. Ses pieds touchèrent finalement le sol, mais Asbeth ne le libéra pas pour autant. Il le traîna dans d'innombrables couloirs faiblement éclairés par des pierres phosphorescentes jusqu'à une alcôve puante. En colère, le sorcier projeta sa proie sur le sol crasseux de sa cellule. Kevin s'effondra sur le plancher en haletant. Tout son corps le faisait souffrir.

– Tu as causé beaucoup de dommages à l'empire, vermine, le tança Asbeth. Tu seras sévèrement puni.

Les yeux de Kevin firent rapidement le tour de la pièce sphérique, à la recherche d'un objet pour assommer cet oiseau de malheur. Il vit de grosses louches, des flacons variés sur une tablette, de petits animaux morts suspendus la tête en bas, un gros chaudron fumant et un mobilier très modeste. Sur une table de bois, près de la couchette, reposait une dague.

– Regarde-moi quand je te parle ! hurla le sorcier.

Le Chevalier reporta vivement son attention sur son affreux visage mi-oiseau, mi-insecte en pensant qu'il ne se soumettrait jamais à sa volonté, même s'il devait passer le reste de sa vie emprisonné dans cet endroit funeste.

– Ne perdez pas votre temps ! le défia-t-il. Je suis un homme libre et je mourrai libre !

Kevin dirigea son regard vers le fond de la pièce. Le poignard décolla de la table en direction d'Asbeth. Avant qu'il puisse s'enfoncer dans sa gorge recouverte de plumes, le sorcier leva la main. L'arme s'immobilisa devant ses yeux violets. Malgré tous ses efforts, le Chevalier ne parvint plus à la faire bouger. Kevin voulut bondir pour s'en emparer, mais elle repartit brusquement vers la table d'où elle venait.

– Je vois que je t'ai bien choisi, se radoucit Asbeth en affichant ce qui ressemblait à un sourire de satisfaction sur son bec pointu. Ton instinct de survie est puissant.

Il fit un geste de la serre. Des bracelets d'acier venus de nulle part se refermèrent sur les poignets du Chevalier. Kevin se débattit en vain : il était retenu par des chaînes attachées au mur derrière lui. Il se mit à tirer sur ses liens, mais ils étaient trop solides pour être brisés par la seule force de ses bras.

– Si ton comportement s'améliore dans les prochaines heures, tu auras droit à un repas. Mais si tu recommences à faire des bêtises, tu ne mangeras rien avant demain.

Kevin entendit des sifflements secs dans son esprit. Le sorcier se redressa fièrement. Quelqu'un s'adressait à lui par télépathie. Sans plus prêter attention à son prisonnier, Asbeth tourna les talons et quitta l'alcôve. Sans perdre une seconde, le soldat chercha autour de lui un outil susceptible de briser ses chaînes. Aucun des objets qui l'entouraient n'était assez solide pour casser les maillons d'acier, même la dague. Son regard s'arrêta alors sur la potion qui fumait dans le gros chaudron. Pouvait-elle être suffisamment corrosive ? Il se remit debout en tremblant sur ses jambes et s'approcha de la marmite géante. Mais ses liens, trop courts, l'empêchèrent de l'atteindre.

Malgré son épuisement, Kevin fit appel à son pouvoir de lévitation pour tirer à lui le chaudron noir. Ce dernier glissa lentement sur le sol. Le Chevalier inspecta le liquide nauséabond en fronçant les sourcils, incapable d'en déterminer la composition. Prudemment, il y trempa un anneau. Un sifflement aigu s'éleva de la marmite. « Pourvu que le bruit n'attire pas le sorcier », espéra le soldat.

Asbeth aurait préféré rester dans sa cellule avec le farouche Chevalier afin d'imprimer les règles de la ruche dans son esprit rebelle, mais il ne pouvait pas faire attendre l'empereur qui désirait un compte rendu de sa mission. L'homme-oiseau se rendit jusqu'à l'alcôve royale, où il se prosterna avec respect. Amecareth avait dû être informé de la perte de la plupart de ses vaisseaux et d'un grand nombre de ses guerriers, car le sorcier le sentit particulièrement maussade.

– Relève-toi, Asbeth, commanda-t-il.

Le sorcier lui obéit sur-le-champ. Son maître ne portait qu'une simple tunique de cuir sur sa carapace huilée. Aucun bijou.

– Tu as réussi à capturer un humain, mais à quel prix ? lui reprocha-t-il.

– Nous devions nous emparer d'une créature combative, puis-je me permettre de vous le rappeler, monseigneur ?

– Je ne veux pas que tu le gardes longtemps, sorcier. Il a causé suffisamment de dommages. Mais avant que tu l'infectes et que tu le retournes parmi les siens, je veux le voir.

– C'est un humain dangereux et...

– Depuis quand discutes-tu mes ordres ?

– Il en sera évidemment fait selon votre volonté.

Amecareth allait congédier son mage noir lorsqu'ils ressentirent tous les deux une vibration d'alarme. Asbeth comprit aussitôt que son prisonnier avait une fois de plus fait des siennes.

– Pourquoi est-il libre dans ma forteresse ? s'emporta l'empereur.

– Je n'en sais rien, mais il n'ira pas loin, assura l'homme-oiseau en exécutant des courbettes jusqu'à la sortie de la cellule royale.

Asbeth s'élança dans le couloir en poussant un hurlement de colère. En contactant l'esprit de la collectivité, il retrouva facilement le Chevalier qui tournait en rond à l'étage inférieur, tentant de sortir de la montagne. Il ordonna aux guerriers qui protégeaient la forteresse d'intercepter le fuyard.

✧ ✧
✧

Ayant réussi à affaiblir ses maillons dans la sombre mixture du chaudron puis à les casser, Kevin avait déguerpi sans demander son reste. Il tenta de retourner sur ses pas en cherchant sa propre énergie dans le sol, mais sa piste était plutôt faible. Son instinct l'informant qu'il serait mis à mort s'il restait une seconde de plus dans cet endroit horrible, il se mit à courir malgré sa fatigue. Il bouscula les insectes ouvriers qui déambulaient dans les couloirs arrondis. Il savait que les dragons patrouillaient sur la plage autour du palais, mais il préférait les affronter plutôt que d'être torturé par Asbeth.

Soudain, deux énormes soldats insectes lui bloquèrent le chemin. Le Chevalier tendit les paumes. Des rayons d'énergie frappèrent les colosses en pleine poitrine sans pour autant les arrêter. Au lieu de fuir devant ces adversaires trop puissants pour lui, Kevin fonça. Son geste prit les insectes au dépourvu et causa leur perte. Le Chevalier s'empara de la lance du premier. Sans hésitation, il l'enfonça à l'intérieur de son coude en lui arrachant un sifflement de douleur. L'autre guerrier passa à l'attaque. Kevin para ses coups puissants avec l'arme du premier, sentant faiblir ses bras. Il ne possédait plus la force de combattre toute l'armée de l'empereur, alors il pressa son offensive. Il enroula un faisceau d'énergie invisible autour des jambes de l'insecte, puis le tira vers lui. Le guerrier noir tomba sur le dos. Kevin lui marcha sur le corps afin de poursuivre sa route vers la liberté.

Il conserva la lance, au cas où d'autres guerriers tenteraient de l'arrêter, et il courut sans regarder derrière lui. Ces couloirs semblaient tourner en rond comme une spirale et ne mener nulle part. Au bout de quelques minutes, il aperçut enfin la lumière orangée du couchant au bout d'un passage transversal. Il allait s'y engager lorsque le sorcier se matérialisa devant lui. Cruellement, Asbeth lui enfonça ses serres dans la gorge. Kevin étouffa un cri de surprise, laissa tomber la lance et agrippa l'aile du sorcier en se débattant avec le peu de force qui lui restait.

– Tu vas apprendre à me respecter, Argoth !

Asbeth le traîna de nouveau jusqu'à son alcôve. Kevin s'écrasa sur ses genoux et tenta d'arrêter le sang qui coulait abondamment de ses plaies. Le sorcier arpenta la pièce en étudiant son expression rebelle. Aucun insecte ne possédait un tel instinct de survie, sinon le monde appartiendrait déjà à sa race.

– Il semble que les liens conventionnels ne suffisent pas à te retenir.

Kevin ne répliqua pas, mais il ne se soumit pas pour autant. Asbeth ne put s'empêcher de penser que, s'il avait à son service une armée de soldats aussi farouches que lui, il pourrait facilement détrôner l'empereur. Mais il avait promis à Amecareth de le débarrasser une fois pour toutes des humains, alors il sacrifierait la vie d'Argoth pour bien paraître aux yeux de son maître. Il releva brusquement son aile recouverte de plumes noires. Kevin sentit une puissante force le soulever sur ses pieds et lui ouvrir les bras en croix. Asbeth écarta l'autre aile. Deux énormes clous apparurent du néant. Ils décollèrent dans les airs en direction du Chevalier pour s'enfoncer dans ses paumes, le fixant sur la paroi de pierre.

– Wellan ! hurla Kevin, déchiré par la douleur.

Il perdit conscience.

39

UN PLAN CONTESTÉ

Wellan incinéra ses deux braves Chevaliers avec tous les honneurs dus à leur rang. Il s'entretint ensuite avec Émeraude Ier et Hawke afin de leur décrire la bataille sur la côte aussi fidèlement que possible. Mais il ne leur parla pas de l'intervention de Farrell. Ce soir-là, au milieu de ses soldats en voie de rétablissement, mais toujours d'humeur sombre, le grand chef décida de renvoyer ses lieutenants dans les royaumes au bord de l'océan. En observant Falcon, qui mangeait en silence près de Wanda, il choisit de laisser son groupe au château. Celui de Santo le remplacerait donc au Royaume d'Argent. De son côté, il se porterait sans tarder au secours de Kevin.

Il allait mordre dans un morceau de pain lorsqu'il ressentit une effroyable douleur dans ses paumes. Il poussa une plainte sourde et baissa les yeux sur ses mains qui, pourtant, ne présentaient aucune lésion. Tous ses compagnons avaient ressenti la même chose.

– C'est Kevin ! s'exclama Nogait en bondissant brusquement sur ses pieds.

À côté de lui, Sage, soudainement très pâle, se précipita en direction du seau à ordures où il vomit son repas. Tous les Chevaliers se mirent à demander des explications à leur chef en même temps, si bien qu'un grand bourdonnement s'éleva dans le hall.

– Wellan, il faut faire quelque chose ! l'implora Nogait. Nous ne pouvons pas le laisser là !

Le grand chef releva la main pour les faire taire. Graduellement, le silence retomba dans le hall. Inquiets, les soldats le fixaient, espérant qu'il leur donne enfin l'ordre de foncer sur la forteresse de l'empereur.

– J'ai déjà élaboré un plan pour lui venir en aide, déclara-t-il sur un ton autoritaire.

– Alors, partons maintenant ! s'enflamma Bailey au nom de tous.

– J'ai décidé d'y aller seul.

Des protestations s'élevèrent de toutes parts. Wellan dut attendre une fois de plus que ses compagnons se calment.

– Mais tu ne sais même pas où se trouve l'empire ! protesta Dempsey, quelques bancs plus loin. Tes bracelets ne pourraient pas t'y emmener !

– C'est exact, concéda Wellan, mais je connais un homme qui s'est déjà rendu dans la forteresse d'Amecareth.

Cette déclaration surprit les soldats d'Émeraude, qui se turent et fouillèrent leur mémoire.

– Il n'y a qu'Onyx et certains de ses hommes qui y soient allés il y a des centaines d'années... et Onyx est emprisonné dans la tour du Magicien de Cristal, se souvint Volpel.

– Non, il n'y est plus, répondit Wellan.

Sage, que Kira avait réussi à apaiser, se remit à vomir de plus belle, terrorisé à l'idée de partager de nouveau son corps avec le renégat.

– Onyx s'est échappé de la tour il y a trois ans, poursuivit le grand Chevalier.

Il aperçut la stupeur sur leurs visages. Était-il prudent de leur faire ces révélations avant de les renvoyer sur la côte ? Il promena lentement son regard sur chacun de ses soldats et l'arrêta sur Swan. Contrairement à ses frères surexcités, elle le fixait avec appréhension. « Elle connaît la vérité », supposa Wellan. Heureusement, ce soir-là, son mari magicien s'occupait du bébé qui perçait des dents, car le grand chef aurait été incapable de briser devant lui sa promesse de ne pas révéler sa véritable identité.

– Tu sais donc où se cache Onyx, devina Ariane.

– Oui, et avant que je vous dise quoi que ce soit à son sujet, vous allez devoir prêter serment sur votre honneur de Chevalier de ne pas lui faire de mal.

– Quoi ! s'exclama Jasson, en colère. Il a tenté d'éliminer ma famille !

– Il a aussi voulu me tuer, mais je lui ai pardonné, répliqua Wellan. Ce n'est pas de nous qu'il veut se venger, mais d'Abnar. La preuve qu'il ne nous veut aucun mal, c'est que nous le côtoyons depuis trois ans déjà et qu'il ne s'est pas produit le moindre incident.

– Dis-nous qui c'est, le pressa Bergeau en entourant les épaules de Jasson d'un bras apaisant.

– Le serment d'abord, exigea Wellan, les mains sur les hanches.

Santo fut le premier à refermer son poing et à le rabattre sur sa cuirasse, juste au-dessus de son cœur. Ses compagnons le considérèrent avec surprise, car, habituellement, le guérisseur aimait réfléchir avant de prendre une décision importante. Se fiant à lui, les hommes de son groupe l'imitèrent. Puis, un à un, les autres Chevaliers acceptèrent de ne pas s'en prendre à Onyx en apprenant sa nouvelle identité. Sauf Jasson.

Furieux, il se défit de l'emprise de Bergeau et voulut quitter le hall. Mais, désirant que tous ses soldats agissent comme un seul homme, Wellan lui barra la route.

– Si je ne connais pas son nom, je ne serai pas tenté de lui casser la figure, maugréa Jasson, les joues cramoisies.

– Tu es un Chevalier d'Émeraude comme les autres, lui rappela son chef en le fixant dans les yeux. Tu comprends que le sort d'Enkidiev est plus important que nos envies de vengeance personnelle.

– Tu me demandes l'impossible, Wellan.

– Je veux seulement que tu me fasses confiance. J'ai besoin des connaissances d'Onyx pour délivrer Kevin. Je n'y arriverai pas sans lui.

– Je ne t'empêcherai pas de te servir de lui, tu le sais bien.

– Je veux que tu prêtes le même serment que tes frères et tes sœurs d'armes, parce que c'est notre cohésion qui donne toute sa force à notre Ordre.

Jasson risqua un œil du côté de ses compagnons. Leur attitude disait clairement leur insistance. Mais, depuis le dernier passage d'Onyx au château, il ne parvenait pas à effacer de sa mémoire l'image de sa ferme dévastée par l'énergie maléfique du renégat, ses animaux morts dans ses champs, sa maison déserte. Afin de l'écarter de sa route, Onyx avait fait disparaître sa famille. Si le Magicien de Cristal n'avait pas brisé ce sortilège, Jasson n'aurait jamais revu Sanya et Liam.

– Je t'en conjure, ne détruis pas notre harmonie, l'implora son chef.

– Je comprends ta colère, Jasson, intervint Santo. Je l'ai ressentie moi aussi, mais Wellan a raison. Nous devons faire taire nos émotions si nous voulons sauver Kevin et gagner cette guerre.

Wellan observa le guérisseur. Lui aussi s'était fait violence en ne laissant pas son amour inavoué pour Bridgess l'empêcher de se conduire en véritable Chevalier. Jasson soupira profondément. Faisant partie des plus âgés, il savait bien qu'il devait donner l'exemple à tous les jeunes loups de l'Ordre. En serrant les dents, il referma son poing, puis le ramena contre sa poitrine.

– Je te jure de ne pas faire de mal à ce monstre, promit-il, son choix de mots amusant ses compagnons.

Wellan tapota l'épaule de Jasson avec affection. « Il y avait bien longtemps qu'il ne s'était pas opposé ainsi à ma volonté », pensa-t-il. L'esquisse d'un sourire apparut sur les lèvres de Jasson qui avait capté sa remarque.

– Vas-tu enfin nous dire où il se cache ? explosa Bergeau.

Wellan revint se poster à la tête des deux longues tables. Il remarqua la nervosité de Swan.

– Il a choisi le corps d'un autre de ses descendants, répondit finalement Wellan.

– Farrell ! s'exclama Nogait, ahuri. Mais c'est impossible, voyons ! C'est un homme compréhensif qui se mêle toujours de ses affaires !

Les Chevaliers se tournèrent vers Swan : de multiples questions se bousculaient dans leurs esprits. Se sentant obligée de défendre son époux, elle se leva brusquement, prenant la parole avant que Wellan puisse ouvrir la bouche.

– Onyx ne s'est pas emparé de Farrell, proclama-t-elle sur un ton qui n'invitait pas à la discussion. Il s'est installé en lui avec son accord. Je crois d'ailleurs être mieux placée que vous pour affirmer qu'ils sont devenus un troisième homme. J'ai constaté un grand changement dans la personnalité de Farrell après notre mariage. Mais il n'est certainement pas devenu aussi arrogant que l'était Onyx dans le corps de Sage. Le renégat s'est fondu en Farrell et il ne peut plus être dissocié de sa personnalité comme il l'a été de celle de son lointain cousin. Je vous avertis tout de suite que je ne laisserai personne le mettre à mort lorsque vous aurez fini de vous servir de lui. Et je ne plaisante pas.

– Même s'il représente un danger pour nous ? s'inquiéta Dempsey.

– Je suis un Chevalier d'Émeraude, déclara Swan, mais je suis également une femme qui a juré devant les dieux de protéger et de seconder son mari.

Cet avertissement s'adressait surtout à Jasson, mais Wellan crut plus sage de ne pas jeter de l'huile sur le feu. Il demanda plutôt à ses soldats de s'asseoir et de terminer leur repas. Jasson retourna à sa place sous le regard rempli d'avertissement de Swan, mais ils ne s'adressèrent pas la parole. Avant de rejoindre ses compagnons à table, Wellan se dirigea d'abord vers Sage, que Kira éventait avec une assiette vide.

– Tu n'as absolument rien à craindre, le rassura le grand chef en posant la main sur son épaule. L'esprit d'Onyx ne sortira plus jamais du corps de Farrell, il n'en a plus la force.

– Je lui ai déjà dit tout ça, soupira Kira, mais il continue de trembler.

– Si tu savais à quel point il est atroce de se retrouver enfermé dans son propre corps sans pouvoir bouger ou parler, murmura le jeune guerrier, les larmes aux yeux.

– Oui, ce doit être terrible, fit Wellan avec compassion, mais ça ne se reproduira plus.

– Mais Onyx t'a pourtant fait du mal lorsqu'il était en moi...

– Il ne m'en fera plus, je t'en donne ma parole.

Wellan lui tapota le dos, puis rejoignit Bridgess. Il savait bien que cette mission sur le continent de l'empereur l'effrayait. Il choisit d'attendre un instant d'intimité pour lui expliquer sa décision.

Avant que les soldats regagnent leurs chambres, Wellan leur annonça qu'ils retourneraient sur la côte du continent dès le lendemain. Ils acquiescèrent et quittèrent le hall avec plus d'entrain. Seule Bridgess demeura assise sur son banc, accoudée à la table, le regard baissé. Wellan saisit le bras de Santo avant qu'il franchisse le seuil. Il le pria de reconduire son groupe à lui au Royaume des Elfes avant de se rendre au Royaume d'Argent. Le guérisseur accepta en masquant son inquiétude de le voir partir seul en territoire ennemi. Puis, Wellan s'approcha de Bridgess.

– Je serais inconsolable s'il t'arrivait malheur dans ce pays infect, gémit-elle en prenant sa main.

– Il ne m'arrivera rien. Il est beaucoup plus difficile de ressentir la présence d'un seul homme que celle de tout un groupe de soldats. Je te promets de faire preuve de prudence.

– Je comprends que c'est ton devoir de te porter au secours de Kevin, mais je ne peux pas m'empêcher d'avoir peur.

– Je reviendrai sain et sauf. Je compte sur toi pour prendre la tête de nos jeunes soldats en terre elfique.

Bridgess l'embrassa avec passion. Wellan se mit alors à songer à toutes les bénédictions que lui avaient accordées les dieux durant sa vie. Il savait que la déesse de Rubis continuerait à le protéger.

40

UN PÈRE INQUIET

Après le repas, Jasson regagna sa ferme pour passer une dernière nuit avec Sanya avant de repartir au Royaume de Zénor. Il devenait de plus en plus difficile de la laisser seule à la maison depuis que Liam vivait au château. Il y avait beaucoup de travail à faire dans les champs et les jardins. Elle menait leurs ouvriers d'une main de fer, mais, ces derniers mois, elle avait commencé à se plaindre de sa solitude.

Ce matin-là, blottie contre lui, Sanya tenta une fois de plus de le retenir dans le lit qu'il visitait de moins en moins souvent. Il caressa son visage suppliant, hypnotisé par ses yeux de velours. « Cette guerre a assez duré », décida Jasson. « Il est temps que tous les soldats reviennent enfin chez eux. »

– Si j'avais su que je passerais ma vie ici sans toi, j'aurais épousé le meunier, maugréa-t-elle.

– Il n'était pas aussi beau que moi, plaisanta-t-il.

Sanya lui donna une claque. Jasson éclata de rire comme un gamin. Au lieu de se fâcher contre lui, la jeune femme chercha plutôt ses lèvres. Le Chevalier se laissa gagner par son insistance, au risque d'arriver en retard au château. Ils firent l'amour en oubliant le reste de l'univers, puis Jasson s'arracha des bras de Sanya avec beaucoup de remords. La tête basse, il alla se baigner dans la petite rivière qui traversait ses terres, puis se vêtit en contemplant son domaine. Dès qu'il serait de garde à Émeraude, il s'en occuperait lui-même.

Il sella son cheval sans retourner à la maison. Sur la route menant à la forteresse, il repensa aux paroles de Wellan au sujet d'Onyx. Il savait que les connaissances de cet homme étaient inestimables, mais il ne pouvait tout simplement pas lui faire confiance. Tandis qu'il habitait le corps de Sage, il s'était servi de sa magie pour manipuler leur grand chef. Était-il en train de faire la même chose dans celui de Farrell ? Plus inquiétant encore, ce jeune paysan possédait des pouvoirs beaucoup plus étendus que ceux de son lointain cousin du nord.

Il franchit le pont-levis au pas. Tous ses frères et sœurs d'armes se trouvaient dans la grande cour à préparer leurs chevaux ou à faire leurs adieux à leur famille.

Jasson immobilisa sa monture au milieu de son propre groupe. Il demanda à Kardey de la surveiller pendant quelques minutes. Inquiet, le Chevalier entra dans le palais. Il se rendit tout de suite à la tour où Farrell enseignait la magie aux enfants d'Émeraude. Il gravit l'étroit escalier de pierre, s'arrêta sur le pas de la porte et promena son regard sur toutes les petites têtes tournées vers le tableau magique où leur maître faisait danser des mots en langue ancienne. Jasson repéra Liam, assis sur un gros coussin, entre Lassa et Jenifael. Il marcha jusqu'à lui sans s'excuser auprès de Farrell pour cette soudaine irruption. Il s'empara de son fils, le prit dans ses bras et le transporta jusqu'à la sortie, sans donner la moindre justification à la classe étonnée. Mais Farrell avait capté les émotions à fleur de peau du Chevalier.

– Papa, qu'est-ce que tu fais ? protesta Liam tandis que Jasson descendait l'escalier avec lui.

– J'ai bien réfléchi à ton avenir et je crois que tu deviendrais un bien meilleur soldat en étudiant auprès de maître Hawke.

– Mais je veux rester avec mes amis ! cria l'enfant.

Jasson le traîna à travers le palais en direction de la tour du magicien d'Émeraude. Il savait que le petit était très attaché à Lassa et à Jenifael, mais il ne voulait pas qu'il subisse l'influence du renégat qui se cachait dans le corps de l'apprenti magicien.

– Maître Farrell est beaucoup plus fort que maître Hawke ! tempêta Liam. Je ne veux pas changer de professeur !

– Quand tu seras grand, tu me remercieras de cette sage décision, répliqua le père. Pour l'instant, fais-moi confiance.

– Je ne serai jamais capable d'étudier sans Lassa et Jenifael !

– Tu te feras d'autres amis.

Liam se débattit et Jasson resserra son étreinte. Jamais le petit garçon n'avait senti son père aussi ébranlé. Le Chevalier grimpa dans la tour de l'Elfe magicien. Il entra alors que le maître racontait aux enfants l'histoire du Roi Hadrian. En apercevant le soldat, Hawke s'arrêta net pour le sonder. Il ressentit aussitôt sa détresse.

– Que puis-je faire pour vous, sire Jasson ? demanda-t-il en faisant attention de ne pas alarmer ses élèves.

Les enfants se retournèrent vers les visiteurs. Le Chevalier posa son fils sur le sol en le retenant solidement par les épaules.

– J'aimerais que Liam fasse désormais partie de votre classe, répondit-il avec un regard insistant.

Hawke comprit qu'il ne désirait pas lui expliquer cette requête devant tout le monde.

– Sois le bienvenu parmi nous, Liam, fit-il à l'intention du gamin au visage cramoisi.

Furieux contre Jasson, Liam était bien trop orgueilleux pour se mettre à pleurer devant tous ces gamins de son âge ou pour donner dans les jambes de son père le coup de pied qu'il méritait. Il releva bien haut la tête, refoulant ses larmes de son mieux.

– Il y a justement un tapis pour toi près de moi, ajouta l'Elfe avec un sourire chaleureux.

– Tu te plairas ici, murmura Jasson à son fils.

– Jamais, siffla Liam entre ses dents.

Il se défit brusquement de son père et se dirigea vers le professeur en longue tunique blanche. Hawke vit alors le soulagement de Jasson. Pourquoi retirait-il son fils de la classe de son apprenti ? Le Chevalier inclina légèrement la tête en guise de remerciement. Il quitta la pièce d'un pas plus léger. Il savait que Liam ferait la mauvaise tête pendant quelques jours et qu'il refuserait probablement de communiquer avec lui à l'aide de son esprit pendant sa mission à Zénor, mais en temps et lieu, il comprendrait les raisons qui le poussaient à agir ainsi.

Jasson descendit l'escalier en prenant une grande inspiration. Il s'arrêta net sur la dernière marche. Farrell l'attendait, les bras croisés. Le Chevalier posa la main sur le pommeau de son épée.

– Vous n'avez rien à craindre de moi, assura Farrell.

– Ne vous approchez pas, répliqua Jasson en se rappelant leur dernier affrontement.

– Je désire seulement savoir pourquoi vous avez retiré Liam de ma classe.

– Je veux qu'il devienne un Chevalier, pas un mercenaire.

– Je comprends que vous soyez en colère contre moi, mais ne laissez pas vos émotions vous séparer à tout jamais de votre fils.

– Ce que je décide pour ma famille ne vous concerne pas.

– Dans ce cas, disons qu'il s'agit d'un conseil d'ami. Mon père aussi a creusé un immense fossé entre lui et moi en prenant une décision qu'il jugeait importante pour mon avenir.

– Vous n'êtes certes pas mon ami, alors je n'ai rien à faire de vos conseils.

– Jasson, je vous en prie, écoutez-moi. Vous ferez ce que vous voudrez ensuite, mais donnez-moi au moins la chance de m'expliquer.

Le Chevalier demeura silencieux. Il conserva toutefois la main sur son arme.

– Je regrette infiniment ce qui s'est passé il y a quelques années, s'excusa Farrell. À cette époque, je venais à peine de réintégrer un corps physique. J'ai laissé ma fureur m'aveugler. J'étais si fâché contre Abnar que j'étais prêt à tout détruire sur mon passage pour me rendre jusqu'à lui. Ce n'était pas un comportement digne d'un Chevalier d'Émeraude, mais mettez-vous à ma place : je suis resté enfermé dans mes armes pendant plus de cinq cents ans, à revoir dans mon esprit les cadavres de mes frères que le Magicien de Cristal avait exécutés au lieu de les récompenser pour leur victoire.

Jasson demeura silencieux. Graduellement, il se sentit passer de la méfiance à la tristesse : le renégat avait touché une corde sensible.

– Qu'auriez-vous fait si vous aviez vu Wellan, Bergeau, Dempsey, Falcon, Santo et Chloé pendus au milieu de la cour de ce château ? Quelle aurait été l'étendue de votre colère ?

Farrell le vit tressaillir alors qu'il imaginait cette horrible scène dans son esprit.

– Je ne sais pas qui a répandu de sombres rumeurs à mon sujet, s'indigna le magicien. J'ai été très peiné d'apprendre qu'elles faisaient partie de vos livres d'histoire. Je vous jure qu'elles sont fausses. Je n'ai détruit que des hommes-insectes.

– Vous avez aussi tenté de me tuer sur ma propre ferme, maugréa le Chevalier.

– Si telle avait réellement été mon intention, Jasson, vous ne seriez pas ici à en discuter avec moi aujourd'hui. Je n'ai fait que vous écarter de ma route, car vous aviez deviné qui j'étais. Je ne pouvais pas vous permettre d'alerter le Magicien de Cristal.

– Avez-vous toujours l'intention de vous venger de lui ?

– Plus que jamais, mais pas avant que mes fils soient plus âgés. Je ne referai pas l'erreur d'abandonner mes enfants à leur sort une deuxième fois. Abnar est un Immortel, alors rien ne presse. Il sera encore là lorsque je serai prêt à le faire souffrir.

Jasson ne voyait pas comment un humain pouvait causer quelque douleur que ce soit à un demi-dieu. Mais il savait aussi que cet homme du passé possédait d'immenses pouvoirs magiques.

– Et j'attendrai également que Lassa ait accompli son destin, ajouta Farrell. De cette façon, aucun d'entre vous ne sera lésé par la perte d'Abnar. Vous pouvez penser ce que vous voulez de moi, Jasson, mais ne privez pas Liam d'une éducation de beaucoup supérieure à celle qu'il recevra auprès de Hawke.

– Ce n'est pas très flatteur pour le magicien d'Émeraude.

– Mais c'est la vérité. Je suis un homme réaliste, un soldat. J'ai appris à ne transmettre que de l'information valable à mes hommes, jadis, car notre vie en dépendait. Je fais exactement la même chose avec ces enfants.

– On dirait que c'est Onyx qui parle et non Farrell, se méfia Jasson.

« Pourtant, Swan prétend qu'ils sont devenus un troisième homme », se rappela-t-il. Alors, pourquoi ne ressentait-il pas la présence du paysan à l'intérieur de ce corps ?

– C'est à Onyx que vous adressez vos reproches, pas à Farrell, répliqua le renégat. Je lui ai donné mon intelligence et mes connaissances de la magie et du maniement des armes. Il m'a offert son aptitude à influencer les éléments, sa sensibilité et son amour de la vie. Personnellement, je préférerais reprendre l'épée et mettre mon bras au service de l'Ordre. Toutefois, la conscience de Farrell m'empêche d'oublier que j'ai aussi une femme et des enfants à protéger. Je ne me laisserai plus jamais aveugler par mon dévouement à notre cause, comme je l'ai fait autrefois, ni par mon besoin de vengeance.

– Vous parlez comme si vous étiez toujours un Chevalier.

– Mais je n'ai pas renoncé à mon serment. Je n'ai jamais rendu au Magicien de Cristal les pouvoirs qu'il m'a accordés. En théorie, je suis toujours l'un des vôtres.

Farrell offrit ses bras à Jasson, comme l'aurait fait n'importe lequel de ses frères après une franche discussion ou une longue séparation. Le Chevalier commença par hésiter, puis ses doigts se détendirent un à un sur le pommeau de son épée. L'aura de confiance qui émanait du magicien faisait-elle partie des nombreux pouvoirs qu'il avait reçus des dieux ? Si Wellan lui pardonnait ses crimes, c'était sans doute qu'il détectait une étincelle de bienveillance dans l'âme du renégat...

Jasson tendit lentement les bras et Farrell les serra, en le regardant droit dans les yeux. Pendant un instant, Jasson fut transporté dans une vision du passé. Il vit les pierres précieuses de la cuirasse verte d'Onyx reluisant au soleil tandis qu'il se tenait au milieu d'un champ de bataille résonnant des cris de victoire de ses hommes. Effrayé, Jasson mit fin au contact et recula.

– Je suis bien content que nous ayons fait la paix, déclara Farrell en inclinant poliment la tête.

Il savait qu'en gagnant la confiance des sept Chevaliers les plus âgés, il n'aurait aucun mal à inspirer le respect à leurs compagnons plus jeunes. Quant au Magicien de Cristal, il s'occuperait de lui en temps voulu.

– En ce qui concerne Liam, laissez-moi le temps d'y penser, balbutia Jasson.

– Oui, bien sûr.

Confus, Jasson rejoignit ses compagnons à l'extérieur. Les groupes de Santo et de Wellan étaient déjà partis. Bergeau venait à peine de matérialiser son vortex. Jasson vit ses compagnons s'y enfoncer un à un, tandis qu'il marchait vers ses propres soldats. Ce fut ensuite au tour de Chloé et Dempsey de filer au Royaume des Fées. La cour se vidait rapidement.

– On commençait à s'inquiéter, avoua Kira à son commandant.

– Il y a des adieux qui sont plus longs à faire que d'autres, répondit Jasson en reprenant les guides de son cheval. Tout le monde est là ?

– Oui, nous y sommes tous, confirma Kardey.

– Quelqu'un a-t-il vu Wellan ? demanda le commandant en grimpant en selle.

– Il est allé retrouver sa fille dans la tour de maître Farrell, l'informa Ariane. Il doit rejoindre son groupe au Royaume des Elfes plus tard.

« Pas question de l'importuner maintenant », décida Jasson en joignant ses bracelets. Le magnifique tourbillon de lumière blanche apparut et les Chevaliers s'y engagèrent.

41

Le soldat-insecte

De la fenêtre de la tour de l'apprenti magicien, Wellan regarda disparaître ses compagnons. Derrière lui, les élèves tentaient de traduire une phrase sur le tableau magique. Le grand chef n'avait pas trouvé Farrell dans sa classe, mais Jenifael lui avait dit qu'il reviendrait bientôt. Wellan avait besoin de lui.

– Je crois que j'ai saisi ! s'exclama Lassa.

Wellan se retourna et sourit devant les mines réjouies des enfants qui voulaient déchiffrer l'écriture ancienne avant le retour de leur maître. Le grand Chevalier reconnaissait les quelques mots brillant sur la surface noire du tableau. « Pas question de leur rendre la vie facile », décida-t-il. Il regarda Lassa qui, sous les lettres lumineuses, se mettait à écrire magiquement sa propre traduction dans la langue d'Émeraude.

– Celle qui ressemble à une fourche, je crois bien que c'est un « h », fit-il en plissant le front. Et à côté, le cercle avec une croix à l'intérieur est un « a ».

– Le triangle bizarre qui le suit est un « d », j'en suis certaine, affirma Jenifael. Est-ce que j'ai raison, papa ?

– Je ne suis qu'un observateur dans cette classe, se déroba Wellan.

– Mais nous pouvons remédier à cette situation, suggéra Farrell en entrant dans la pièce. Je vous en prie, sire Wellan, joignez-vous à nous.

Surpris par l'invitation, Wellan ne bougea même pas un cil. Jenifael et son amie Odélie s'empressèrent de lui prendre les mains pour le faire asseoir sur un gros coussin bleu.

– Il vous faudra évidemment attendre la prochaine énigme, puisque celle-ci est trop facile pour un érudit tel que vous, le taquina Farrell.

– Mon père est le plus savant de tous les hommes, riposta fièrement Jenifael.

– Mais ma fille semble oublier qu'un futur Chevalier d'Émeraude doit faire preuve d'humilité en toutes circonstances, lui rappela Wellan en lui décochant un regard aigu.

– Elle a seulement beaucoup d'admiration pour vous et cela est tout à fait normal chez une petite fille de son âge, l'excusa Farrell avec un sourire aimable.

Les enfants se mirent ensemble pour solutionner les mots mystérieux qui flottaient toujours devant leurs yeux. Avec un peu d'aide de la part de leur professeur, ils finirent par découvrir leur signification : « Hadrian, Roi d'Argent et Chevalier d'Émeraude ». Le magicien les fit disparaître pour les remplacer par les contours lumineux d'un guerrier d'élite de l'empereur. Wellan haussa les sourcils d'un air interrogateur. Farrell, cependant, choisit de l'ignorer.

– Quelqu'un peut-il me dire ce que c'est ? demanda-t-il à sa classe.

– C'est un soldat d'Irianeth ! observa Lassa avec une grimace de dégoût.

– Et comment le sais-tu ? s'étonna Jenifael.

– Je les ai vus en rêve, évidemment !

– Quelqu'un peut-il m'indiquer leur taille ? les questionna Farrell.

– Ils sont plus grands que le Chevalier Wellan, répondit Liam en faisant irruption dans la classe.

Les élèves manifestèrent leur joie de le revoir. Le garçon s'élança au milieu d'eux, recevant leurs claques amicales avec beaucoup de plaisir. « Ils deviendront une génération de soldats aussi attachés les uns aux autres que les sept premiers Chevaliers », constata Wellan.

– Peux-tu nous en dire plus au sujet de nos ennemis, Liam ? fit Farrell en se croisant les bras.

Le petit garçon leur récita tout ce que son père lui avait appris sur les véritables guerriers d'Amecareth.

– Il n'y a qu'une façon de les détruire, ajouta Jenifael, car le feu ou les rayons d'énergie n'abîment pas leur carapace.

Liam lui céda la parole, comme un véritable Chevalier qui respectait l'opinion de ses frères et de ses sœurs d'armes. Pendant que Jenifael leur parlait de la façon de vaincre ces monstres géants, Wellan se demanda s'il aurait le bonheur d'assister à son adoubement. Tout comme Candiell et Fallon, il risquait lui aussi de périr aux mains de l'ennemi.

– Lorsque vous aurez appris à maîtriser votre magie, je vous montrerai la façon la plus rapide de leur faucher les bras, les informa le magicien.

Wellan désapprouva cette initiative. Il ne pouvait cependant pas lui servir un avertissement devant toute sa classe sans risquer de lui faire perdre le respect des enfants.

– Évidemment, nous utiliserons une version réduite de ce guerrier répugnant. Le but de cette leçon est de vous familiariser avec vos adversaires, pas de vous effrayer.

Le dessin se détacha brusquement du tableau et sauta sur le sol en arrachant un cri de surprise aux jeunes élèves. Même Wellan posa instinctivement la main sur le pommeau de son épée.

– Voyons d'abord à quoi ressemble vraiment un combattant d'Irianeth, poursuivit Farrell, amusé par leur réaction.

Des muscles se matérialisèrent sur les contours brillants du croquis qui flottait librement dans les airs, puis des veines, des artères et une couche de peau mauve. Des griffes poussèrent au bout des quatre doigts de ses mains et des quatre orteils de ses pieds. Une épaisse carapace noire couvrit graduellement son torse et chacun de ses membres. Sous les yeux écarquillés de l'auditoire, des mandibules apparurent à l'endroit où aurait dû se trouver une bouche. Lorsqu'elles se mirent en mouvement, les enfants hurlèrent de terreur et se cachèrent derrière Wellan. Des yeux énormes se dessinèrent sur le visage sombre et s'allumèrent d'une vive lumière rouge. Éclatant en sanglots, Lassa se fraya rapidement un chemin à quatre pattes jusqu'au grand chef qui regardait la scène avec autant d'étonnement que les élèves. Le petit prince cacha aussitôt son visage contre la poitrine de Wellan.

– Ce n'est qu'une création magique, chuchota le Chevalier en lui caressant la nuque. Tu sais bien que nous ne laisserions jamais une telle créature circuler dans le Château d'Émeraude.

– Avez-vous des questions ? s'enquit Farrell.

– Est-ce que c'est une fille ou un garçon ? voulut savoir Maryne.

– Ces soldats sont tous des mâles.

– Alors, comment font-ils pour avoir des bébés ? se renseigna Jenifael, stupéfaite.

Wellan lui jeta un regard de côté. Il ne désirait pas vraiment que le magicien s'aventure sur ce terrain.

– Ils sont fabriqués dans des pouponnières à partir d'œufs fécondés à l'avance et ne contenant que des garçons, résuma Farrell.

– Leur société n'est donc pas très évoluée s'ils n'acceptent pas de femmes parmi leurs soldats, déclara Liam avec un petit air contrarié.

Lassa risqua un œil mouillé sur cette affreuse créature, mais demeura blotti contre le Chevalier. Farrell s'approcha du guerrier impérial, qui se mit à rapetisser jusqu'à atteindre la taille d'un enfant.

– Lequel d'entre vous aimerait voir pourquoi nous ne pouvons tuer ces insectes qu'en leur tranchant les bras ? demanda le maître.

– Moi ! s'écria Liam.

Sous le regard horrifié de son ami Lassa, le petit garçon téméraire passa par-dessus les nombreux coussins. Il s'arrêta devant le scarabée désormais de sa hauteur. Il tendit prudemment la main, pensant qu'elle passerait au travers de cette chose imaginaire. Éberlué, il entra en contact avec la carapace brillante.

– Regarde à l'intérieur de son coude, exigea Farrell sans la moindre inquiétude.

Il n'était pas question pour le gamin de se montrer faible devant ses amis. Liam saisit le poignet du soldat et étira son bras. Il aperçut alors un petit espace mauve entre les épaisses carapaces noires. Par curiosité, il y enfonça le doigt.

– C'est tout mou ! signala-t-il.

– Des artères importantes passent à cet endroit, expliqua le maître. En les sectionnant, non seulement vous les mettrez hors de combat, mais vous vous assurerez aussi qu'ils mourront rapidement.

Wellan se rendit compte que Lassa suivait maintenant la leçon avec intérêt. Il le força donc à s'asseoir devant lui. Il fallait bien que le porteur de lumière s'habitue à l'apparence différente de leurs ennemis s'il voulait un jour accomplir son destin. Une lance apparut dans la main de l'insecte. Liam recula hors de portée de l'arme affilée.

– Bien que lents, les guerriers d'élite d'Amecareth sont très habiles avec leurs lances, commenta le professeur. Lors de la première invasion, certains d'entre eux les enfonçaient dans la gorge des Chevaliers et leur arrachaient la tête d'un seul coup.

Les enfants s'horrifièrent et Lassa recommença à gémir. Wellan allait s'opposer à cette description un peu trop choquante lorsque la créature s'anima. Liam scruta la pièce à la recherche d'une arme quelconque pour se défendre. L'insecte se mit à avancer lourdement vers les élèves qui s'enfuirent en criant jusqu'au fond de la salle.

N'écoutant que son courage, Wellan bondit en dégainant son épée. D'un seul mouvement circulaire, il trancha les deux bras de l'insecte, qui tombèrent sur le sol. Le sang ne gicla évidemment pas des moignons mauves, comme cela s'était produit sur la côte. Revenant de sa surprise, Wellan comprit qu'il venait de s'en prendre à une image. Il rengaina son arme et servit au magicien une œillade de désapprobation.

– Remercions notre brave Chevalier qui nous a sauvé la vie ! ironisa Farrell en tapant dans ses mains.

Rassurés, les élèves applaudirent le grand chef embarrassé. Wellan retourna prestement s'asseoir sur son coussin et décida de ne plus intervenir dans les leçons du maître. Farrell agita la main. Les avant-bras de la créature s'élevèrent dans les airs pour se ressouder à l'articulation. Le magicien fit ensuite disparaître son œuvre. Plutôt content de lui, il laissa partir les enfants que les serviteurs attendaient au pied de la tour.

42

Les aveux

Wellan attendit que les enfants aient tous quitté la salle avant de faire connaître à Farrell son opinion au sujet de sa façon d'enseigner. Le nouveau professeur s'avança en captant son humeur orageuse, mais ne s'en inquiéta pas.

– Je ne suis pas d'accord avec tout ce réalisme ! explosa finalement le grand chef.

– Alors, dites-moi à quoi nous devons les préparer avant qu'ils deviennent Écuyers ? Le décryptage de vieux textes les aidera à découvrir de l'information sur leurs ennemis, j'en conviens, mais c'est leur magie et la force de leurs bras qui leur permettront de les vaincre.

– Ils n'ont que neuf ans !

– Je le sais, Wellan, mais ce ne sont pas des enfants ordinaires. Ils ne sont pas venus étudier à Émeraude pour apprendre à ensemencer les champs ou à élever du bétail. Ce sont de futurs soldats qui affronteront un ennemi redoutable.

– Ils peuvent apprendre à se défendre sans devoir faire face à ce genre d'horreur.

– Dans moins de trois ans, ils seront tous Écuyers. À ce moment-là, l'empereur aura dépêché tous ses effectifs sur Enkidiev pour tenter de s'en emparer une fois pour toutes. Amecareth est un insecte stupide mais puissant qui ne connaît qu'une seule façon de faire la guerre. Je vous en prie, faites-moi confiance. Je connais très bien le peuple d'Irianeth.

Wellan prit une profonde inspiration pour se calmer. Était-ce son nouveau statut de père qui le rendait si anxieux ?

– Nous les vaincrons à nouveau, affirma Farrell. Et si nous avons de la chance, Jeni n'aura pas le temps de joindre vos rangs.

Cette conjecture acheva de rassurer le grand Chevalier, qui se rappela soudain le but de sa visite.

– Je n'étais pas venu pour assister à votre cours, mais pour vous demander de l'aide.

– Et moi qui croyais que vous vous intéressiez à mon enseignement, se moqua le magicien.

Le renégat les transporta à l'étage supérieur dans un vortex orangé. Le grand Chevalier se retrouva magiquement assis devant une petite table couverte de victuailles. Interloqué, il examina la nourriture, puis Farrell, assis en face de lui.

– Est-ce une illusion ? voulut-il savoir.

– Ce ne serait pas très nourrissant, blagua le professeur, réjoui. La magie peut servir à bien des choses, Wellan. Tout ce qui existe dans l'univers peut être déplacé d'un point à un autre avec un peu de savoir-faire. J'ai seulement choisi pour nous des aliments qui se trouvaient déjà dans les cuisines du château.

– Nomar faisait la même chose...

– C'est un art qu'il a perfectionné à Alombria. Il obligeait les paysans d'Espérita à préparer de la nourriture pour lui en échange de conditions climatiques leur permettant de survivre dans leur grand trou glacial. Il n'a jamais eu le courage de venir la chercher lui-même.

– Je croyais qu'il s'agissait d'un marché bénéfique pour vos deux civilisations, s'étonna Wellan.

– Détrompez-vous. Il s'agissait d'un odieux chantage, rien de plus.

Le renégat rompit du pain frais et y tartina de la gelée de fruits avec le dos d'une cuillère. Wellan choisit plutôt du fromage et du potage. Il avala quelques bouchées avant de s'enhardir à interroger l'ancien Chevalier d'Émeraude.

– Vous voulez savoir d'où viennent les cartes géographiques que vous avez trouvées et pourquoi vous n'arrivez pas à les déchiffrer, le devança Farrell.

– C'est une de mes questions, en effet.

– À l'époque, tout le monde pouvait lire notre langue, alors nous avons créé un code pour rendre nos plans inintelligibles.

– Ce ne sont pas des cartes d'Enkidiev, n'est-ce pas ?

– Non. Le monde est beaucoup plus vaste que vous le croyez, Wellan. Tout autour de nous se trouvent des océans parsemés d'îles et d'autres continents habités par des créatures étranges ou par des hommes qui nous ressemblent. Autrefois, il était permis d'en parler, puis les Immortels ont décidé que cette information était trop dangereuse pour les pauvres ignorants que nous sommes. J'ai été renversé, à mon retour à la vie, de constater qu'ils vous faisaient croire que vous êtes seuls au monde. Nous possédions jadis des bouquins sur ces sujets désormais proscrits. Ils semblent tous avoir disparu.

– Détrompez-vous, ils ont survécu, grâce à Hadrian d'Argent.

– Vous les avez retrouvés dans son château ? s'égaya le renégat.

– Pas tout à fait. Votre ami a choisi une cachette sûre au pays des Elfes.

– J'aurais dû me douter qu'il ne les brûlerait pas.

– Qui a dessiné ces cartes ? insista Wellan.

– Un roi qui habitait Shola il y a fort longtemps. Un grand navigateur, à ce qu'on raconte. Nous avons seulement ajouté les notes codées.

« Ménesse », supposa le grand chef en se rappelant ce qu'il avait lu sur son épée lors de son séjour dans l'île des Lézards.

– Les avez-vous utilisées pour vous rendre sur le continent de l'empereur ? poursuivit Wellan.

Le visage détendu de Farrell se crispa. Il déposa sa nourriture sur la table, s'empara du pichet de grès et se versa du vin. À la surprise du grand Chevalier, il avala tout d'un seul trait.

– Non, répondit-il enfin.

– Alors comment avez-vous pu vous y rendre ?

– La première fois, Nomar m'y a transporté pour contenter ma curiosité, un soir où je l'embêtais avec mes questions sur ce sombre continent. Je n'étais qu'un adolescent à l'époque. Lorsque je me suis retrouvé entouré d'horribles insectes, dans le rocher percé d'innombrables tunnels qu'ils qualifient de forteresse, j'ai cru que ma dernière heure était arrivée. Mais, à ma stupéfaction, les serviteurs de l'empereur se sont inclinés devant ce traître d'Immortel et ils nous ont laissés passer.

Wellan se souvint des aveux d'Onyx dans son journal au sujet de la trahison de Nomar, mais il ne voulut pas s'y attarder. Ce qui lui importait, c'était le sauvetage de Kevin.

– Vous y êtes ensuite retourné pour sauver le fils d'Hadrian, c'est bien ça ?

Farrell baissa les yeux en hochant la tête. Wellan crut également le voir trembler de rage. Théoriquement, il n'avait pas le droit de sonder un magicien, mais sa tentation de le faire n'avait jamais été aussi grande.

– Il y a quelque chose que vous ne me dites pas, osa le Chevalier.

– Je suis retourné dans cette forteresse infernale une troisième fois, maugréa-t-il sans regarder Wellan. Lorsque je me suis enfui d'Émeraude pour échapper à la potence, j'ai piqué vers le nord. J'ai rencontré beaucoup de familles fuyant les horreurs de la guerre ou n'ayant tout simplement plus de maison. Nous nous sommes installés au pied des falaises de Shola, dans le pays des Elfes, là où il n'y a presque pas d'arbres. Nous souhaitions y établir une nouvelle société paisible, loin des magiciens et des Immortels. C'était un beau rêve...

– Que s'est-il passé ?

– Nomar m'a ordonné de bâtir une cité dans un endroit protégé de son choix en me promettant que j'en serais le chef. Je lui ai dit que nous ne voulions plus conclure de marché avec les Immortels. Je l'ai sommé de partir. Alors, il s'est saisi de moi et m'a ramené à Irianeth pour m'y torturer jusqu'à ce que j'accepte de gouverner Espérita pour lui.

Wellan fixa son interlocuteur avec incrédulité. Il avait entendu beaucoup de récits dans sa vie, mais celui-là était le plus invraisemblable.

– Vous ne me croyez pas ? sembla s'offenser Farrell.

– Je sais que les Immortels ne sont pas aussi blancs qu'ils tentent de nous le faire croire, mais j'ai côtoyé Nomar pendant dix ans. Je n'ai jamais ressenti une telle cruauté en lui.

Il remplit de nouveau la coupe du magicien et le regarda boire, plus lentement cette fois. Même sans le sonder, Wellan voyait bien qu'il faisait de gros efforts pour chasser les horribles souvenirs de son dernier séjour chez Amecareth.

– J'ai fondé Espérita parce que je n'avais pas le choix, poursuivit Farrell, les yeux remplis de souffrance. Ce n'était pas le sanctuaire que j'avais promis à tous ces pauvres gens terrifiés. C'était une prison de glace dont plus personne ne pouvait s'échapper. Je suis bien content que les Espéritiens aient pu enfin quitter cet enfer de servitude.

– Farrell, vous seul pouvez m'aider à délivrer Kevin. Dites-moi comment me rendre sur Irianeth.

– C'est hors de question ! s'exclama le magicien. Avez-vous idée de ce que l'empereur vous ferait s'il vous y capturait ? Vous êtes l'âme dirigeante de cet Ordre, maintenant.

Je ne vous permettrai pas de risquer aussi bêtement votre vie. Je n'ai pas emmené Hadrian avec moi, jadis, pour les mêmes raisons. Si quelqu'un doit se sacrifier, ce sera moi.

– Je ne vous laisserai pas y aller seul. Lorsque vous avez arraché le Prince d'Argent des griffes d'Amecareth, vous n'aviez pas encore subi les tortures de Nomar. Vous étiez en pleine possession de vos moyens. Je sais ce qu'un homme ressent lorsqu'on le remet dans une situation où il a déjà souffert.

Le renégat ne répliqua pas, mais son regard courroucé plongea dans l'âme de Wellan. Ce grand Chevalier avait malheureusement raison. S'il devait retrouver Kevin dans la chambre de torture où il avait jadis été détenu...

– C'est pour cela que je vous accompagnerai, trancha Wellan. Ce sera plus sûr pour nous deux.

Farrell se leva et marcha pendant quelques minutes dans la pièce circulaire en évaluant les risques de cette mission. Sans pouvoir s'en empêcher, Wellan suivit le cours de ses pensées. « Onyx a certainement dû être un grand stratège sur le champ de bataille », pensa-t-il, « car il ne laisse rien au hasard ».

– Cette nuit, lorsque tout le monde dormira, rejoignez-moi dans la cour, décida Farrell. Cette opération de sauvetage ne devrait nécessiter que quelques heures tout au plus. Nous serons revenus avant l'aube.

– Je vous remercie de me venir en aide.

– Attendez que nous ayons réussi pour me témoigner votre reconnaissance.

Wellan leva tout de même sa coupe à la santé de ce Chevalier d'antan avant de le quitter.

43

AUCUNE AIDE DIVINE

Laissant Farrell terminer son repas et se reposer un peu avant le retour des enfants pour leurs classes de l'après-midi, Wellan sortit du palais. La chaleur était accablante à cette heure de la journée. Les chevaux somnolaient à l'abri tandis que les serviteurs s'affairaient à leurs tâches à l'intérieur des nombreux bâtiments en attendant la fraîcheur du soir.

Wellan traversa la grande enceinte de sable pour atteindre la tour du Magicien de Cristal. Au premier étage, il remarqua immédiatement l'ordre impeccable qui y régnait. Tout était rangé : les flacons sur les tablettes, les parchemins sur le buffet et les chaises de bois autour de la table. Même le plancher de pierre reluisait. Décidément, cet endroit respirait la présence d'Armène. Il se dirigea vers le second escalier, mais n'en gravit que deux marches, puisque la servante descendait de l'étage supérieur.

– Sire Wellan, je vous en conjure, ne faites pas de bruit, chuchota-t-elle en l'éloignant de l'escalier. Mon petit Atlance perce des dents et il n'arrive pas souvent à s'endormir.

– Je sais ce que c'est, assura Wellan à voix basse, ma fille a traversé cette phase de croissance elle aussi, bien que plus rapidement que les autres enfants.

– Que puis-je faire pour vous ?

– Je veux savoir si vous avez revu Abnar.

– Pas depuis longtemps. Personnellement, je pense qu'il s'ennuyait de la quiétude de son refuge dans la montagne. La tour est devenue beaucoup trop animée pour lui avec tous ces enfants qu'on me confie.

– Vous avez sans doute raison, Armène. Je le chercherai donc de ce côté.

Avant de repartir, il prit la main de la servante et l'embrassa galamment en la faisant rougir jusqu'aux oreilles. Il alla seller son cheval, avec l'intention de le ménager, à cause de la chaleur, jusqu'à la rivière coulant au pied du pic majestueux qui s'élevait derrière le château tel un monument géant. Contente de quitter l'écurie, la bête se dirigea vers le pont-levis avec les oreilles droites, poussant des hennissements de plaisir.

Wellan la mena au pas jusqu'à l'ombre des grands arbres qui veillaient le long du cours d'eau comme de silencieuses sentinelles. Il laissa boire l'animal pendant qu'il contemplait la cime de la montagne. Ses sens magiques la parcoururent soigneusement. Même s'il y décelait une très forte énergie, il n'y perçut pas la présence d'Abnar. Où l'Immortel avait-il choisi de se cacher ?

Dylan apparut à quelques pas de lui. Le cheval effrayé fit une incartade et faillit précipiter son cavalier dans la rivière. Wellan s'accrocha fermement à la selle, rassura la bête et mit pied à terre.

– Je suis content de te revoir, fit Wellan en serrant Dylan dans ses bras.

– Moi aussi, père. Je suis venu parce que j'ai capté vos réflexions.

– Dans ton monde ? s'étonna le Chevalier en le repoussant doucement pour contempler son visage céleste.

– Nous entendons tout ce que pensent et disent les humains.

– Absolument tout ? s'inquiéta Wellan.

Un sourire moqueur illumina le visage de l'enfant. Le grand chef comprit aussitôt qu'il se payait sa tête. « Il y aura au moins dans l'univers un Immortel qui ne se prend pas au sérieux », pensa-t-il avec satisfaction. Il ébouriffa les cheveux transparents du gamin. Ce geste fit rire Dylan.

– La vérité, c'est que je vous épie, avoua le fils. J'apprends beaucoup de choses en me branchant périodiquement à votre esprit.

– Je vois...

– Parandar a rassemblé tous ses serviteurs pour retrouver Abnar lorsque je lui ai annoncé que vous ne saviez pas non plus où il était.

Wellan arqua les sourcils : le Chevalier Onyx serait bien déçu d'apprendre que son ennemi juré était introuvable !

– Si j'étais cet homme, je ne provoquerais pas les dieux en m'attaquant à l'un de leurs serviteurs, déclara l'adolescent lumineux.

– L'être humain est complexe, mon fils, et ce Chevalier a beaucoup souffert aux mains d'Abnar. Tu veux bien marcher avec moi ?

Il s'agissait là d'une activité nouvelle pour un demi-dieu, mais il accepta afin de passer un peu de temps avec son père. Ses pieds nus foulèrent le sentier qui longeait la rivière. Wellan tira le cheval derrière lui en ralentissant le pas pour l'ajuster à celui de Dylan.

– Malgré la colère qui continue d'empoisonner son cœur, je crois comme vous que Farrell devrait seconder Hawke, raisonna Dylan.

« Qu'il est merveilleux de tenir ce genre de conversation avec son enfant ! », estima Wellan en se gonflant d'orgueil.

– Non seulement il maîtrise la magie, mais il sait s'y prendre avec les élèves.

– Tu l'épies aussi ? se moqua Wellan.

Si l'Immortel avait pu rougir, il l'aurait fait. Le père devina alors que ce n'était pas le renégat qui intéressait Dylan.

– C'est Jenifael que tu surveilles, n'est-ce pas ?

– Je veux seulement m'assurer qu'elle reçoive une éducation digne de son sang, se défendit l'adolescent.

– Est-ce que je sens là un intérêt dépassant le lien d'affection entre un frère et une sœur ?

– Elle est la fille de la déesse ! Il est tout naturel que je veille sur elle !

– Sais-tu pourquoi elle était si troublée lorsqu'elle t'a vu pour la première fois ? l'interrogea Wellan en réprimant un sourire.

L'adolescent aux longs cheveux transparents leva un regard curieux sur lui.

– Elle te trouve séduisant, lui apprit le grand Chevalier.

De petites étincelles rouges éclatèrent autour de la tête de Dylan comme des bulles de savon. Était-ce un indice de timidité chez les Immortels ? Wellan avait souvent vu Abnar disparaître dans de semblables étoiles dorées lorsqu'il était particulièrement fâché contre lui.

– Elle est d'une caste bien trop supérieure à la mienne, rétorqua Dylan. C'est moi qui lui doit le respect.

Wellan allait le taquiner davantage, mais l'adolescent changea prudemment de sujet.

– Avez-vous réussi à utiliser le médaillon ? demanda-t-il plutôt.

L'image du Roi Burge sur son lit de mort apparut instantanément dans l'esprit de Wellan.

– Sans aucun problème, soupira le père. J'ai aussi découvert qu'il ne me sera d'aucun secours dans la guerre contre l'empereur, puisque je ne comprends pas le langage des insectes.

– Vous pourriez demander à l'époux de Kira de vous venir en aide.

Wellan s'arrêta net. Pourquoi n'y avait-il pas pensé ? Ils entendirent gronder le tonnerre au loin. Wellan comprit qu'il ne lui restait plus que quelques minutes avec son enfant. Pourtant, il avait tellement de choses à lui dire... Pourquoi fallait-il que ses gardiens soient si efficaces ?

– Ils veulent seulement me prévenir que j'ai passé suffisamment de temps dans le monde physique, expliqua Dylan. Je ne possède pas encore de talisman me permettant d'y rester longtemps.

« Comme l'anneau de cristal d'Abnar... », se rappela Wellan.

– Lorsque tu en auras un, je t'emmènerai à la pêche sur les magnifiques lacs du Royaume de Rubis, annonça-t-il.

L'étonnement du jeune Immortel fit supposer à Wellan que c'était une activité qui n'existait pas dans son monde, mais il savait qu'elle lui plairait. Le ciel s'assombrit au-dessus de la tête de Dylan.

– Dis à la déesse de Rubis que je lui suis reconnaissant de tout ce qu'elle fait pour moi, ajouta le père.

– Elle le sait déjà, mais je lui répéterai vos paroles.

Dylan embrassa son père sur la joue puis recula de quelques pas. L'orage fondit sur eux. Des éclairs sillonnèrent le ciel et le tonnerre fit trembler le sol. L'enfant disparut au moment où la pluie commençait à s'abattre durement. Wellan grimpa sur son cheval agité.

Il rentra au château, trempé de la tête aux pieds, mais content d'avoir passé un peu de temps avec son fils. Il reconduisit l'animal à l'écurie et le sécha. De retour dans l'aile des Chevaliers, il se défit de la tunique et du pantalon qui lui collaient au corps, puis essora ses cheveux. En s'essuyant avec le drap de bain frais et odorant que les serviteurs avaient laissé sur sa commode, il se souvint de la belle étoile de cristal que Fan lui avait fait remettre à Kira.

« C'est un bijou qui permet aux Immortels de rester plus longtemps dans le monde physique », déduisit-il. Si Fan ne l'avait pas conservé, c'était qu'elle n'avait jamais eu l'intention de vivre avec lui... Wellan sentit la colère s'emparer de son cœur. Se faisant violence, il la supprima aussitôt. La magicienne avait mal agi, mais il n'y pouvait plus rien.

Il enfila des vêtements secs et sortit les livres anciens de leur cachette. Puisque le Magicien de Cristal ne se trouvait pas dans les parages, il pourrait les consulter en paix. Il lut une bonne partie de la journée, puis alla manger avec Falcon et son groupe dans le grand hall. Ils parlèrent de la dernière bataille sur la côte et de l'intervention d'Asbeth dans ce conflit. Aucun son ne sortit de la gorge de Falcon par contre, cet affrontement l'ayant marqué jusqu'au fond de l'âme. Wellan comprenait ce qu'il ressentait, alors il ne l'obligea pas à participer à la discussion.

Il écouta plutôt les commentaires des jeunes soldats en avalant son repas. Graduellement, une image mentale se forma dans son esprit : le sorcier avait vraisemblablement planifié cette attaque simultanée sur tous les royaumes côtiers afin de capturer un des Chevaliers sans trop de difficulté. Mais pourquoi ? Plus il réfléchissait à cet enlèvement, plus d'autres questions surgissaient dans son esprit. Mais il ne pourrait vraiment y répondre que lorsqu'il aurait secouru Kevin.

44

Le prisonnier

Ce n'étaient plus ses paumes qui faisaient souffrir Kevin lorsqu'il ouvrit les yeux, mais son corps tout entier. Il avait perdu conscience quelques secondes après que les énormes clous se soient enfoncés sous ses doigts. Ses amis Chevaliers avaient-ils ressenti sa douleur ? Maintenant qu'il était fait comme un rat, qu'avait-il à perdre en communiquant avec Wellan ? Mais que lui dirait-il ?

Plus il reprenait ses sens, plus il avait mal. Il rassembla toute son énergie de guérison et la fit converger vers ses mains, mais la présence des clous rendit le traitement inefficace. Il allait se servir de ses pouvoirs de lévitation pour les dégager lorsque l'affreux sorcier recouvert de plumes réapparut dans l'alcôve. Cette fois, il était accompagné d'un homme-insecte si grand que sa tête touchait presque le plafond raboteux de la cellule. Derrière l'imposant personnage se tenaient deux soldats insectes armés jusqu'aux mandibules.

– Voici notre maître à tous, Argoth, annonça fièrement Asbeth de sa voix qui grésillait.

– Je n'ai aucun maître..., répliqua farouchement Kevin.

Il examina le visage cauchemardesque du scarabée malgré sa vision de plus en plus embrouillée. « Amecareth ! » comprit-il. C'était donc pour cette raison qu'il faisait deux fois la taille des derniers guerriers noirs qu'il avait combattus...

– Je lui ai demandé d'assister à l'opération qui fera de toi notre arme la plus redoutable depuis le début de la guerre contre les humains, l'informa l'homme-oiseau.

Kevin fut aussitôt saisi d'horreur. Quels autres tourments cet ignoble mage avait-il imaginés pour lui ? Il se surprit à penser qu'Élund aurait dû enseigner aux Chevaliers un procédé magique pour s'enlever la vie dans une situation pareille.

Asbeth s'empara d'un contenant de terre cuite. En faisant mille courbettes devant son maître, il s'approcha de Kevin. Les mains du Chevalier étaient clouées au mur, mais ses jambes étaient libres. Lorsque le sorcier fut à la portée de ses pieds, Kevin lui donna un violent coup dans l'estomac. Asbeth tomba à la renverse. Ce fut uniquement grâce à sa sorcellerie qu'il immobilisa le récipient dans les airs pour en préserver le précieux contenu.

Humilié par le geste agressif du prisonnier, l'homme-oiseau poussa un cri de rage et fonça sur lui. Avant que Kevin puisse réagir, une serre emprisonna son menton. Brutalement, Asbeth lui renversa la tête tandis que la petite urne volait jusqu'à son autre serre. Il versa un breuvage visqueux dans la gorge de son captif. Kevin se débattit, mais fut incapable de ne pas avaler le sang noir. Lorsque le sorcier le lâcha enfin, il cracha le liquide qui restait dans sa bouche et tira de toutes ses forces sur les clous ensorcelés pour les extraire du mur. À bout de forces, il se laissa finalement pendre au bout de ses rivets, haletant. Les horribles personnages échangèrent des cliquetis et des sifflements.

– Tu n'as pas choisi le plus docile d'entre eux, remarqua Amecareth.

– Argoth est respecté et aimé de son peuple. Il infectera un grand nombre de victimes.

– Tu seras récompensé, sorcier.

L'Empereur Noir tourna brusquement les talons. Les deux guerriers en faction de chaque côté de l'ouverture lui emboîtèrent le pas.

– Le maître est content de toi, grinça l'homme-oiseau en observant Kevin.

– Que m'avez-vous fait boire ?

– Tu le sauras bien assez vite...

– Libérez-moi, exigea le Chevalier.

– Quand le moment sera venu.

Ses plumes frissonnant de plaisir, l'homme-oiseau quitta l'alcôve, abandonnant le pauvre homme à sa détresse. Kevin ferma les yeux pour étudier attentivement les réactions de son corps à la potion qu'il venait de boire contre son gré. Ses sens magiques ne lui rapportèrent rien d'alarmant. « C'est impossible... Asbeth est un mage cruel qui ne pense qu'à tuer. Il ne m'a sûrement pas fait boire cette concoction pour me redonner des forces », maugréa-t-il.

Wellan..., appela finalement Kevin qui n'avait plus rien à perdre. Il espéra seulement que ses pensées pourraient quitter les murs de la forteresse d'Amecareth.

Au Château d'Émeraude, les Chevaliers allaient quitter la table lorsqu'ils entendirent la voix de Kevin dans leur esprit. Pendant un instant, ils hésitèrent entre le soulagement et l'effroi. *Kev, où es-tu ?* s'empressa de répondre Nogait au Royaume des Fées. *Ce n'est pas toi qu'il a appelé !* lui reprocha Swan. *Je suis dans la forteresse de l'Empereur Noir...*, leur apprit Kevin sur un ton angoissé qui n'échappa à personne. Le sang des Chevaliers se glaça dans leurs veines. *Asbeth m'a obligé à boire quelque chose... Je ne me sens pas très bien...*

Tiens bon ! cria Wellan en se relevant. *Je prépare une mission de sauvetage !* La réponse du soldat prisonnier ne se fit pas attendre. *Non ! Ne venez pas !* Puis, plus rien. Wellan le rappela plusieurs fois, suivi de Nogait, qui défia le protocole pour encourager son ami. C'était le vide total. Wellan bondit vers la porte.

– Laisse-nous y aller avec toi ! s'écria Chesley.

– J'ai perdu assez de soldats, rétorqua le grand chef. Restez tous à vos postes et faites votre travail.

Wellan quitta la salle sous les regards déconcertés de ses hommes. Il s'arma jusqu'aux dents en faisant taire la colère qui lui serrait la gorge. Il s'empara ensuite du sac de toile qui reposait près de son lit, puis se dirigea vers la chapelle du palais. Tremblant de rage, il s'agenouilla devant la statue de Theandras.

– Je vous en conjure, déesse, donnez-moi le courage de m'acquitter de cette dangereuse mission cette nuit. Et si je devais ne pas revenir, prenez mes Chevaliers sous votre aile. Ce sont de braves guerriers qui ne méritent pas de périr sous la lame des envahisseurs.

Une main se posa sur son épaule, le faisant sursauter.

– Je suis parfaitement d'accord avec vous.

La voix de Farrell résonnait dans le lieu sacré.

Wellan leva sur lui des yeux remplis de crainte et de souffrance.

– Rejoignez-moi dehors lorsque la lune sera haute dans le ciel. Nous ne pouvons pas nous infiltrer dans l'antre de l'ennemi avant cette heure où l'activité y est moins importante.

– Mais l'ennemi nous a toujours attaqués la nuit, riposta Wellan.

– Les dragons sont actifs le soir et les guerriers d'Amecareth préfèrent se battre dans l'obscurité, mais je vous assure que la ruche est au ralenti après le coucher du soleil.

Le large sourire du renégat ne rassura nullement le grand Chevalier. Dès que le magicien eut quitté la chapelle, Wellan se rappela les souffrances de Kevin et éclata en amers sanglots.

45

UNE OPÉRATION RISQUÉE

Suivant les indications de Farrell, Wellan attendit que les habitants du château soient endormis avant de quitter l'aile des Chevaliers, son gros sac de toile sur l'épaule. Les quelques heures passées dans la quiétude du temple privé d'Émeraude étaient parvenues à le calmer. C'est donc d'un pas plus assuré qu'il obliqua vers la porte.

Wellan capta la présence du magicien avant même de sortir dans la grande cour. Il franchit le porche en le cherchant du regard. Le renégat, vêtu d'une tunique plus courte que celle que portaient traditionnellement les mages, massacrait le mannequin de bois avec une large épée. Il avait détaché ses longs cheveux noirs, qui volaient autour de lui à chaque élan.

Le grand chef s'approcha en étudiant la force de son bras. Il n'y avait aucune élégance dans le style d'Onyx, mais une économie de mouvement qui le rendait très efficace. Il se rappela les batailles qu'il avait menées avec lui tandis qu'il habitait le corps de Sage. Quel soldat magnifique...

– Je ne crois pas que nous ayons à nous servir de nos armes cette nuit, mais je tenais tout de même à réchauffer mes muscles, expliqua Farrell en pivotant vers lui.

L'éclat que Wellan vit dans ses yeux pâles lui fit comprendre que c'était avec Onyx qu'il entreprendrait cette dangereuse mission et non avec le maître d'école. Le grand chef arqua un sourcil en remarquant quelques tresses dans ses cheveux d'ébène. Sage ne lui avait-il pas déjà parlé de cette coiffure en revenant de l'une de ses excursions dans le passé ? Wellan déposa son fardeau sans cacher son admiration.

– Ce soir, je retrouve l'homme avec qui j'ai souvent fait la guerre sur les côtes d'Enkidiev, déclara-t-il, ému.

– Croyez-moi, si je le pouvais, je passerais le reste de ma vie à me battre à vos côtés, mais Swan me tuerait.

Le magicien éclata d'un rire sonore qui acheva de convaincre Wellan qu'il n'était plus Farrell.

– Comment dois-je vous appeler ?

– Ce soir, vous pouvez me donner le nom qui vous plaît, mais je crains de devoir laisser Onyx mener cette opération délicate. La partie de moi-même qui appartient à Farrell ne saurait que faire. Êtes-vous prêt ?

Le visage illuminé par l'approche du danger, le renégat tendit lentement les bras.

– Non, attendez ! s'opposa Wellan. C'est pour vous.

Le grand chef indiqua le sac sur le sol. Intrigué, Farrell en détacha les cordons. Il jeta un coup d'œil à l'intérieur et leva aussitôt un regard étonné sur le grand soldat.

– J'ai pensé que c'était le moment idéal pour vous l'offrir, ajouta Wellan.

Farrell retira la cuirasse verte de la besace, admirant les pierres précieuses de la croix des Chevaliers d'Émeraude qui brillaient sous les rayons de la lune. Des larmes se mirent alors à couler en silence sur ses joues, tandis qu'un millier de souvenirs surgissaient dans son esprit.

– Mais pourquoi ? demanda-t-il finalement, la gorge serrée.

– Parce que votre vieille armure tombe en morceaux dans le musée du Roi d'Argent. J'ai donc décidé de vous offrir l'une des miennes.

– Mais je n'ai rien fait pour mériter un tel présent.

– Je ne suis pas de cet avis. C'est votre intervention sur la côte qui nous a permis de repousser les insectes. Si vous n'aviez pas été là, j'aurais certainement perdu beaucoup plus d'hommes.

– Je n'ai fait qu'obéir à mon instinct, rien de plus.

– Vous avez également accepté de quitter votre ferme pour enseigner la magie aux enfants et, cette nuit, vous allez m'aider à sauver Kevin. Ce sont des gestes désintéressés dignes d'un véritable Chevalier d'Émeraude.

Le magicien contempla la cuirasse sans se décider à en détacher les courroies de cuir. Pour l'encourager à revêtir cet uniforme qui lui revenait de droit, Wellan se pencha et sortit du sac le reste des vêtements militaires.

– Et si ces raisons ne sont pas suffisantes, ajouta-t-il, vous pourriez aussi le porter pour me faire plaisir.

Farrell était visiblement bouleversé. N'ayant pas souvent reçu de cadeau durant sa vie, il ne savait tout simplement pas comment réagir devant la bonté de Wellan. Sans dire un mot, le mage se dévêtit. Il enfila le pantalon et la tunique verte ainsi que les bottes de cuir, puis passa la ceinture autour de sa taille. D'une main sûre, il fit glisser son épée dans le fourreau et attacha sa cuirasse. Sa soudaine métamorphose troubla le grand chef : tout à coup, Farrell lui parut plus sûr de lui et plus vieux aussi.

– Vous avez fière allure, le complimenta Wellan.

– C'est exactement ce que le Roi Hadrian m'a dit la première fois qu'il m'a vu dans cet uniforme, s'étrangla Farrell.

– J'ai lu sa poésie et son recueil de pensées. Vous avez raison de dire que nous nous ressemblons, du moins dans nos opinions.

– C'est sans doute pour cela que je vous ai toujours voué le plus grand respect, sire.

– Même le jour où vous m'avez affronté ici même dans cette cour ? se moqua le Chevalier.

– J'ai mal agi, je le regrette. Un homme ne doit jamais attaquer son frère, même lorsqu'il est fou de rage, surtout si cet homme est un Chevalier comme lui.

Le renégat se tourna vers la muraille où étaient gravées les règles du code de chevalerie.

– Vous avez bien fait de les inscrire à la vue de tous, le félicita-t-il. De cette façon, aucun de vos hommes ne commettra la même erreur que moi.

Wellan décida de ne plus reparler de ce fâcheux incident. Il voulut plutôt savoir comment Farrell entendait s'introduire dans la forteresse d'Amecareth. Un sourire sadique se dessina aussitôt sur les lèvres du renégat, transformant le visage de Farrell en celui d'Onyx.

– Nous commencerons par utiliser mon vortex qui est moins voyant et certainement plus rapide que celui de vos bracelets. Il est puissant, mais il risque moins d'être détecté par des créatures magiques puisqu'il est instantané. Nous arriverons sur les quais d'Irianeth, qui se trouvent devant l'entrée de la forteresse.

– Pourquoi ne pas nous rendre directement à l'intérieur ? s'étonna Wellan.

– C'est trop dangereux. Si nous devions bousculer un seul de ces insectes, ils seraient tous sur nous en un rien de temps. Il faut entrer discrètement dans la ruche et faire bien attention de ne pas perturber sa vie quotidienne. C'est notre seule option si nous voulons sortir Kevin de là. J'imagine que les capes de Nomar n'ont pas survécu au passage du temps, alors nous devrons utiliser une autre façon de passer inaperçus. Donnez-moi votre bras, Wellan. J'ai aussi un présent pour vous.

Le grand chef le fit sans hésitation et Farrell l'agrippa solidement. De petits éclairs bleus se mirent à courir sur la peau du magicien. Lorsqu'ils gagnèrent le bras de Wellan, celui-ci ressentit une violente douleur dans tout son corps. Il faillit même s'écrouler sur les genoux. Heureusement, ce contact ne dura qu'un instant. Content du résultat, Farrell le relâcha.

– Mais que m'avez-vous fait ? s'alarma Wellan, éprouvant une soudaine difficulté à conserver son équilibre.

– Le Magicien de Cristal avait donné à tous les commandants la faculté de transmettre une partie de leurs pouvoirs à leurs hommes de confiance, au cas où ils tomberaient au combat. Comme vous le savez, je possède encore toute ma magie. L'énergie que je viens de vous communiquer vous permettra de vous déplacer sans que l'on vous détecte. Vous n'avez qu'à le désirer.

– Cela ressemble beaucoup à ce que vous avez enseigné à ma fille, se rappela le grand chef en fronçant les sourcils.

– C'est la même technique, en effet.

– Lui avez-vous aussi transmis une partie de vos pouvoirs ?

– Non, ce serait inutile, puisque cette enfant possède déjà des facultés incroyables.

« Évidemment, puisqu'elle est issue des dieux eux-mêmes », pensa Wellan. Si Farrell capta cette réflexion, il fit mine de rien. Il s'employa plutôt à lui montrer comment utiliser sa nouvelle puissance.

– Vous ne serez pas invisible mais imperceptible, à condition que vous ne vous déplaciez pas trop rapidement.

– Je m'en souviendrai.

Ils convinrent d'apparaître sur l'appontement et d'entrer dans la forteresse par les souterrains. En prenant garde à ne pas troubler les activités de la ruche, ils arriveraient à faire évader le jeune Chevalier. Mais ils ne devaient pas oublier que le sorcier résidait dans la forteresse lui aussi. Cette créature possédait des pouvoirs magiques, alors il serait plus difficile de ne pas attirer son attention.

– C'est pour cette raison que nous n'utiliserons pas de vortex à l'intérieur, à moins d'y être contraints, l'informa Farrell.

– Je suis d'accord.

– Alors, partons.

Farrell prit la main du grand Chevalier et ils disparurent instantanément.

46

Le sauvetage

Ils venaient à peine de quitter Émeraude qu'ils se retrouvèrent sur un large quai de pierre s'avançant très loin dans la mer. Cette façon de se déplacer différait de celle qu'utilisaient les Chevaliers d'Émeraude avec leurs bracelets. Ce vortex était plus discret et plus expéditif. Ce que Wellan ignorait, par contre, c'est que ce tourbillon nécessitait une plus grande quantité d'énergie. Contrairement à ce que Farrell affirmait, il risquait davantage d'être détecté par des créatures sensibles.

Dans l'obscurité totale, les deux hommes s'accroupirent sur le sol usé par les vagues. Wellan étudia rapidement le nouvel environnement. Les contours déchiquetés des rochers lui apparurent sous les rayons de la lune. Un chemin plus plat semblait mener au pied d'une immense montagne. « Est-ce là la forteresse de l'Empereur Noir ? » se demanda le grand Chevalier. Aucun feu n'éclairait ses nombreuses ouvertures rondes, aucun flambeau non plus. Les insectes dormaient-ils la nuit ?

Les yeux de Wellan et de Farrell s'habituèrent graduellement au faible éclairage. Soudain, le grand chef vit se déplacer d'énormes silhouettes noires sur la plage.

– Ce sont des dragons, lui souffla Farrell. Fort heureusement, le vent nous est favorable, alors nous ne leur servirons pas de repas cette nuit.

Wellan porta son regard du sud au nord. Il perçut de petits points brillants sur le flanc d'une falaise, ressemblant à des étoiles scintillantes sur un fond d'encre. Il projeta ses sens invisibles de ce côté et détecta de la vie dans des grottes creusées à même le roc. Farrell capta ses pensées.

– Ce sont les pouponnières dans lesquelles ils élèvent les guerriers d'élite.

– Si nous les détruisions maintenant, nous aurions beaucoup moins d'ennemis à affronter plus tard.

– Mais nous ne pourrions plus sauver Kevin.

– Vous avez raison.

– Servez-vous du pouvoir que je vous ai donné et suivez-moi sans faire de gestes brusques.

Farrell prit les devants, aussi silencieux qu'un chat. Wellan sentit naître dans cet homme la force d'un soldat courageux, voire téméraire. Ses anciens frères d'armes disaient de lui dans leurs journaux qu'il était un commandant qui aimait se battre et qui n'avait peur de rien, même en territoire ennemi.

Les deux Chevaliers marchèrent lentement sur les grosses roches, en faisant attention de ne pas frôler les dragons qui rôdaient au pied de la forteresse. Wellan suivit le renégat comme son ombre, car il semblait savoir où il allait. Il s'efforça de conserver autour de lui son auréole indécelable. Si une seule de ces bêtes sanguinaires parvenait à les flairer, c'en était fait de leur mission de sauvetage. Ils parvinrent enfin à une ouverture ronde à la base de la ruche. Wellan se détendit d'un seul coup.

– Il est préférable de ne pas communiquer en utilisant nos esprits dans le palais, chuchota Farrell à son oreille.

Wellan hocha doucement la tête pour dire qu'il comprenait la consigne. Il perçut l'énergie du magicien sondant la forteresse à la recherche du prisonnier humain. L'opération ne dura qu'un court instant.

– Il est au-dessus de nous, murmura Farrell. Surtout, ne me perdez pas de vue.

Ils avancèrent dans le tunnel tubulaire à peine éclairé par de curieuses pierres rondes. En passant près de l'une d'elles, Wellan se rappela en avoir vu de semblables au Royaume des Ombres. Malgré l'absence d'escaliers, le sol semblait tout de même grimper en pente douce.

Lorsqu'ils atteignirent le niveau supérieur, le grand Chevalier remarqua les premières alvéoles creusées de chaque côté. Plus il progressait dans la forteresse de l'empereur, plus elle affichait d'étonnantes similitudes avec la cachette souterraine de Nomar.

Il distingua le mouvement de la main de Farrell dans la pénombre et entendit le cliquetis de mandibules approchant en sens inverse. Le magicien s'écrasa contre la paroi du tunnel. Wellan fit aussitôt de même. Des insectes ouvriers passèrent devant eux sans les voir. Ils étaient de la taille d'un homme, mais leur carapace ne semblait pas aussi épaisse que celle des guerriers. Cependant, leurs doigts étaient armés des mêmes griffes meurtrières. Ils ne semblaient pas agressifs, mais Wellan savait qu'il ne fallait jamais sous-estimer la réaction d'une créature prise au dépourvu.

Les deux soldats recommencèrent à avancer dès que les insectes se furent éloignés. Ils marchèrent pendant de longues minutes et croisèrent des ouvriers vaquant à leurs tâches comme des automates. Ils continuèrent de grimper dans les passages sinueux jusqu'à ce que Wellan ressente enfin la proximité de Kevin. Farrell leva la main pour stopper le grand chef, puis risqua un œil dans l'alvéole où le jeune Chevalier était retenu contre son gré. L'odeur putride qui l'assaillit le fit presque suffoquer. Il recula en vitesse, se heurtant à Wellan.

– Qu'y a-t-il ? s'inquiéta le grand chef.

– Wellan, écoutez-moi bien. Malgré votre attachement pour Kevin, lorsque vous entrerez dans cette cellule, vous ne devrez pas le toucher.

– Pourquoi ?

– Il est porteur d'un maléfice qui aurait tôt fait de vous tuer.

– Comment le sortirons-nous d'ici si nous ne pouvons pas le toucher ?

– Je n'ai pas dit nous, j'ai dit vous. Je vous expliquerai plus tard pourquoi ce sortilège ne m'affectera pas. Je vous en prie, faites-moi confiance.

Farrell inspira profondément et entra dans l'alvéole, Wellan sur les talons. L'odeur saisit aussitôt le grand Chevalier à la gorge. Il se boucha le nez. Lorsqu'il vit Kevin cloué au mur, son cœur se serra. Sans réfléchir, il fit un pas dans sa direction, mais le bras puissant de Farrell l'empêcha d'aller plus loin.

Les yeux bleus du grand chef se remplirent de larmes. Son jeune frère d'armes était inconscient. Sa tête penchait sur sa poitrine. L'intérieur de ses paumes était déchiré par d'énormes clous et sa tunique était couverte de sang.

Pendant que Farrell s'employait à retirer les rivets qui maintenaient Kevin, Wellan tourna lentement sur lui-même pour examiner la pièce. Il enregistra dans sa mémoire tout ce qu'elle contenait. Puis, au milieu des odeurs nauséabondes, il détecta l'énergie d'Asbeth. Tous ses sens soudainement en alerte, il fit appel aux facultés magiques qu'il avait acquises au Royaume des Ombres et sonda la cellule à nouveau. Ses yeux ne le voyaient pas, mais il continuait de ressentir sa présence.

– Farrell, je vous en conjure, dépêchez-vous, l'enjoignit-il, persuadé que la créature recouverte de plumes allait fondre sur eux d'un instant à l'autre.

Le magicien hissa le corps inanimé de Kevin sur ses épaules et se dirigea vers la porte circulaire. Wellan le laissa passer, la main sur le pommeau de son épée, prêt à faucher le sorcier s'il devait surgir devant eux. Il sortit de l'alcôve en reculant, puis s'empressa de rejoindre son camarade dans le tunnel. Malgré ses appréhensions, ils réussirent à regagner le dernier niveau de la ruche. Mais les dragons se promenaient toujours à l'extérieur. Wellan les observa en se demandant s'il était prudent de transporter le blessé jusqu'aux quais impériaux. Les monstres flaireraient certainement son sang.

Avant qu'il puisse faire part de ses inquiétudes à Farrell, il le vit se faufiler lentement entre les bêtes sombres, emportant Kevin sur son dos. Sans doute préférait-il s'éloigner le plus possible de la forteresse avant de matérialiser son vortex. Wellan le suivit avec précaution. Alors qu'il allait atteindre le quai, une énorme bête se dressa sur son chemin, le séparant de ses compagnons. Elle poussa un cri perçant qui se répercuta sur les montagnes environnantes.

Farrell fit volte-face. Un dragon avait repéré Wellan malgré son écran indétectable. Debout sur ses pattes postérieures, la bête géante était sur le point de l'attaquer ! Le renégat déposa immédiatement Kevin par terre.

Wellan évita la puissante mâchoire du dragon en bondissant en arrière. Comment cette hideuse créature avait-elle capté sa présence ? Il leva les deux bras et projeta des faisceaux incendiaires sur le poitrail de l'animal. La lueur des flammes révéla alors un monstre bien différent de ceux qu'il avait affrontés jusque-là. Il avait la taille d'un palais, un cou aussi long que dix lances placées bout à bout et d'énormes ailes ouvertes dans le dos.

Le feu lui roussit à peine les écailles. Il rugit en s'apprêtant à projeter son cou à la manière d'un serpent. Avant qu'il puisse charger, d'autres rayons incandescents lui frappèrent le dos. Irrité, le dragon se retourna brusquement. Wellan dut se jeter sur le sol pour ne pas être frappé par son imposante queue hérissée d'épines. Le danger passé, il se remit sur ses pieds. Debout au milieu du quai, Farrell attirait le monstre à lui.

– Ne vous occupez pas de moi ! hurla Wellan. Ramenez Kevin au château !

Le dragon pencha la tête vers le soldat qui venait de parler, mais décida que les deux autres humains sur le quai représentaient un meilleur repas. Il poussa un cri strident et battit furieusement des ailes. Nullement impressionné, Farrell demeura immobile. Sur la plage, Wellan aurait pu se servir de ses bracelets pour sauver sa propre peau. Mais étant d'abord et avant tout un Chevalier d'Émeraude, il ne pouvait pas abandonner ses compagnons à leur sort. Il contourna habilement la bête et marcha dans la mer. De cet endroit, il pourrait prêter main-forte à Farrell tout en échappant aux mâchoires du monstre, à condition toutefois que ce dernier craigne autant l'eau que ses congénères plus petits.

Dans les vagues jusqu'à la taille, Wellan vit le magicien imperturbable devant le dragon. Farrell n'affichait aucune peur. Cependant, ce n'était pas Farrell qui l'avait accompagné, mais Onyx.

Wellan n'eut pas le temps de faire un pas de plus ni même de rassembler son énergie dans ses paumes. Le monstre tendit son long cou avec l'intention de happer le Chevalier sur le quai. Farrell sauta de côté en dégainant son épée à la vitesse de l'éclair. Il l'abattit violemment sur le cou de la bête, lui tranchant la tête d'un seul geste. L'énorme corps noir s'écroula en faisant trembler la terre. Wellan s'empressa de rejoindre le magicien en pataugeant dans l'eau. Farrell remit l'épée dans son fourreau pendant que le chef des Chevaliers se hissait sur l'embarcadère.

– Votre sang-froid est renversant, souligna Wellan.

– J'ai combattu beaucoup de dragons et je les connais bien, répliqua Farrell en haussant les épaules de façon désinvolte.

– Il ne faut pas rester ici, c'est trop dangereux.

– N'aimeriez-vous pas porter un coup dévastateur à Amecareth avant que nous quittions sa contrée si accueillante ? le tenta le magicien avec un sourire moqueur.

Les yeux de Wellan furent aussitôt attirés vers les pouponnières. Il était difficile d'évaluer leur distance dans l'obscurité, mais il n'allait certes pas laisser passer une aussi belle occasion de faire payer à l'empereur la mort de vaillants Chevaliers. Il ramena ses paumes l'une vers l'autre. Des serpents d'énergie d'un rose électrisant se mirent à crépiter entre elles. Il tendit les bras et les éclairs lumineux foncèrent sur leur cible. Ils heurtèrent la paroi rocheuse, qui explosa sous le choc.

– Un peu plus à gauche, suggéra Farrell en fixant intensément le flanc de la montagne.

Wellan projeta d'autres décharges qui démolirent ce qui restait de la façade. Les suivants pénétrèrent dans les galeries et les firent toutes éclater. De longues flammes jaillirent de la falaise tandis qu'elle s'effondrait lourdement dans un terrible fracas.

– Bravo ! le félicita le renégat.

Un bourdonnement assourdissant s'éleva de la ruche. Des hommes-insectes émergèrent de la base de la forteresse comme une marée de fourmis. Farrell releva aussitôt la main. Un globe enflammé frappa la première vague d'attaquants de plein fouet pour l'écraser contre les rochers.

– Rentrez à Émeraude avec votre propre vortex, Wellan, ordonna-t il. Le mal qui afflige Kevin est mortel et vous ne devez pas en être atteint.

D'autres guerriers sortirent de la ruche dans un vacarme effroyable de mandibules métalliques. Ils piétinèrent leurs congénères gisant sur la plage en brandissant leurs lances argentées.

– Maintenant, Wellan ! exigea le renégat.

Le grand chef croisa ses bracelets. Le tourbillon de lumière apparut devant lui pendant que Farrell chargeait Kevin sur ses épaules. Les trois Chevaliers disparurent au moment où les guerriers marchaient sur le corps du dragon décapité.

Asbeth atterrit en douceur derrière les insectes sidérés qui sillonnaient maintenant tout le quai sans comprendre pourquoi les humains ne s'y trouvaient plus. Ayant longuement étudié ces arrogants Chevaliers à la surface de son chaudron ensorcelé, le sorcier avait appris à bien les connaître. Mais jamais il n'avait vu Farrell parmi eux. Soudain, il se rappela l'humain en tunique blanche de la plage d'Argent. C'était cet homme, un puissant magicien en comparaison des autres soldats verts. Pourquoi ne l'avaient-ils pas utilisé dans les combats avant ce jour ?

« Qu'importe », pensa le sorcier. « Il a été assez stupide pour prendre son compagnon empoisonné dans ses bras, alors il mourra d'une mort atroce, comme tous les autres humains qui tenteront de lui venir en aide. » L'empire venait de perdre un grand nombre de combattants dans les pouponnières, mais Amecareth n'en aurait plus besoin une fois l'épidémie amorcée sur Enkidiev.

47

Le chevalier empoisonné

Lorsque Wellan apparut dans la cour du Château d'Émeraude, il la trouva déserte. Il pivota sur lui-même, mais ne vit le renégat nulle part. Le ciel commençait à pâlir à l'est et les serviteurs allaient bientôt s'affairer dans le palais. Il lui tardait de mettre Kevin en lieu sûr. Mais où était donc le magicien ? Il sonda tous les édifices d'Émeraude sans le trouver. *Farrell !* l'appela-t-il avec son esprit, au risque de réveiller tous ses hommes, du Royaume des Elfes jusqu'à celui de Zénor. *Allez vous reposer, sire,* lui conseilla l'ancien Chevalier. *Je vous verrai plus tard.* Wellan chercha à le localiser sans y parvenir. *Mais où êtes-vous ?* Il ne reçut aucune réponse.

Le grand chef étouffa un cri de rage et se dirigea vers l'aile des Chevaliers. Habituellement, lorsqu'il donnait un ordre, ses soldats obéissaient. Lorsqu'il leur posait une question, ils répondaient. Furieux malgré l'exploit qu'ils venaient d'accomplir, Wellan entra dans sa chambre. Il se débarrassa de son uniforme trempé, incapable de refroidir sa colère. Il oubliait que les Chevaliers devaient obéissance aux magiciens.

Farrell avait bien sûr ressenti l'irritation de Wellan. S'il avait choisi de se soustraire à ses pouvoirs de repérage, c'était pour qu'il ne tente pas de s'approcher de Kevin.

Le mal qui circulait dans les veines du pauvre Chevalier pouvait facilement éliminer toute une nation. Le mage l'avait donc isolé magiquement dans la quatrième tour du château, qui servait autrefois de prison. L'escalier de pierre menant à l'étage supérieur n'ayant jamais été reconstruit, cette cachette était idéale.

Il déposa Kevin sur une couchette. Il le dévêtit en constatant qu'il ne portait aucune marque de violence à part les plaies sur ses mains et sur son cou. Un poison, dont l'odeur lui était familière, s'était déjà propagé dans tout son corps. Farrell avait subi le même traitement aux mains des sorciers de l'empereur lorsqu'il était Onyx. L'ingestion d'un antidote, lorsqu'il avait finalement accédé aux demandes de Nomar, l'avait sauvé d'une mort certaine, et tout le futur peuple d'Espérita avec lui. Malheureusement, il avait oublié beaucoup de choses en cinq cents ans. Il ne connaissait plus la recette du remède miraculeux, mais il y avait une autre façon de venir en aide au jeune homme. Toutefois, afin de guérir Kevin, il allait devoir passer plusieurs jours à son chevet. Il demanderait donc à Armène de s'occuper de ses fils et à Hawke de trouver un suppléant pour sa classe.

Il soigna les paumes du jeune soldat, puis matérialisa une chaude couverture dont il recouvrit son patient. Le soleil allait bientôt se lever. Farrell pourrait alors aisément trouver dans les champs tous les ingrédients nécessaires à la potion qui maintiendrait le Chevalier en vie. Avant de se mettre à l'ouvrage, il décida d'abord de calmer le grand chef qui tempêtait dans le palais. Il capta son énergie dans les bains. Jetant un dernier coup d'œil à Kevin, il disparut dans son vortex.

Wellan venait tout juste de pénétrer dans l'eau chaude lorsque Farrell apparut sur le bord du bassin, portant toujours le costume d'apparat qu'il lui avait donné en cadeau.

– Où étiez-vous passé ? s'impatienta le grand Chevalier.

– J'ai conduit votre soldat en lieu sûr, puisqu'il est contagieux en ce moment. Personne ne peut le toucher sans risquer de perdre la vie, enfin, personne sauf moi. Je suis immunisé depuis longtemps contre ce genre de maléfice.

– C'est l'œuvre du sorcier ?

– Sans aucun doute. Il a empoisonné Kevin avec l'intention de le retourner sur Enkidiev pour nous contaminer. Nous avons seulement devancé son geste en le ramenant ici nous-mêmes.

Alors, Wellan ne s'était pas trompé lorsqu'il avait ressenti la présence d'Asbeth dans l'alvéole. C'était pour cette raison qu'il leur avait été si facile de reprendre Kevin. L'homme-oiseau les avait laissé ramener sur leur continent un soldat malade qu'il destinait à les détruire tous.

– Votre raisonnement est juste, confirma Farrell en interrompant le cours de ses pensées.

– Kevin est-il condamné ?

– Pas si je le soigne moi-même. Mais, pendant ce temps, il faudra que quelqu'un s'occupe de mes élèves. Je ne pourrai pas m'approcher d'eux pendant le traitement.

– Je demanderai à Falcon et à son groupe de vous remplacer. Y a-t-il autre chose que je puisse faire pour vous ?

– Vous pourriez reprendre votre place à la tête de vos hommes sur la côte, car j'ai bien peur que l'empereur ne cherche à venger la destruction de ses pouponnières.

– Il a déjà empoisonné un Chevalier qui risque de tous nous anéantir, gronda Wellan. Que veut-il de plus ?

– C'était une initiative de son sorcier, lui rappela Farrell. Amecareth aura sans doute envie de punir votre geste d'une façon plus brutale.

Ayant déjà affronté toutes les armées de l'empereur, cet homme du passé connaissait probablement mieux que lui ses intentions. Le grand Chevalier lui fit donc confiance, une fois de plus.

– Vous devriez changer votre nom, suggéra Wellan. Pour ceux qui connaissent bien Farrell, vous êtes plutôt déroutant.

– Je ne suis pas certain que ce soit une bonne idée de me faire appeler Onyx de nouveau, mais j'y songerai, répliqua l'autre avec le sourire sarcastique qui le différenciait du nouveau professeur.

Le renégat inclina respectueusement la tête et disparut sans même avoir levé le petit doigt. Chaque fois que Wellan le voyait utiliser sa puissante magie avec autant de facilité, il ne pouvait s'empêcher d'être en colère contre Abnar qui n'avait donné que de maigres facultés aux nouveaux Chevaliers d'Émeraude. Il demeura un long moment dans l'eau chaude à réfléchir aux derniers événements, puis alla dormir jusqu'au réveil de ses compagnons.

En ouvrant l'œil, Wellan sentit leur présence dans le hall. Ne portant qu'une simple tunique, il rejoignit Falcon et ses soldats à table. Il leur raconta le sauvetage de Kevin avec force détails. Tous l'écoutèrent avec des yeux écarquillés.

– Onyx est un homme très courageux, commenta Falcon lorsqu'il eut terminé son récit.

– Ce que ses soldats racontaient à son sujet est vrai, mon frère, admit Wellan. Il n'a peur de rien et il connaît l'ennemi mieux que nous.

– Alors, nous aurions tort de nous priver de ses services, intervint Chesley.

– C'est également mon avis, l'appuya le grand chef.

– Si nous pouvions trouver un autre apprenti pour enseigner la magie aux enfants, Farrell pourrait rejoindre nos rangs de façon permanente, suggéra Wanda en frottant son gros ventre.

– Des magiciens, il n'en pleut pas sur le continent, lui rappela Davis.

– Je ne le sais que trop bien, soupira Wellan. En attendant de pouvoir remplacer le maître, il faudra que vous vous occupiez des enfants tandis qu'il soigne Kevin.

Tous les jeunes Chevaliers se portèrent volontaires. Wellan leur fit ses recommandations sur ce qu'ils pouvaient montrer aux élèves. Puis, il leur annonça qu'il retournait auprès de son groupe au pays des Elfes afin de patrouiller la côte, craignant des représailles de la part d'Amecareth. Il leur fit donc ses adieux, puis alla revêtir son uniforme maintenant sec. Dès qu'il fut prêt, il avertit Bridgess de son arrivée et matérialisa son vortex.

48

Le traitement

Dans l'ancienne prison, Farrell avait enlevé le bel uniforme que le grand Chevalier lui avait offert pour revêtir sa tunique blanche de magicien. Derrière lui mijotaient les herbes qu'il avait minutieusement choisies au pied de la Montagne de Cristal. Après toutes ces années, les mêmes plantes médicinales poussaient exactement aux mêmes endroits au Royaume d'Émeraude.

Le magicien revint vers son patient toujours inconscient. Son mal semblait profond et il serait difficile de l'en guérir, mais Onyx était un homme particulièrement têtu. Il mélangea l'épais bouillon en songeant aux dernières paroles de Wellan. Tout le monde connaissait désormais son identité. Mais Farrell occupait encore une partie de son esprit, et il ne voulait surtout pas donner aux Chevaliers l'impression qu'il possédait le corps du paysan. Donc, pas question d'utiliser le nom d'Onyx pour l'instant.

Kevin se mit à s'agiter en gémissant. Farrell se rendit à son chevet. Il posa la main sur son front brûlant en lui transmettant une vague anesthésiante. Le Chevalier empoisonné ouvrit brusquement les yeux et vit l'homme penché sur lui.

Hanté par d'incessants cauchemars depuis le début de sa captivité, il n'arrivait plus à faire la différence entre le rêve et la réalité.

– Je vous en conjure, ne me faites pas de mal..., souffla-t-il.

– Tu n'as plus rien à craindre, mon ami, le rassura le mage. Tu es très malade, mais pas irrécupérable.

– Où suis-je ?

– Je t'ai transporté dans un endroit où l'ennemi ne pourra plus mettre la main sur toi.

– Ce doit être un songe... Vous ne pouvez pas être dans la forteresse de l'empereur...

– Tu es de retour à Émeraude. Wellan et moi avons réussi à t'arracher des griffes de son sorcier.

– Wellan ?

Kevin tenta de se redresser pour étudier la pièce, mais ses muscles refusèrent de lui obéir. Farrell passa un bras dans son dos, le souleva doucement et le laissa regarder autour de lui. Puisqu'il n'avait jamais mis les pieds dans cet endroit, le Chevalier ne reconnut évidemment pas les différentes cellules aux barreaux de fer rouillé autour de lui.

– Tu es dans une tour où personne ne peut entrer en contact avec toi, car tu es contagieux, lui apprit le magicien.

– Alors, je représente aussi un danger pour vous, maître.

– Je suis immunisé contre ce mal. Surtout, ne t'inquiète pas pour moi. Concentre-toi plutôt sur ta guérison et ne cède pas au découragement. Je sais comment te soigner, mais ce traitement sera long.

– Je suis encore vivant, c'est ce qui compte, n'est-ce pas ?

– Tu as parfaitement raison.

Farrell l'aida à se recoucher. Avec beaucoup de patience, il lui expliqua de quelle façon il le débarrasserait du mauvais esprit en utilisant des potions et des compresses chaudes. Il ne lui cacha pas la vérité quant à l'inconfort de cette thérapie, puisque son patient était un Chevalier d'Émeraude. Il ne pouvait pas mentir à un frère d'armes.

– Il faut que je te fasse vomir tout ce que le sorcier t'a fait avaler, déclara Farrell en retournant s'asseoir devant sa marmite.

– Mais comment savez-vous ce qu'il m'a fait ? s'étonna Kevin.

– On m'a soumis au même traitement il y a fort longtemps.

Il aperçut alors de la confusion sur le visage blafard du soldat et il lui décocha un regard moqueur tout en continuant à remuer sa potion fumante.

– Puisque nous allons passer beaucoup de temps ensemble, toi et moi, il y a certaines choses que tu dois savoir. Je ne suis pas exactement l'homme que tu crois.

Il lui raconta comment Wellan, par un geste anodin, lui avait permis de fuir la prison de pierre où l'avait enfermé

Abnar. Il lui parla également de sa fusion avec la personnalité de Farrell qui lui avait permis de survivre à la dernière attaque du Magicien de Cristal.

– Mais pourquoi nous aider après avoir tenté de nous tuer ?

– Parce que je suis toujours un Chevalier d'Émeraude, comme toi. Je suis loyal envers l'Ordre, mais je n'accepte pas la trahison d'Abnar.

– Vous n'êtes plus du tout Farrell, alors ?

– Je suis l'union de sa personnalité et de celle d'Onyx d'Émeraude, l'homme qui était ton ami lorsqu'il se trouvait dans le corps de Sage d'Espérita.

Kevin le fixa avec stupeur. Farrell lui donna tout le temps voulu pour assimiler cette information.

– C'est moi qui t'ai enseigné à te servir d'un arc, ajouta-t-il. Nogait, toi et moi étions inséparables.

Les pensées de Kevin basculèrent à l'époque de la découverte d'Espérita, au Royaume des Esprits. Les soldats avaient ramené Sage avec eux sans savoir qu'il était possédé par l'essence du renégat. Sa maîtrise des armes et sa franche personnalité lui avaient tout de suite plu. Ils s'étaient entraînés ensemble, ils avaient fait des courses à cheval dans la campagne d'Émeraude et ils s'étaient battus côte à côte pendant quatre ans sur les plages d'Enkidiev.

Lorsque le Magicien de Cristal avait réussi à extraire l'esprit d'Onyx du corps de Sage, Nogait et lui s'étaient retrouvés devant un parfait étranger. Bien que charmant et attachant, le nouveau Sage ne se rappelait même plus des bons moments passés avec ses amis.

– Est-ce la raison pour laquelle vous êtes venu à mon secours ? s'enquit finalement Kevin.

– En partie, attesta Farrell avec un sourire tranquille. Notre amitié m'a été très précieuse jadis, c'est vrai, mais Onyx est aussi un Chevalier d'Émeraude qui a prêté le serment de ne jamais abandonner ses compagnons aux mains de l'ennemi.

– Êtes-vous Farrell ou Onyx ? se troubla Kevin.

Le magicien versa la potion verdâtre dans un gobelet en fer et s'approcha de son patient en posant sur lui un regard rempli de compassion.

– Je ne le sais pas toujours très bien, confessa-t-il en s'asseyant sur le petit banc près du lit. Mes deux personnalités sont si bien intégrées que je ne suis plus ni l'un ni l'autre. Je partage les souvenirs de Farrell et ceux d'Onyx, mais je ne réagis pas toujours comme eux. C'est comme si j'étais devenu un troisième homme.

– Wellan le sait-il ?

– Il a été le premier à qui j'ai dit la vérité. Sa réaction a été brutale, mais compréhensible, compte tenu des circonstances qui ont entouré le retour d'Onyx. Il a heureusement compris que je ne lui voulais aucun mal.

– Mais vous avez toujours l'intention de vous venger du Magicien de Cristal.

– C'est une tout autre histoire et nous en reparlerons plus tard. Maintenant, cesse de me vouvoyer, Kevin. Nous avons été de bons amis pendant trop longtemps pour que tu me traites avec toutes ces cérémonies.

– Mais un Chevalier doit le respect à un magicien, protesta le patient.

– Je suis aussi ton frère d'armes.

Il aida Kevin à s'asseoir en lui expliquant qu'après avoir bu la potion, il ressentirait des crampes à l'estomac et éjecterait violemment le poison par la bouche.

– Je serai brave...

Farrell fit apparaître un seau. Il exigea que son patient ne vomisse que dans ce récipient. Kevin avala le liquide chaud au goût âpre. Farrell avait dit vrai : quelques minutes seulement après avoir ingurgité la potion, une douleur intolérable lui déchira les entrailles. Il se plia en deux, en proie à un violent spasme. Le magicien approcha vivement le contenant de sa bouche pour y cueillir une masse noire et gluante qui s'anima en cherchant à lui échapper. Farrell éloigna aussitôt le contenant pour y projeter une décharge enflammée. Un effroyable cri résonna dans la vieille prison tandis que la substance empoisonnée se consumait.

Kevin sentit son sang se glacer dans ses veines. Il retomba sur le dos en cherchant désespérément son souffle, le corps couvert de sueur. Le magicien retira la couverture qui l'avait tenu au chaud depuis son arrivée au château et déposa sur son torse les compresses qu'il avait trempées dans la potion magique. Elles se mirent immédiatement à dégager une étrange vapeur verdâtre. Kevin émit un grondement sourd, tandis que le mal s'accrochait en lui.

– Tiens bon, mon ami, l'encouragea Farrell.

La nuée monta en spirale jusqu'au plafond de la pièce circulaire, où elle se dissipa au contact de la pierre en sifflant comme un serpent. Kevin se détendit d'un coup et sa respiration redevint normale. Farrell observa son visage tout en retirant les pansements humides dont il se servirait encore bien des fois durant les jours à venir. Le pauvre Chevalier ne souffrait plus, mais il n'était pas au bout de ses tourments. Ce traitement devrait être répété toutes les heures jusqu'à sa guérison complète.

Farrell médita à quelques pas de son patient pendant que d'autres plantes mijotaient sur le feu. Les anciens Chevaliers d'Émeraude n'avaient jamais eu l'occasion de pratiquer cette technique de relaxation qui soulageait le corps de la fatigue et qui mettait de l'ordre dans les pensées, puisqu'ils avaient tout de suite été lancés dans l'action par Abnar. C'était au contact de l'âme de Farrell qu'Onyx avait appris à se recueillir dans un coin tranquille de sa conscience afin de reprendre contact avec lui-même.

Le magicien n'ouvrit les yeux qu'une heure plus tard. Son patient dormait paisiblement. Il prépara le seau, la potion et les compresses, puis le réveilla. Kevin était trop faible pour s'élever contre la violence que Farrell faisait subir à son corps, mais il allait bientôt reprendre des forces et il ne tarderait pas à lui opposer de la résistance.

Cela se produisit le quatrième jour. Kevin agrippa solidement le poignet de Farrell lorsque ce dernier voulut lui faire ingurgiter la mixture. Les deux hommes se regardèrent un moment dans les yeux et le magicien en profita pour sonder le Chevalier. Il avait repris suffisamment d'aplomb pour avaler un peu de nourriture solide, mais le mal circulait toujours dans son sang.

– Je commence à croire que la mort aurait été plus douce que cette potion qui me laboure les entrailles, maugréa Kevin.

– Si tu veux quitter cette tour un jour, il faudra pourtant que tu continues d'en boire.

– C'est au-dessus de mes forces, Farrell.

– Tu es bien plus courageux que tu le crois, Chevalier. Et tu sais très bien que c'est la seule façon pour toi de retourner au combat avec tes compagnons.

Kevin lâcha le poignet de Farrell et lui arracha le gobelet pour le boire lui-même. Les crampes mettaient de plus en plus de temps à se manifester, mais elles lui causaient toujours autant de douleur. Lorsqu'il eut fini de vomir la dégoûtante matière visqueuse et que le magicien l'eut détruite, il leva un regard désespéré sur lui.

– Combien de temps encore ? hoqueta-t-il.

– Un jour ou deux, je pense. Il y a de moins en moins de cette substance maléfique en toi.

Kevin se laissa retomber sur son lit. Farrell le couvrit de compresses comme il le faisait après chaque purge. Ce Chevalier, issu du peuple éprouvé de Zénor, possédait beaucoup d'endurance. Heureusement, car un homme moins fort aurait déjà succombé au sortilège.

– As-tu vraiment reçu le même traitement que moi ou ne m'as-tu dit ça que pour me rassurer ? demanda Kevin en haletant.

Farrell alluma des cierges dans la pièce, puis s'assit en appuyant son dos endolori contre le mur de pierre. Il tourna la tête vers son patient en tentant de lui masquer la souffrance que ce souvenir ravivait en lui.

– J'ai été empoisonné moi aussi, avoua-t-il. Lorsqu'on a extirpé le poison de mon corps, j'ai pensé que j'allais mourir. Mais j'ai survécu à ce traitement, comme tu le feras toi aussi, parce que nous sommes des Chevaliers d'Émeraude.

Kevin garda le silence quelques minutes. Le magicien captait toutes ses questions, mais il ne voulait pas les devancer.

– Le poison m'empêche d'entendre mes frères..., se désola le Chevalier.

– C'est parce qu'ils ne se parlent plus aussi souvent, expliqua Farrell avec un sourire aimable. Ils surveillent attentivement la côte, même s'il n'y a aucun signe de l'ennemi pour l'instant.

– Il n'y en avait pas non plus lorsque nous avons été attaqués sur la plage d'Argent et, pourtant, trois vaisseaux sont apparus de nulle part.

– Asbeth les avait masqués avec sa magie. Il ne pourra plus nous duper de cette façon, puisque je possède la faculté de déjouer les sorciers.

– Dans ce cas, tu devrais être parmi les Chevaliers au lieu de t'occuper de moi.

– Mais je fais les deux, mon ami. Habituellement, il m'est impossible de projeter mon énergie jusqu'à l'océan, parce que mes enfants requièrent toute mon attention, mais avec toi, c'est plus facile. Tu es beaucoup moins turbulent que Nemeroff.

Le sourire du magicien convainquit Kevin que cet homme était bien l'ami fidèle qu'il avait jadis connu dans le corps de Sage. Il restait à ses côtés alors qu'il avait une famille à élever et de futurs apprentis à former.

– Raconte-moi comment Wellan et toi avez réussi à me faire sortir de la forteresse de l'empereur, réclama le Chevalier.

Farrell lui raconta le sauvetage dans ses moindres détails.

– Jamais je n'aurais trouvé le repos éternel si j'avais causé la perte de tous les habitants d'Enkidiev, s'affola Kevin.

– Je ne crois pas que ni les dieux ni les hommes te l'auraient reproché, mon ami, puisque c'était l'œuvre du sorcier.

Farrell recommença à faire bouillir des plantes. Cette fois, lorsque la potion fut prête, son patient tendit la main pour recevoir le gobelet. La purge se poursuivit ainsi jusqu'au lendemain soir. Un peu avant minuit, après avoir encore une fois ingurgité le liquide chaud, Kevin fut surpris de constater que les crampes ne se manifestaient pas. Il se tourna vers le magicien, inquiet.

– Eh bien, mon ami, toi et moi allons enfin pouvoir dormir ce soir, déclara Farrell.

– Je suis guéri ?

– Si tu ne rejettes plus de poison, c'est qu'il n'y en a plus dans ton corps. Demain, tu pourras recommencer à manger normalement. Maintenant, il faut que tu te reposes.

– Merci, Farrell.

Le magicien se dirigea vers un matelas rempli de paille et s'y laissa tomber. Malgré la jeunesse de son corps d'adoption, tous ses muscles le faisaient souffrir. Épuisé, il éteignit les cierges d'un geste du petit doigt.

49

La métamorphose

Kevin sombra instantanément dans le sommeil, mais il ne dormit pas longtemps. Il fut réveillé par des bourdonnements qui lui rappelèrent aussitôt l'attaque des abeilles à Zénor. Il scruta magiquement la pièce sombre, mais ne capta rien. Il n'y avait que Farrell avec lui. C'est alors qu'il comprit que ce bruit infernal provenait de son esprit. Avec difficulté, il parvint à s'asseoir. Les vrombissements se transformèrent en sifflements aigus.

– Farrell ! appela-t-il en portant les mains à sa tête.

Le magicien sursauta. Craignant une attaque, il balaya la tour avec ses sens aiguisés. Il ne capta aucune présence ennemie. Pourquoi Kevin était-il dans un tel état de panique ? Il alluma les cierges et se précipita à son chevet. Il le sonda jusqu'aux os sans ressentir de maléfice en lui. Il posa donc le bout de ses doigts sur ses tempes et fut saisi d'horreur en reconnaissant la cacophonie assourdissante qui assaillait le Chevalier. Nomar lui avait jadis mentionné la possibilité qu'un lien s'établisse entre l'esprit de la victime du mauvais sort et celui de la collectivité, même lorsque le poison ne circulait plus dans ses veines.

– Que m'arrive-t-il ? s'effraya Kevin.

Farrell lui transmit d'abord une vague d'apaisement, puis lui expliqua que l'intervention d'Asbeth avait installé en lui de nouvelles facultés télépathiques.

– Je t'en conjure, fais taire ces voix ! le supplia Kevin en s'accrochant à ses manches.

– Ce sont des voix que tu entends ? s'étonna le magicien qui ne percevait que des sifflements. Est-ce que tu comprends ce qu'elles disent ?

– Il y en a beaucoup trop !

– Calme-toi et concentre-toi sur une seule d'entre elles.

Kevin ferma les yeux. Farrell le sentit plonger dans sa faible réserve d'énergie magique pour démêler ce qu'il percevait.

– Ce sont des insectes femelles ! s'horrifia-t-il en ouvrant subitement les yeux. Elles pleurent les enfants guerriers morts dans leurs œufs ! Mais comment est-ce possible ? Comment puis-je comprendre les messages télépathiques de nos ennemis ?

– C'est du sang d'insecte que le sorcier t'a fait avaler, Kevin.

– Non ! hurla le Chevalier en reculant sur son lit.

Farrell l'agrippa solidement par les épaules. Il plongea son regard dans le sien, utilisant ses pouvoirs supérieurs pour le calmer. Kevin s'immobilisa, captivé par les yeux du magicien.

– Disent-elles autre chose, Kevin ? s'enquit Farrell.

– L'Empereur Noir envoie des esclaves attaquer les humains pour se venger.

« Il n'a peut-être plus suffisamment de guerriers impériaux », conclut le magicien. Comme il le faisait jadis, l'empereur allait une fois de plus se servir d'un peuple conquis pour frapper le continent pendant qu'il évaluait ses pertes. Il posa la main sur la nuque du Chevalier et illumina sa paume. Kevin sombra dans l'inconscience. Doucement, Farrell le recoucha. Sachant qu'il dormirait pendant de longues heures, il revêtit son uniforme de Chevalier et se volatilisa.

Farrell apparut au milieu de la nuit dans la hutte occupée par le groupe de Wellan au Royaume des Elfes. Assis devant une chandelle unique, le Chevalier Zerrouk, qui était de garde, tressaillit en le voyant se matérialiser.

– Je suis venu m'entretenir avec Wellan, expliqua le renégat pour rassurer la sentinelle.

Dans la demi-obscurité, le grand chef dormait auprès de Bridgess. « Un roi en exil », ne put s'empêcher de penser le renégat en s'approchant de lui. Il posa un genou sur le plancher de paille tressée et secoua le Chevalier. Wellan battit des paupières. En apercevant les yeux pâles du magicien, il se redressa brusquement.

– Qu'y a-t-il ? s'alarma-t-il, redoutant qu'il ne soit arrivé malheur à Kevin.

– L'empereur a finalement décidé de punir votre audace, l'avertit Farrell. Il envoie une armée contre nous, mais elle n'est pas composée de ses guerriers d'élite. Je vais sonder l'océan et je vous tiendrai informé.

Il salua Wellan d'un mouvement sec de la tête et quitta la hutte avant que le Chevalier puisse le retenir.

Farrell traversa le bosquet d'arbres protégeant l'abri et l'enclos. Il se retrouva sur la plage de galets. La lune n'était plus qu'un mince croissant descendant lentement dans les vagues noires. Elle ne permettait pas à des yeux humains d'y distinguer quoi que ce soit. Il se servit donc de ses sens magiques pour scruter l'horizon. Wellan arriva derrière lui en achevant d'attacher sa cuirasse.

– Vous me réveillez au milieu de la nuit pour m'annoncer que nous sommes sur le point d'être attaqués et vous pensiez que j'allais tout simplement me rendormir ? grommela-t-il en s'arrêtant près de lui.

– Non, répondit Farrell avec un sourire amusé. Je savais que vous viendriez me rejoindre.

– Comment va Kevin ? se radoucit le Chevalier.

– Je l'ai débarrassé du poison, mais je crains que nous ne soyons arrivés trop tard pour vraiment le sauver.

– Il va mourir ?

– Encore pire. Il s'est créé en lui un lien avec la collectivité, l'esprit commun à tous les insectes.

Wellan n'en crut pas ses oreilles. Comment un humain pouvait-il partager les pensées de créatures aussi différentes ?

Il n'avait jamais rien lu de tel dans les ouvrages traitant de la première invasion.

– Un seul Chevalier a été exposé à ce danger jadis, lui apprit Farrell, mais il a fort heureusement échappé à la domination télépathique de l'Empereur Noir. Cet homme, c'était moi.

Abasourdi, Wellan le fixa en silence pendant un moment, puis s'éloigna en tentant de comprendre ce qui arrivait à Kevin. Si ce soldat était désormais branché à l'esprit de leurs ennemis, pouvait-il vraiment se permettre de le garder parmi les Chevaliers ? Farrell le suivit des yeux en épiant ses pensées. Hadrian aurait également hésité à conserver dans ses rangs un homme aussi vulnérable, même son ami Onyx.

– Le maître magicien Fan de Shola a jadis coupé le cheval-dragon de Kira de la collectivité, déclara alors le grand chef en faisant volte-face. Sans doute pourrait-elle opérer le même miracle avec un Chevalier.

– Depuis quand faites-vous confiance aux Immortels ?

– Fan est un maître magicien qui a connu la vie terrestre. Elle a étudié auprès de Nomar.

– Raison de plus pour vous méfier d'elle.

– Je ne vois aucune autre façon de libérer Kevin de ce joug, à moins que vous n'ayez des suggestions.

– J'y réfléchirai, promit Farrell. Pour le moment, il est plus important de protéger la côte contre l'ennemi qui approche.

Wellan porta son regard sur l'océan d'encre. « Pourvu que le sorcier ne fasse pas partie de cette nouvelle attaque », souhaita-t-il en son for intérieur. Farrell lui entoura les épaules d'un bras fraternel.

– Cette fois-ci, s'il ose se montrer le bec, il le regrettera, promit-il d'une voix rassurante.

Pendant ce temps, au Château de Zénor, Kira dormait en boule contre le dos de son mari. Sa mère n'était pas revenue la harceler dans ses rêves. Savait-elle que sa fille tardait à parler à Sage de la possibilité de terminer son entraînement magique dans les royaumes invisibles ? Cette nuit-là, la princesse mauve rêvait plutôt à Armène, qui lui brossait les cheveux en lui racontant que Lassa allait jouer un rôle important dans sa vie. Un épouvantable vacarme réveilla soudain tous les dormeurs dans le grand hall du château.

– Mais qu'est-ce que c'était ? s'alarma Jasson en se redressant.

– Je n'en sais rien, répondit Alisen, qui montait la garde, mais cela provient de l'extérieur.

Les Chevaliers ne prirent pas le temps d'enfiler leurs cuirasses. Ils saisirent leurs épées et se précipitèrent dans la cour, où ils trouvèrent un bien curieux spectacle : ayant défoncé la demi-porte qui donnait accès aux écuries, Hathir, le cheval-dragon noir de Kira, galopait autour du puits en poussant des hennissements stridents.

– Mais qu'est-ce qui lui prend tout à coup ? s'inquiéta Sage.

– Je n'en ai pas la moindre idée, avoua Kira. Il n'a jamais agi de cette façon depuis qu'il est mon destrier de combat.

– Sondez les alentours, exigea Jasson. C'est peut-être un nouveau danger qu'il pressent.

Pendant que ses compagnons scrutaient les abords du château, la plage et l'océan, Kira s'approcha de l'énorme cheval. Elle lui ordonna de se calmer. Hathir secoua frénétiquement la tête en continuant d'émettre des cris aigus. Le Chevalier mauve posa la main sur ses naseaux.

– Jasson ! s'écria-t-elle, ahurie par ce qu'elle ressentait dans les vibrations de l'animal.

Le commandant du groupe revint en courant. Kira lui annonça avec soulagement que Hathir n'éprouvait pas de la terreur mais une très grande joie. Jasson fronça les sourcils en se demandant ce qui pouvait bien réjouir un cheval-dragon.

– Je capte des bateaux au sud-ouest ! les avertit Brannock.

– Ce sont des insectes ! spécifia Ariane.

– Ton cheval est content de voir approcher l'ennemi ? s'étonna Kardey, quelques pas derrière Kira.

– Non, c'est impossible, le défendit-elle.

Jasson contacta aussitôt Wellan et tous les autres commandants de la côte. Ensemble, ils déterminèrent que la flotte ennemie se dirigeait vers la frontière entre le Royaume de Zénor et le Royaume de Cristal.

50

UNE ODEUR FAMILIÈRE

Wellan ordonna à tous ses Chevaliers de se rendre à Zénor avec leurs montures et de se masser en retrait de la plage, sur les petites collines arrondies, où ils auraient une meilleure vue des vaisseaux dès le lever du soleil. Les soldats de Jasson, déjà sur place, se hâtèrent de retourner au château pour revêtir leurs armures.

– Hathir est peut-être en pleine crise d'adolescence, se moqua Corbin en suivant Kira dans le couloir.

– J'espère bien que non, maugréa la Sholienne, incertaine de pouvoir monter l'animal surexcité.

Une fois vêtus pour la guerre, les Chevaliers et les Écuyers grimpèrent sur leurs chevaux pour s'engouffrer dans les vortex. Quelques secondes plus tard, ils en émergèrent et formèrent une ligne.

Kira avait réussi à sauter sur le dos de Hathir, mais il continuait de piaffer en bousculant les bêtes de chaque côté de lui. Wellan se redressa dans ses étriers pour observer l'étalon noir indiscipliné. S'il continuait de déconcentrer tout le monde, il serait obligé de l'expulser. Contrarié, il somma sa jeune sœur de faire preuve de plus de fermeté. *J'ai déjà tout essayé, Wellan !* s'indigna Kira. *Je ne sais pas ce qui lui prend !*

Si tu n'arrives pas à le maîtriser, recule derrière la ligne avant qu'il n'affole nos bêtes, exigea le grand chef. Kira admonesta l'animal, en vain : il sautillait et manifestait sa joie avec l'exubérance d'un poulain. Il heurta la monture de Sage, puis celle de Yamina, qui fit une incartade. Le soldat mauve fit donc sortir son cheval des rangs pour le laisser exécuter des cabrioles derrière ses compagnons découragés. C'est à cet instant que Kira remarqua la présence de Farrell. Les bras croisés, près de Wellan, il surveillait l'horizon où se dessinaient maintenant les contours des vaisseaux. Seuls ses longs cheveux noirs permettaient de le différencier de son cousin Sage, qui les portait aux épaules.

Kira empêcha Hathir de foncer dans la croupe du cheval de Wellan, ce qui aurait une fois de plus indisposé le grand chef. Elle se rappela soudain que l'esprit d'Onyx survivait dans le corps de Farrell. Ce dernier lui adressa un coup d'œil taquin. La jeune femme baissa la tête, embarrassée, puisqu'elle avait partagé sa couche à l'époque où il possédait son époux. *Moi, je ne regrette rien*, insinua-t-il. Elle avisa son sourire sarcastique. Heureusement, ses frères et sœurs ne semblaient pas avoir entendu ce commentaire. Troublée, Kira talonna Hathir et s'éloigna.

Dans les premiers rayons du soleil, les bateaux se dessinèrent plus nettement à l'horizon. Les Chevaliers en comptèrent au moins une dizaine. Il ne s'agissait pas d'embarcations impériales, mais plutôt de larges barques qui transportaient des animaux et leurs maîtres insectes. *Est-ce que ce sont des dragons qui les accompagnent ?* demanda Bergeau. *Non. Ce sont des « Hathir »*, rectifia Ariane. C'était donc pour cette raison que le cheval de Kira faisait des siennes depuis quelques heures : il avait ressenti l'approche de ses congénères !

Wellan, veux-tu qu'on les arrête tout de suite avec des rayons incendiaires ? proposa Dempsey. Le grand Chevalier se tourna vers Farrell pour solliciter son avis. Jasson remarqua son geste et n'apprécia pas que son chef s'en remette ainsi à Onyx.

– Ils n'ont même pas envie de se battre, répondit le magicien. En fait, si nous pouvions les débarrasser des quelques guerriers impériaux qui les forcent à nous attaquer, je suis certain qu'ils rebrousseraient chemin.

Wellan examina attentivement les vaisseaux que le courant poussait rapidement vers la plage. Ils contenaient au moins trois cents chevaux et deux fois plus d'insectes. Farrell avait raison de prétendre qu'ils n'étaient pas agressifs et qu'ils n'avançaient que sous le coup de la menace. *Laissez-les débarquer,* ordonna-t-il finalement, à la grande surprise de ses hommes. Même le magicien, debout à côté de son cheval, sembla étonné de sa décision. *Tu pourrais éviter des pertes parmi nos soldats en les détruisant pendant qu'ils sont en mer,* raisonna Dempsey.

Un Chevalier d'Émeraude est d'abord et avant tout un gardien de la paix, leur rappela Wellan. *Nous ne tuerons pas des créatures qui ne nous veulent aucun mal. Nous allons les sommer de retourner chez elles et leur montrer l'étendue de notre pouvoir en ne frappant que les serviteurs d'Amecareth qui les dirigent.* Wellan aperçut, un peu plus loin, le regard rempli de fierté de Santo. Étant d'une nature fondamentalement pacifique, le guérisseur approuvait cet ordre.

– Combien y a-t-il de gardiens impériaux ? demanda Wellan à Farrell.

– J'en perçois deux par embarcation et aucun sorcier.

– Ça, c'est une bonne nouvelle, souligna Bailey.

Les bateaux s'échouèrent finalement dans les bancs de sable. Des centaines de répliques de Hathir en débarquèrent, tenus à la bride par leurs maîtres, des insectes filiformes vêtus de pagnes brillants. Il y en avait un très grand nombre, des fantassins pour la plupart, qui fonceraient sur les humains derrière leurs larges chevaux d'assaut.

La peau brunâtre de ces insectes ressemblait à du cuir. Ils possédaient de longues jambes et de longs bras. Une crinière blanche et soyeuse courait du sommet de leur crâne allongé jusqu'au milieu de leur dos. Leur visage rectangulaire se terminait par un menton prononcé. Sur le dessus de leur tête, de chaque côté d'une touffe de crins immaculée, se dressaient deux longues antennes. *Ceux-là ressemblent davantage à des sauterelles*, remarqua Nogait. Même Wellan ne put s'empêcher de sourire devant cette remarque tout à fait juste.

Les insectes grimpèrent sur leurs énormes montures et tirèrent de leurs selles ce qui ressemblait à un harpon muni de barbelures acérées. Derrière eux apparurent les guerriers impériaux, armés de leurs lances. *Enfin des visages qu'on connaît*, ricana Jasson. Wellan analysa rapidement la situation et la position de tous les insectes. *Je vais m'avancer pour leur demander de partir*, lança-t-il. *S'ils esquissent le moindre geste d'agression, foncez.*

– Wellan, attends ! appela Kira, derrière lui.

Il pivota sur sa selle avec un air agacé, car maintenant que l'ennemi s'était déployé sur la plage, ce n'était guère le moment de le distraire.

– Je viens de comprendre l'enthousiasme de Hathir ! lui exposa-t-elle. Ces insectes montent des dragons-juments !

Un sourire victorieux éclaira le visage du grand chef alors qu'une nouvelle stratégie se formait dans son esprit.

– Hathir est-il assez séduisant pour persuader ces dames de changer de camp ? voulut-il savoir.

– Je l'espère bien, parce que je ne pourrai pas le contenir bien longtemps, riposta Kira en sautillant sur la selle.

– Alors, laisse-le aller.

Kira relâcha les rênes de son cheval et s'accrocha à sa crinière. Wellan eut juste le temps de s'écarter de sa route. Hathir fonça vers la plage en poussant des cris si aigus que Kira crut qu'il allait la rendre sourde. Toutes les montures de l'ennemi levèrent la tête en même temps. Elles se mirent à piaffer en lui répondant à l'unisson. Kira se cramponna tandis que son étalon galopait de long en large devant les femelles, baissant la tête et s'ébrouant.

Mais qu'est-ce qu'elle est en train de faire, cette fois ? s'interrogea Nogait. *Je pense qu'elle ramasse notre butin*, avança Swan. En quelques minutes à peine, toutes les juments noires voulurent suivre Hathir qui les exhortait à la révolte. Les insectes bruns tentèrent de les calmer, mais ils furent désarçonnés jusqu'au dernier. Hathir mit le troupeau au galop en un rien de temps et l'entraîna avec lui en direction de Zénor, Kira sur son dos.

Les insectes décontenancés se remirent sur pied avec difficulté. Wellan en profita donc pour s'avancer sur la plage. Il rejeta ses épaules en arrière. Il redressa fièrement la tête et écarta les bras afin de montrer ses intentions pacifiques.

– Je suis le Chevalier Wellan d'Émeraude ! déclara-t-il d'une voix forte.

Les insectes se rassemblèrent derrière leur chef à la crinière plus longue et plus fournie, mais ne firent aucun geste offensif. Le grand Chevalier arrêta son cheval et promena son regard glacé sur la troupe.

– Ces terres appartiennent aux humains, aux Fées et aux Elfes ! prononça-t-il.

Jasson haussa un sourcil en l'entendant ainsi inclure le peuple des forêts parmi leurs alliés, car Wellan lui avait toujours tenu rancune de son inaction lors de l'invasion de Shola.

– Si vous avez des intentions hostiles, vous serez repoussés par les armes !

Ces insectes ne comprenaient probablement pas ce qu'il disait, mais ils pouvaient interpréter la posture et le ton de Wellan. Ils conférèrent rapidement entre eux avec des sifflements désagréables. Leur chef n'eut pas le temps de transmettre leur décision au grand Chevalier. Les guerriers d'Amecareth s'étaient mis en mouvement derrière leurs esclaves pour les obliger à attaquer.

Une lance fonça sur les humains. Farrell leva vivement la main. L'arme s'arrêta dans les airs, devant le cœur de Wellan. Utilisant l'autre main, le magicien retourna le javelot et l'expédia à son point de départ à une vitesse foudroyante. La pointe acérée frappa le guerrier noir en pleine poitrine. Bien qu'elle ne fit aucun dommage à sa carapace épaisse, l'impact le projeta sur le dos dans les galets. Croyant avoir affaire à un sorcier, tous les insectes bruns se prosternèrent d'un seul mouvement. Farrell se mit à avancer vers l'ennemi sans manifester la moindre frayeur. Une vingtaine de guerriers impériaux convergèrent vers lui. Le magicien tira son épée et marcha à leur rencontre, l'air ravi.

– Farrell ! le rappela Swan.

Il ne l'entendit même pas.

– Retournez immédiatement dans vos vaisseaux et vous serez épargnés ! ordonna Wellan.

Son ton de voix sema la panique parmi les insectes bruns. Ils rebroussèrent chemin vers la mer en contournant les lances de leurs gardiens. Au bout de quelques minutes, il ne resta plus que les guerriers noirs et les Chevaliers sur la plage. Les énormes insectes se placèrent en position offensive. Farrell reçut le premier à grands coups d'épée. Wellan sauta à terre et se précipita pour lui venir en aide.

De son poste d'observation, Bridgess analysa rapidement la situation. Elle comprit qu'un trop grand nombre de Chevaliers risquait de nuire à l'attaque de son mari et du magicien. *Que seul le groupe de Bergeau se porte à l'attaque !* ordonna-t-elle en forçant plusieurs de ses compagnons à freiner leur élan, car ils appartenaient à des groupes différents.

– Mais pourquoi ? protesta Swan en se retournant vers elle.

– Ils ont les bras les plus solides, expliqua Bridgess.

Que Jasson et son équipe se préparent à leur prêter main-forte ! décida-t-elle. Swan fulmina de rage, car elle faisait partie de celui de Chloé. La bouillante jeune femme se tourna vers les combats où son époux risquait stupidement sa vie. Mais en l'observant, elle se forma rapidement une tout autre opinion de lui. Ce n'était plus le paysan d'Émeraude qui avait peur des abeilles, mais un magnifique soldat qui ne craignait nullement un ennemi deux fois plus gros que lui.

Voyant que leurs compagnons s'épuisaient à tenter de déséquilibrer leurs adversaires à coups d'épée, Jasson fonça avec sa troupe. Il sauta sur le sol et laissa partir son cheval, mais au lieu de tirer son arme, il courut se poster dans l'eau derrière les insectes. Utilisant son puissant pouvoir de lévitation, il hala magiquement les guerriers impériaux à lui. Comprenant ce qu'il essayait de faire, ses plus jeunes soldats se jetèrent à quatre pattes derrière les guerriers noirs pour les faire culbuter. Dès qu'un insecte s'écrasait sur le dos, deux Chevaliers s'empressaient de planter la pointe de leurs épées à l'intérieur de ses coudes.

Lorsque le dernier monstre fut abattu, Wellan releva la tête. Les bateaux s'éloignaient de la côte. Les Chevaliers des autres groupes arrivèrent au galop pour détruire les cadavres, car les combattants avaient besoin de reprendre leur souffle.

Farrell promena un regard satisfait sur la plage, puis leva les yeux sur le cheval près de lui. Du haut de sa selle, Swan le considérait avec colère. Il se rappela alors sa promesse de veiller d'abord et avant tout sur leurs enfants. Il ouvrit la bouche pour justifier son intervention, mais elle ne lui donna pas le temps de parler.

– Ne m'adresse plus jamais la parole, espèce de menteur ! s'enflamma-t-elle. Notre union vient de prendre fin à l'instant !

Elle talonna sa monture et s'éloigna au galop. Un sourire amusé joua sur les lèvres du renégat. Il jeta un coup d'œil en direction de Wellan, qui lui fit signe de régler rapidement ce différend. Farrell inclina la tête. Il disparut pour réapparaître presque instantanément derrière Swan, sur la croupe de son destrier. Il passa les bras autour de la taille de son épouse.

– Descends tout de suite de mon cheval ! tempêta-t-elle en freinant la course de l'animal.

– Pas avant que tu m'aies embrassé.

– Parce que tu crois mériter un baiser après cet affront ? Et de quel droit portes-tu cette armure ?

– Quel affront ? J'ai sauvé la vie de Wellan ! Mais je préférerais décidément que ce soit toi qui me donnes ce baiser en récompense !

Furieuse, elle voulut le faire glisser de la selle en lui donnant des coups de coude dans le ventre. Ne comprenant pas ce qui se passait, la monture s'affola puis finit par se cabrer, précipitant les deux cavaliers sur les galets. Swan se retourna vivement vers son mari pour le frapper encore. Il lui saisit les poignets en riant.

– Avoue que je suis un Chevalier du tonnerre ! ricana-t-il.

– Tu n'es qu'un homme arrogant ! hurla Swan en se démenant pour lui échapper. Tu es un père ingrat qui abandonne constamment ses enfants sans le moindre remords !

– Je ne les abandonne pas, je les confie à Armène ! Si je suis accouru au devant de l'ennemi, c'était pour que les hommes-insectes n'atteignent pas le Royaume d'Émeraude !

Il tenta de l'embrasser, mais elle enfonça son coude là où s'arrêtait la cuirasse. Farrell lâcha prise et roula sur le côté en poussant une plainte sourde. Swan se jeta sur lui pour le frapper avec ses poings, mais elle vit son visage crispé par la souffrance.

– Farrell, je suis désolée...

Il referma les bras sur elle, l'emprisonnant contre lui. Swan commença par se débattre furieusement, puis elle se laissa gagner par son étreinte. Sous les yeux étonnés de leurs compagnons, ils échangèrent de langoureux baisers.

51

UN JUSTE RETOUR DES CHOSES

Lorsque la première lame de ses frères s'enfonça dans le coude d'un guerrier noir, Kevin se réveilla en hurlant. Il ressentait la douleur des insectes ! Son tourment dura ainsi plus d'une heure. Lorsque le dernier soldat de l'empereur eut rendu l'âme, ses muscles se détendirent d'un seul coup. En tremblant de tous ses membres, il parvint à s'asseoir sur son lit. Les dernières paroles de Farrell retentirent alors dans son esprit. Le sorcier lui avait fait boire du sang d'insecte et il en restait suffisamment dans ses veines pour le maintenir en contact avec la collectivité !

Kevin se leva avec difficulté. Pour couvrir son corps nu, il enfila la tunique blanche accrochée au mur. Il avisa alors le seau dans lequel le magicien avait détruit toute la substance gluante logée dans son estomac. Farrell ne pouvait plus rien faire pour l'arracher à la sorcellerie d'Asbeth. *Tu m'appartiens, Argoth,* fit alors la voix du sorcier dans sa tête.

– Non ! cria Kevin en tombant sur ses genoux.

Je t'ai dit que tu ne pourrais jamais m'échapper, poursuivit la voix de corneille dans son crâne. *Grâce à toi, je saurai tout ce que font et décident les soldats humains. Ensemble, nous les vaincrons et nous régnerons sur l'univers.*

– Jamais je ne servirai l'empereur !

Effrayé, il fouilla du regard la pièce éclairée par les premiers rayons du soleil, mais ne vit aucune arme avec laquelle s'enlever la vie. Il se mit debout et s'approcha de la fenêtre. Elle était trop étroite pour qu'il puisse s'y faufiler et se lancer dans le vide. Il marcha donc jusqu'au trou dans le plancher où l'escalier se trouvait autrefois. Il n'en restait qu'une petite partie en contrebas. Sans réfléchir, il se laissa tomber dans l'ouverture, heurta la première des marches, roula dans les autres et s'écrasa à l'étage inférieur.

Étonné de ne pas s'être cassé tous les os, Kevin claudiqua péniblement vers la porte. Le soleil inondait la cour, forçant le Chevalier à protéger ses yeux avec sa main. L'aile des Chevaliers se trouvant de l'autre côté, il rassembla son courage et s'y rendit en chancelant sur ses jambes. Avant d'atteindre la porte de sa chambre, il entendit un grand cri.

Il reconnut l'énergie de Wanda. Elle était en proie à une atroce douleur. « Pas elle aussi ! » s'alarma le Chevalier en se hâtant tant bien que mal pour lui venir en aide. Lorsqu'il arriva à la chambre qu'elle partageait avec Falcon, il la trouva bondée de servantes et de Chevaliers de son propre groupe. Tous tentaient de la soulager, mais Wanda continuait de se tordre de douleur. Son époux était assis près d'elle et tenait sa main en pleurant.

– Elle perd trop de sang ! s'écria l'une des femmes.

À tour de rôle, ses compagnons promenaient de la lumière sur l'abdomen de la jeune femme avec leurs mains sans parvenir à arrêter l'hémorragie. Kevin projeta alors sa conscience dans le corps endolori de sa sœur d'armes.

Le bébé était en train de tout déchirer dans son ventre. N'écoutant que son courage, il se fraya un chemin jusqu'à Wanda. Il s'agenouilla, illumina ses paumes et ferma les yeux.

– Kevin, arrête ! Tu es contagieux ! protesta Falcon.

Le Chevalier ne l'entendit pas. N'utilisant que ses facultés intuitives, il alla chercher l'enfant à l'intérieur de sa mère, replia ses petits membres et réussit finalement à l'extraire. En tremblant, il le tendit aux sages-femmes qui en restèrent bouche bée. Les bras couverts de sang, Kevin retomba sur ses talons.

– Occupez-vous des blessures internes ! ordonna Falcon en s'emparant de son fils.

Ses compagnons lui obéirent et la nouvelle maman se calma graduellement. Pendant ce temps, son époux passait une main lumineuse sur le nouveau-né pour s'assurer que Kevin ne lui avait pas transmis son mal. Fort heureusement, il ne trouva aucune trace de contamination.

Kevin se redressa à grand-peine. S'il n'avait pas empoisonné le bébé, il risquait par contre d'infecter ses frères d'armes et les servantes. En s'appuyant contre le mur du couloir, il retourna à sa chambre. Ses poignards étaient accrochés au-dessus de sa commode. Il s'empara de la lame la plus longue et s'assit sur son lit. Il n'avait plus la force d'écrire une lettre d'adieu à Wellan, mais il savait que le grand chef comprendrait son geste de désespoir lorsque Farrell lui parlerait de l'emprise qu'exerçait désormais Asbeth sur son esprit.

Il plaça la pointe sur son cœur, ferma les paupières et implora les gardiens du monde des morts de l'accueillir malgré sa lâcheté. Il leur expliqua en pleurant qu'il ne pouvait pas mettre tout l'Ordre en danger. Il remercia ensuite les dieux de lui avoir permis de devenir un Chevalier d'Émeraude, puis il enfonça la dague dans sa chair en étouffant une plainte sourde. Le contact glacial de doigts effilés sur ses mains lui fit ouvrir les yeux. Le fils lumineux de Wellan se penchait sur lui avec compassion.

– Je peux t'aider, affirma l'adolescent.

Kevin lâcha le poignard. Dylan le retira doucement de sa poitrine, puis referma la plaie d'un léger effleurement de l'index.

– Non, laisse-moi mourir, l'implora le Chevalier. Je suis désormais le serviteur de l'empereur et une menace pour mes compagnons d'armes.

– Je sais, mais je peux te débarrasser d'une partie de ce mauvais sort.

Dylan fit jaillir une flamme brillante sur sa paume. Il l'appliqua sur le front de Kevin en prononçant une incantation dans une langue inconnue. Le Chevalier sombra aussitôt dans une bienfaisante inconscience. Le feu, cependant, poursuivit son chemin dans l'éther. Lorsqu'il atteignit finalement sa destination, Asbeth s'écrasa sur le plancher crayeux de son alvéole : le lien entre Kevin et le sorcier était rompu.

Une fois la plage nettoyée des cadavres ennemis, Wellan sonda l'océan, les mains sur les hanches. Farrell apparut près de lui et l'assura que les insectes à la crinière soyeuse se trouvaient maintenant très loin du continent. Il allait offrir au grand Chevalier de passer le reste de la journée avec lui au pays des Elfes lorsqu'ils ressentirent tous les deux la détresse de Kevin et de Wanda. Les vortex se matérialisèrent et les Chevaliers convergèrent sur Émeraude en entraînant les Écuyers dans leur sillage. Laissant leurs chevaux dans la cour, ils s'élancèrent dans leur aile, mais trouvèrent le jeune homme inconscient sur son lit, un poignard près de sa main.

Farrell l'examina sous les regards consternés de ses frères et de ses sœurs d'armes entassés sur le seuil et dans le couloir.

– Il est hors de danger, mais toujours contagieux, annonça-t-il. Il faut l'isoler maintenant et pendant un long moment.

« C'est une sage précaution », pensa Wellan, même s'il était ainsi privé d'un bon combattant. Très inquiets, Nogait et Sage voulurent vérifier eux-mêmes l'état de santé de leur meilleur ami. Le grand chef leur saisit aussitôt les bras pour stopper leur geste.

– Farrell a raison, l'appuya Wellan. Ne le touchez pas.

– Mais contre qui tentait-il de se défendre ? s'énerva Nogait en fixant la dague sur le sol.

– La seule présence que je ressens ici est divine, déclara Sage.

– Quelqu'un l'a empêché de poser un geste regrettable, expliqua Farrell en leur transmettant une puissante vague d'apaisement qui permit à Wellan de les libérer

– Dylan..., comprit le grand chef.

Il avait une fois de plus sauvé un de ses hommes de la mort.

– Retournez sur la côte pour vérifier que les insectes ne tentent pas de débarquer ailleurs, ordonna-t-il à ses soldats massés devant la porte.

– Que fait-on des chevaux-dragons ? s'enquit Jasson.

– Je n'en sais rien... Peut-être que Kira aura envie de posséder son propre troupeau.

La suggestion fit rire les plus jeunes, tandis que les plus vieux se rappelaient que Hathir, à son arrivée, possédait un lien télépathique avec la collectivité.

– Nous allons lui demander son avis, décida Jasson en faisant signe à son groupe qu'ils repartaient tout de suite.

Un à un, les soldats quittèrent Émeraude pour retourner à leurs postes. Wellan, cependant, s'attarda auprès du soldat inconscient, sans entrer en contact avec lui.

– Il aura besoin de repos, répondit Farrell à sa question silencieuse.

– Je m'en remets à votre jugement.

– Je ne pourrai pas négliger ma classe pendant les longues semaines que nécessitera sa convalescence. Cet homme aura besoin de beaucoup de soins.

– Laissez-moi m'occuper de lui dans ce cas, s'empressa une voix près de la porte.

Wellan et Farrell firent volte-face en même temps. Le Chevalier Maïwen, une jolie Fée aux boucles blondes et aux yeux azurés, n'avait pas suivi son groupe.

– Ce serait trop dangereux, s'opposa aussitôt le grand chef.

– Non, elle a raison, intervint Farrell. Maïwen n'a pas notre constitution. La petite quantité de poison qui circule toujours dans les veines de Kevin ne pourrait pas l'affecter.

Wellan hésita un moment, car il n'aimait pas réduire ses effectifs sur la côte. C'était d'ailleurs la raison pour laquelle il avait décidé de remplacer le groupe de Falcon par celui de Santo.

– Kevin a suffisamment souffert, le pressa la jeune femme. L'isolement le tuerait, c'est certain. Laisse-moi le remettre sur pied.

Le grand Chevalier acquiesça finalement d'un mouvement de la tête.

– Commençons par le laisser dormir, suggéra Farrell en poussant Wellan vers la sortie.

Ce dernier chercha son groupe et le trouva dans le couloir à proximité de la chambre de Falcon et Wanda. Bridgess était au chevet de la jeune femme endormie et tenait dans ses bras un petit bébé.

– Comment est-elle ? voulut savoir le grand Chevalier.

– Elle va mieux, répondit Falcon, blanc comme de la craie. Ni elle ni le bébé n'ont été contaminés par Kevin.

– Et grâce à lui, ils sont vivants tous les deux, ajouta Bridgess à qui l'on venait de raconter toute l'histoire.

Wellan s'approcha et passa une main lumineuse au-dessus de la mère assoupie. Elle était très faible, mais il n'y avait plus de danger. « Voilà un juste retour des choses », pensa le chef. Kevin avait sauvé la vie de la mère et de l'enfant et Dylan l'avait empêché de se suicider.

– As-tu besoin qu'on reste avec toi ? demanda Wellan à Falcon.

– Je te remercie, mais ça ira, affirma le nouveau papa épuisé.

Le grand Chevalier fit un signe à Bridgess qui remit le nouveau-né à son père afin de suivre son groupe qui retournait au pays des Elfes.

52

Le refuge

Une fois que tous les Chevaliers eurent regagné la côte, Farrell mit son plan suivant à exécution. Afin de ne pas inquiéter inutilement Wellan, il avait omis de lui dire qu'il se passait des choses très étranges dans l'énergie de Kevin. Il ne savait pas encore très bien de quoi il retournait, mais il était persuadé que c'était maléfique. Aucun humain ne devait toucher le pauvre homme avant qu'il soit complètement guéri. Il fallait donc l'éloigner d'Émeraude le plus rapidement possible.

Tout en marchant en direction du grand escalier qui conduisait aux appartements du roi, Farrell songea à la requête opportune de Maïwen. Elle seule pouvait maintenant veiller sur le soldat empoisonné. Les Fées, malgré leur apparence physique semblable à celle des humains, ne possédaient pas la même densité. Grâce à leur légèreté, elles pouvaient se dématérialiser ou s'envoler, à condition toutefois qu'on ne leur coupe pas les ailes. Les sortilèges n'avaient aucun effet sur ces êtres gracieux et indépendants. Leurs voisins les Elfes étaient plus à risque.

Farrell s'arrêta devant l'entrée de l'antichambre et demanda à s'entretenir avec Émeraude Ier. C'était à cet endroit même que Jabe avait rabroué Onyx cinq cents ans plus tôt. Le magicien sentit son sang bouillir dans ses veines et il dut faire un effort surhumain pour calmer son irritation. Cette fois, il s'adressait à un monarque beaucoup plus juste que son ignoble ancêtre.

– Sa Majesté ne se sent pas très bien, mais elle accepte de vous recevoir à son chevet, annonça le serviteur en revenant vers lui.

Le magicien le suivit en silence, contemplant toutes les richesses que recelait cette section du palais : vases taillés dans des matériaux précieux, tapisseries brodées d'or, statues magnifiques de souverains anciens, chandeliers aux formes exquises. Il s'agissait en majeure partie de présents offerts par les dirigeants des autres pays lors de cérémonies diplomatiques. « Si j'étais devenu roi, il y aurait beaucoup moins de royaumes », pensa Farrell en entrant dans l'immense chambre à coucher. Onyx connaissait bien l'histoire d'Enkidiev et la fragmentation des grandes familles nobles l'avait toujours profondément indigné.

Émeraude Ier reposait dans un lit à baldaquin, entouré de serviteurs et de servantes. Farrell fit un rapide calcul : cet homme devait avoir au moins deux cents ans.

– Approchez, maître Farrell, murmura-t-il.

Le nouveau professeur nota le teint crayeux du roi et ses mains usées par le temps. Son regard, cependant alerte, lui fit comprendre qu'il avait encore toute sa tête.

– Habituellement, c'est votre confrère qui vient m'informer des périls auxquels nous sommes exposés.

– Maître Hawke ne sait pas que j'ai sollicité cette audience, précisa Farrell en s'inclinant avec respect. Je ne suis pas venu vous faire part de ce que trament les dieux. Avec deux enfants en bas âge, je ne peux pas me permettre de passer la nuit à observer les étoiles.

– Dans ce cas, de quoi voulez-vous m'entretenir ?

– Je suis venu vous apprendre que j'ai uni en votre nom la vie de deux soldats.

– C'est l'un des privilèges que j'ai accordés à mes magiciens, en effet.

– Mais vous seul pouvez leur offrir une terre en cadeau de noces.

– De qui s'agit-il ?

Tout en conservant une expression impassible, le maître de classe lui conta que Kevin, libéré des griffes de l'ennemi, avait eu si peur de mourir qu'il avait demandé à la jeune Maïwen de l'épouser dès son retour à Émeraude. Touché par ce récit, le roi fit quérir son premier conseiller pour exiger qu'une ferme soit remise au nouveau couple.

Farrell le remercia d'un mouvement de la tête. Il ne put s'empêcher de penser que ce vieillard régnait sur le royaume qu'Onyx aurait dû recevoir à la fin de la première guerre.

Sans laisser transparaître ses sentiments, il attendit qu'on lui indique sur une carte l'emplacement de la propriété de Kevin et de Maïwen. On lui apprit qu'elle comportait une maison abandonnée depuis le décès de ses anciens propriétaires. Le Chevalier y serait certainement à l'aise pendant sa convalescence.

Dès qu'il eut quitté Émeraude Ier, le magicien pria les palefreniers d'atteler deux chevaux à une charrette avant la brunante afin de transporter le mobilier qu'avait aussi offert le monarque aux conjoints.

Avec l'aide de Maïwen, Farrell hissa Kevin dans la voiture et le recouvrit d'une couette pour le tenir au chaud. La jeune Fée prit place près du Chevalier souffrant. Ce dernier reprenait parfois conscience, mais une sombre force semblait vouloir le retenir prisonnier. Maïwen déposa la tête du malade sur ses genoux et annonça au magicien qu'ils pouvaient se mettre en route.

Farrell fit apparaître son vortex. Il ne voulait surtout pas ajouter à l'inconfort du soldat incommodé par le venin d'Asbeth. Pour l'en débarrasser, il lui aurait fallu recourir à une aide divine supérieure. Mais le renégat ne faisait plus confiance aux dieux ni à leurs serviteurs. Le fils de lumière de Wellan avait eu la bonne idée de briser le lien entre le sorcier et le soldat, mais il ne pouvait rien faire de plus en raison de son inexpérience. Il restait maintenant à attendre que le poison s'évapore.

– Nous y voilà, annonça le magicien en poussant les chevaux sur un sentier cahoteux qui contournait une haute futaie.

Maïwen s'étira le cou, mais ne vit que des branches étroitement enlacées. Elle savait qu'elle allait passer de longs mois loin du château et de ses compagnons, mais son amour inavoué pour Kevin exigeait ce sacrifice. Farrell les avait déclarés unis par les liens du mariage pendant un des rares moments de lucidité du soldat empoisonné. Maïwen aurait évidemment préféré une belle cérémonie comme ses sœurs, mais au moins, Kevin était désormais son mari.

La charrette s'immobilisa devant une chaumière en piteux état. La porte de planches pendait sur ses pentures qui grinçaient au vent. Une partie du toit avait été arrachée par les intempéries et de la végétation recouvrait la façade. Les Fées étaient des créatures foncièrement optimistes, mais, l'espace d'un instant, Farrell surprit un voile de découragement sur le visage de Maïwen.

– Ils ont oublié de nous dire que cette propriété était abandonnée depuis des siècles, voulut plaisanter le magicien.

– Je ne crains pas l'effort, répliqua la jeune femme avec un air décidé.

Il arqua un sourcil avec scepticisme. Dans quel état trouveraient-ils l'intérieur ? Ils laissèrent Kevin dormir dans la voiture et firent le tour de la maison. Au moins, les murs, bien qu'ils fussent abîmés, tenaient le coup. Farrell poussa prudemment la porte. Elle s'écrasa sur le sol en soulevant un nuage de poussière. Maïwen ne capitula pas pour autant. Elle risqua un œil dans la grande pièce. Il y avait des nids d'oiseaux sur la plupart des voliges. Un couple de pigeons s'échappa par la fenêtre.

– Je peux utiliser ma magie pour tout réparer, offrit Farrell.

– Non. Je veux le faire moi-même. Cela m'aidera à passer le temps en attendant que Kevin soit guéri.

Elle inspecta ensuite les bâtiments de ferme, Farrell sur les talons. Curieusement, ils semblaient en bien meilleur état que la demeure.

– Ils sont protégés par les arbres, expliqua la Fée en avisant la question dans les yeux du magicien. Avec un peu de paille fraîche, nous y serons à l'aise jusqu'à ce que la maison soit solidifiée et nettoyée.

– Je t'enverrai des provisions.

– Je vous remercie, maître Farrell. Vous êtes très bon pour Kevin.

– Il a été mon meilleur ami pendant quatre ans, se rappela-t-il avec nostalgie. Il est tout naturel que je fasse tout ce que je peux pour l'arracher aux griffes de nos ennemis.

– Combien de temps faudra-t-il avant que cette potion infecte cesse de le tourmenter ?

– Je n'en sais rien, Maïwen, peut-être plusieurs mois, peut-être des années. Il existe un antidote qui lui rendrait instantanément la santé, mais je n'ai aucune façon de me le procurer. J'ai réussi à le débarrasser d'une partie du maléfice, mais ce n'est pas suffisant.

Farrell darda son regard pâle dans les magnifiques yeux de la Fée.

– Si tu veux retourner au combat, je m'adresserai au Roi des Fées afin qu'il trouve des volontaires parmi ton ancien peuple, offrit-il.

– Je n'ai pas l'intention de quitter Kevin avant son complet rétablissement.

– Je t'en serai reconnaissant pour l'éternité.

– Dans votre cas, maître, ce pourrait être très long, blagua-t-elle.

Un sourire effleura les lèvres du renégat, car elle faisait évidemment référence à l'instinct de survie d'Onyx.

– Comment vous ferai-je connaître ses progrès ? voulut savoir Maïwen. Si j'utilise mes facultés télépathiques, j'alarmerai Wellan.

– Je ne comprends toujours pas pourquoi vous ne pouvez pas parler à une seule personne à la fois, déplora Farrell. C'est ainsi que nous communiquions jadis. Seul Hadrian pouvait s'adresser à toute l'armée.

– Sans doute pourrions-nous l'apprendre si on nous l'enseignait.

– Mais nous ne disposons pas d'assez de temps. Je crois que la meilleure façon de me donner des nouvelles sera de les transmettre par écrit au serviteur qui viendra te porter des vivres. Je le choisirai moi-même.

Grâce à leurs pouvoirs magiques, ils repoussèrent le foin gâté à l'extérieur jusqu'à ce que le sol de terre battue soit exposé. Farrell se concentra intensément, comme s'il cherchait quelque chose dans les environs. Puis, à la grande surprise de la Fée, il fit apparaître de la paille propre.

– Mais, comment ? s'étrangla la jeune femme, qui croyait que seules les Fées possédaient cette faculté.

– Disons que je l'ai empruntée à un fermier voisin. C'est un autre pouvoir qu'on a oublié de vous octroyer.

Sans s'expliquer davantage, il alla chercher Kevin et le transporta jusqu'à l'abri. Maïwen s'empressa d'étendre la couette pour que le magicien puisse y déposer le malade.

– Vous pouvez repartir tranquille, assura-t-elle tandis qu'elle retirait un sac de nourriture de la charrette. Je prendrai bien soin de lui.

Elle n'obtint pas de réponse. « Son esprit est déjà ailleurs », comprit-elle. En effet, Farrell pensait déjà aux élèves qui l'attendaient et à ses fils. Heureusement, il était immunisé contre la sorcellerie d'Asbeth, sinon il aurait été séparé pour toujours de Nemeroff et d'Atlance.

Farrell vida la carriole avec sa magie, entassant les meubles dans un coin de la grange en les faisant voler dans les airs. Puis il grimpa sur le banc et adressa un dernier regard rempli de gratitude à la femme Chevalier. L'attelage tout entier disparut.

À son retour au château, Farrell trouva la cour en pleine effervescence. Il arrêta les bêtes devant l'écurie et voulut savoir ce qui se passait. Un palefrenier l'informa qu'un soldat de Béryl venait de leur apprendre le décès du magicien Mori.

– A-t-on des détails sur sa mort ? s'inquiéta Farrell.

– Vous le demanderez au roi, répondit le jeune homme. C'est tout ce que nous savons.

Farrell fonça vers le palais. Ses sens aiguisés lui indiquèrent que Hawke avait déjà rejoint le souverain dans sa chambre. Il monta le grand escalier en vitesse. Le magicien d'Émeraude sortait justement des appartements royaux.

– Comment est-ce arrivé ? s'enquit le magicien avant que l'Elfe puisse ouvrir la bouche.

– Il a péri dans l'incendie de sa grotte. Le Roi Wyler suppose qu'il s'est endormi et qu'une chandelle est accidentellement tombée dans ses innombrables parchemins.

Hawke soupçonnait l'intervention d'une main criminelle, mais il préféra se taire. Attristé par ce décès, il se contenta de saluer son collègue de la tête et de poursuivre sa route. Farrell le regarda disparaître au bout du couloir. « Un magicien ne commet pas ce genre d'étourderie », pensa le renégat. Il lui faudrait rester aux aguets.

53

VOYAGE DANS LE TEMPS

Comme Farrell le craignait, les progrès du Chevalier empoisonné furent atrocement lents. Kevin continuait de se réveiller en sursaut, mais ne restait jamais conscient plus de quelques minutes à la fois. Maïwen arrivait à peine à le faire manger et se tourmentait de le voir perdre du poids.

Tous les soirs, après ses cours, le magicien parcourait les rayons de la section défendue de la bibliothèque. Son bébé dans les bras, il s'arrêtait à chaque livre, à la recherche de l'antidote. Pensant qu'il s'agissait d'un jeu, Nemeroff, l'aîné, se cachait entre les interminables rangées d'étagères. Lorsque son père passait près de lui, il poussait un cri de joie et se sauvait.

« Tout est consigné un jour ou l'autre », se convainquit Farrell en tapotant le dos d'Atlance. Il existait forcément un livre sur ce type de sortilège. Mais Wellan lui avait dit que plusieurs ouvrages avaient été cachés par Hadrian au Royaume des Elfes. Sans doute pourrait-il faire parvenir une missive au peuple des forêts par l'intermédiaire du roi. Mais avant d'en arriver là, il voulait être bien certain que la solution ne se trouvait pas sous ses yeux.

Il poursuivit ainsi son enquête jusqu'aux fêtes de Parandar. Il ne laissait évidemment rien paraître devant ses jeunes élèves, mais ces enfants, nés durant une pluie d'étoiles filantes, possédaient de puissantes facultés. Ils sentaient leur maître inquiet et, pour lui faire plaisir, ils redoublaient d'effort dans leurs exercices. Farrell se mit alors à leur montrer comment diriger leurs pensées de façon plus précise. Les enfants furent d'abord surpris par sa requête. On leur avait toujours dit que les Chevaliers étaient tous unis par leur esprit. Ils se plièrent cependant à cet entraînement avec enthousiasme. Lassa fut, bien sûr, le premier à réussir cet exploit.

– Je t'entends ! s'exclama Jenifael, surprise.

– C'est justement à toi que je transmettais mon message ! confirma le porteur de lumière.

– Pourquoi ça ne marche pas avec moi ? protesta Liam, mécontent.

– Parce que tu ne te concentres pas assez, expliqua la fillette.

– C'est seulement une question de pratique, ajouta le maître pour éviter que les enfants se découragent. Je suis certain que chacun d'entre vous y arrivera bientôt.

Orlando, un garçon aux belles boucles brunes et aux yeux aussi sombres que ceux de Santo, courut précipitamment à la fenêtre. Il avait ressenti une présence familière. Son visage s'éclaira.

– Les Chevaliers sont de retour ! se réjouit-il.

Avant que Farrell puisse leur demander de rester à leur place, tous les élèves se ruèrent vers les fenêtres. « S'est-il déjà écoulé tout un mois ? » s'étonna le maître. Il rejoignit les petits et regarda dehors. Heureusement que les soldats n'avaient pas décidé d'arriver le lendemain, sinon, ils auraient bousculé beaucoup de gens dans la grande cour où se dérouleraient bientôt les festivités. Des vortex se formaient les uns après les autres. L'armée magique fut accueillie par les Chevaliers de garde au château.

– Ils auront certainement beaucoup d'histoires à vous raconter, dit Farrell aux enfants.

– Est-ce qu'on peut aller les voir maintenant ? s'impatienta Liam.

– Non, jeune homme. Les cours ne sont pas terminés.

Liam fit la moue, mais le maître n'en tint pas compte. Il exigea que tous reprennent leur travail et qu'ils tentent une fois de plus de maîtriser les communications individuelles.

Farrell n'eut pas à rejoindre Wellan dans l'aile des Chevaliers le soir venu. Le grand chef prit les devants. Il se présenta à l'entrée de sa tour au moment où Swan venait de servir le repas de ses fils. Le couple perçut l'approche de Wellan et échangea un regard entendu. Farrell dévala l'escalier malgré les protestations de Nemeroff et s'arrêta devant le soldat.

– Kevin se remet plus lentement que prévu, lui expliqua le magicien, qui aurait préféré lui annoncer que le vaillant guerrier était prêt à reprendre son poste.

– Mais votre traitement et l'intervention de Dylan ?

– Ils n'ont pas neutralisé tout le poison.

– Est-il en train de mourir ?

– Non, mais il ne reprend pas souvent conscience. Si vous voulez mon avis, c'est mieux ainsi. Il ne souffre pas pendant que son corps se débarrasse du mal.

Farrell passa un bras rassurant autour des épaules du grand chef.

– Il reprendra sa place parmi les Chevaliers d'Émeraude. Cessez de vous faire du souci. J'ai rarement vu un homme aussi résistant. Est-ce son sang zénorois qui le rend si coriace ?

– Je n'en sais rien, avoua Wellan en se détendant.

Farrell mit fin à l'imperceptible vague d'apaisement qu'il lui transmettait subtilement.

– J'aimerais bien lui rendre visite avant de retourner sur la côte, lui fit savoir le grand chef.

– Il est préférable qu'il ne soit pas en contact avec des humains ou des Elfes jusqu'à sa guérison. Je suis désolé.

Wellan soupira avec agacement. Il n'aimait pas se sentir impuissant lorsque ses compagnons avaient besoin d'aide.

– Parlons plutôt des progrès de votre fille, suggéra Farrell pour éviter qu'il sombre dans le pessimisme.

Ils marchèrent ensemble dans le long couloir qui traversait le château. Des servantes commençaient à suspendre des guirlandes de fleurs sur les murs à la lueur des flambeaux. « Les fêtes de Parandar », se rappela Wellan. Il écouta attentivement les observations du maître au sujet de ses élèves. Extrêmement doués, ces derniers maîtrisaient des facultés que certains de leurs aînés n'avaient même pas acquises. Ils seraient de redoutables soldats magiciens.

Après un copieux repas qui réunissait tous les Chevaliers d'Émeraude, Sage fit un signe discret en direction de Kira : il désirait quitter la vaste salle avant que Bergeau se lance dans ses interminables anecdotes. La jeune femme mauve avait appris depuis longtemps à lui faire confiance. Elle repoussa son assiette et souhaita une bonne nuit à ses voisines. Les aînés échangèrent un sourire compréhensif en voyant le couple se prendre la main. Kira attendit d'être sortie pour demander à son époux la raison de ce départ soudain.

– Je pense qu'il est temps que j'apprenne à voyager à ma guise dans le passé, déclara-t-il très sérieusement. Ce pourrait devenir fort utile dans cette guerre.

« Et il n'est même pas effrayé », constata la Sholienne. Elle repensa alors à l'insistance de sa mère pour qu'elle utilise pleinement, elle aussi, ses facultés de maître magicien. Mais Sage, lui, pouvait le faire de son vivant...

– Pourquoi ce soir ? s'alarma-t-elle.

– Parce que nous repartons dans deux jours, après le massacre de toutes les fleurs d'Émeraude.

Il continuait de prétendre que les dieux n'avaient nul besoin de recevoir des offrandes pour répondre aux requêtes des humains.

– Et tu crois que ce court laps de temps suffira ? s'étonna Kira en passant outre à sa remarque sur les fêtes de Parandar.

– Avec un peu d'aide, oui. J'aurais préféré requérir l'assistance de maître Farrell, qui possède de vastes connaissances, mais il est fort occupé. Je m'adresserai donc à maître Hawke.

Kira n'eut pas le courage de lui dire qu'ayant étudié sous la tutelle d'Élund, ce mage connaissait surtout des milliers de formules magiques et la façon d'interpréter les messages dans le ciel.

– Je ne veux pas t'offenser, poursuivit Sage, mais j'aimerais y aller seul.

– Tu es libre de faire ce que tu veux, mon chéri, assura la princesse avec sincérité. Je t'ai déjà expliqué que le mariage n'est pas une prison.

Il l'attira dans ses bras et ils échangèrent un long baiser amoureux.

– Je ne pouvais pas trouver une meilleure épouse que toi, susurra-t-il en effleurant son oreille pointue du bout du nez.

– Arrête, ronronna Kira en se dégageant, sinon je ne te laisse pas y aller.

Le magnifique sourire du guerrier hybride fit presque fondre son cœur. Avant de céder à son désir, elle le poussa vers la demeure du magicien. Sage rassembla son courage et poursuivit sa route en direction de cette tour qui avait jadis servi de garde-manger, puis de dortoir aux élèves.

Hawke l'avait depuis transformée en salle de cours et, tout comme Farrell, il vivait à l'étage supérieur. Ces deux bâtiments étaient accessibles du palais, tandis que les deux autres tours, soit celle de maître Abnar et celle de la vieille prison, faisaient partie de la muraille extérieure.

Sage grimpa les marches de pierre. Il aboutit dans la pièce déserte. Les élèves mangeaient dans le hall du roi à cette heure.

– Que puis-je faire pour vous, Chevalier ? interrogea l'Elfe en descendant de sa chambre à coucher.

– Je possède l'étrange faculté de voyager dans le passé, maître. Malheureusement, je ne sais pas comment l'enclencher ou l'arrêter.

Hawke demeura silencieux jusqu'à ce qu'il atteigne le plancher.

– J'ai lu quelque chose à ce sujet, réfléchit-il en fronçant ses minces sourcils. L'auteur de ce vieil ouvrage prétend que le possesseur de ce rare pouvoir bascule dans le temps en entrant en contact avec un objet ancien.

– Il a raison, car c'est ainsi que j'ai involontairement exploré des événements qui n'appartiennent plus à notre ère. Je me rappelle avoir touché une dague ayant appartenu au Roi Hadrian et aussi l'armure d'un ancien Chevalier.

– Ce mage disait aussi que l'activation de ce don est volontaire. Il suffit à son détenteur de vouloir traverser les âges dans un sens ou dans l'autre.

– Si je savais mieux lire, je m'en informerais moi-même, avoua Sage en baissant timidement la tête.

– Le style compliqué de ce magicien ne vous plairait pas, je vous assure. Asseyez-vous.

Sage lui obéit sur-le-champ, croisant ses jambes pour s'installer sur l'un des nombreux tapis de laine qu'utilisaient les élèves. L'Elfe ouvrit une grande armoire décorée de symboles étranges. Ses tablettes étaient remplies de petites bouteilles et de divers objets difficiles à identifier de là où se tenait Sage. Le magicien en retira quelques-uns et revint vers le soldat.

– Je vous propose un exercice, offrit-il.

Le Chevalier sentit son courage défaillir. Il s'était habitué à la présence du Roi Hadrian, mais comment réagirait-il une fois plongé dans d'autres événements révolus ?

– Vous n'avez rien à craindre, lui promit Hawke en prenant place devant lui. Je ne les ai pas choisis à la légère. Ces articles ont appartenu à des Elfes qui habitaient Osantalt, la grande île. Mes ancêtres n'ont jamais connu la guerre.

– Que dois-je faire ? questionna bravement le soldat.

– Je vais les mettre un à un dans votre paume. Vous désirerez en explorer la provenance et ne resterez que quelques instants dans le passé. Si je constate que vous n'arrivez pas à revenir par vous-même, je vous ramènerai.

Sage prit une profonde inspiration. Il pensa à tout ce qu'il pourrait apprendre en maîtrisant cette faculté et aux services qu'il rendrait à l'Ordre.

– Je veux bien essayer.

– Détendez-vous. Cette aventure n'est en fait qu'une exceptionnelle incursion dans des lieux que vos contemporains ne verront jamais.

Le sourire du mage rassura Sage qui sentit l'audace renaître en lui. Qu'avait-il vraiment à craindre de ce peuple pacifique ?

– N'y restez que le temps de voir où vous êtes et ce qui vous entoure.

Sage ouvrit la main. Hawke y plaça une petite statuette en albâtre. Elle représentait un animal qu'il ne connaissait pas. L'hybride leva les yeux, mais le maître n'était plus là. Seul, il était assis dans un luxurieux jardin, au milieu d'énormes fougères. Son cœur battant la chamade, il se leva prudemment. Sur les allées semées de petits cailloux blancs, des êtres d'une grande beauté déambulaient en bavardant à voix basse. Ils portaient de longues tuniques d'un tissu si léger que la moindre brise l'agitait. Leurs cheveux blonds atteignaient leur taille.

Sage s'empressa de les rattraper, mais les Elfes ne le virent pas, car il n'était pas vraiment là. Ils contournèrent un bosquet d'arbres odorants. Un mouvement dans les branches arrêta la course du Chevalier. Accroché au tronc par de longues griffes, un petit animal au pelage gris mâchait nonchalamment des feuilles.

– Je veux retourner dans mon présent ! exigea Sage.

Il lui sembla traverser une douce nappe d'eau. Les yeux verts de Hawke l'observaient avec curiosité.

– Et alors ? s'informa le mage.

– J'ai vu cet animal dans un arbre ! s'exclama le Chevalier en lui rendant la statuette. C'était un immense jardin où se promenaient des Elfes !

– C'est un *quiocalt*, un mammifère qui n'existe que sur Osantalt. Maintenant, essayez ceci.

Hawke déposa sur sa paume des ailerons d'argent semblables à ceux qu'il utilisait sur ses flèches, sauf que ces derniers, en raison de leur poids, n'auraient jamais pu décoller. Avant que Sage puisse questionner le magicien à leur sujet, il bascula dans le passé.

Il se tenait au milieu d'une forge, dans une grande caverne, mais, curieusement, il ne ressentait pas la chaleur intense des feux qui brûlaient autour de lui. Des Elfes aux tuniques trempées par la transpiration s'y affairaient. Poussé par la curiosité, le Chevalier s'approcha d'eux pour voir les armes qu'ils fabriquaient. Mais il ne s'agissait nullement de lames ou de lances : ces talentueux artistes créaient des statuettes et des bijoux dans des métaux les plus divers.

Un gamin surgit devant Sage et sembla le regarder droit dans les yeux. Il voulut se saisir de l'aileron d'argent, mais le soldat referma les doigts pour l'en empêcher. Cette fois, il n'eut qu'à désirer revenir au présent pour se réveiller dans la classe de Hawke.

– J'étais dans une forge ! s'exclama le Chevalier. Un enfant m'a vu et il a même tenté de me dérober cet objet ! s'exclama Sage en lui remettant l'empennage précieux. J'ai dû partir précipitamment.

– Je me demandais si cela finirait par se produire, car les Elfes sont des créatures dont les perceptions sont cent fois plus aiguisées que celles des humains. Mais vous avez bien fait de revenir. En fait, vous savez déjà comment enclencher votre don, sire Sage. Ce qu'il vous reste à apprendre, c'est à maîtriser vos émotions lorsque vous voyagez dans le passé. Voulez-vous faire un dernier essai ?

Le Chevalier commença par calmer sa respiration, puis accepta d'un mouvement de la tête. Hawke posa dans sa main une pierre brillante semblable à celle du pendentif de Jahonne qu'il portait au cou. Sage n'eut pas le temps de protester qu'il fonçait déjà à vive allure vers l'inconnu.

Il apparut dans une clairière, sur le bord d'une rivière aux eaux tranquilles. Devant lui se dressaient des pierres anciennes disposées en un immense cercle. Il crut entendre des murmures et s'approcha pour risquer un œil entre deux menhirs. Une vingtaine d'Elfes étaient agenouillés autour d'un homme qui, lui, semblait tout à fait humain. Il avait les cheveux noirs et des yeux opalins... comme les siens ! Sa stupéfaction faillit ramener Sage au présent, mais il résista.

L'homme fit apparaître une urne dorée dans sa main. En souriant, il transvasa le liquide brillant qu'elle contenait dans son autre paume. Puis il écarta les doigts. Des gouttes s'en échappèrent mais, en touchant le sol, elles se transformèrent en pierres étincelantes. Sage n'avait jamais rien vu de plus extraordinaire.

– Ce sont des larmes versées par les dieux, annonça l'inconnu d'une voix mélodieuse.

– Dites-nous ce qu'elles peuvent faire, Danalieth, supplia un Elfe.

« Danalieth », répéta mentalement Sage. La légende disait que ce dieu avait profondément aimé ces créatures sylvestres. C'était d'ailleurs cet attachement qui avait causé sa perte.

– Elles peuvent aussi nous protéger contre les dieux déchus ! s'exclama-t-il en se tournant brusquement vers Sage.

Le Chevalier étouffa un cri de surprise et bascula dans le temps. Les yeux remplis de terreur, il laissa tomber la pierre sur le plancher, comme si elle eut été en feu.

– Sire, que se passe-t-il ? s'alarma Hawke.

Sage bondit vers la porte sans demander son reste. Le magicien le rappela, en vain.

54

La pierre de Jahonne

Résolu à ne plus jamais retourner dans le passé, Sage dévala les marches de la tour. Il ne comprenait pas pourquoi la voix de Danalieth avait semé autant de terreur dans son âme. Pourtant, Wellan lui avait raconté qu'il s'agissait d'un être rempli de compassion. Mais ce qu'il avait aperçu dans son regard ressemblait à un avertissement qui ne concernait que lui seul.

Il s'arrêta net au pied de l'escalier. Une silhouette se dressait devant lui. Les flambeaux accrochés au mur du couloir se trouvant derrière le visiteur, il ne pouvait pas discerner son visage. Il utilisa donc ses sens magiques pour l'identifier.

– Maître Nomar...

Il se détendit aussitôt, car il connaissait cet Immortel depuis sa plus tendre enfance. C'était grâce à lui que la ville d'Espérita avait pu exister pendant des centaines d'années... mais c'était aussi parce qu'il l'avait abandonnée qu'un grand nombre de ses habitants avaient péri.

Nomar fit apparaître une sphère d'énergie dans sa main. La lumière qu'elle dégageait révéla des traits menaçants. Le visage habituellement auréolé de bonté de l'Immortel était figé en une expression de méchanceté indéfinissable. Sa tunique noire faisait éclater sa longue chevelure argentée et briller ses yeux. Ses yeux ! Sage constata qu'ils étaient incarnats ! « Pourquoi est-il si changé ? » se méfia le soldat.

– Maître, le salua-t-il en tentant de faire taire ses craintes. M'apportez-vous des nouvelles de ma mère ?

– Sage, le reconnut l'Immortel. Je ne m'attendais pas à te trouver ici.

– Les Chevaliers sont rentrés de mission. Je vous en prie, dites-moi comment se porte Jahonne.

– Elle n'a pas de raison de se plaindre, répondit évasivement Nomar. Je lui ai procuré un abri sécuritaire où personne ne la trouvera jamais.

– S'ennuie-t-elle de moi ?

Le masque de cruauté de Nomar disparut, faisant place à une sérénité simulée. « Les sorciers peuvent-ils prendre l'aspect physique d'un Immortel ? » s'inquiéta Sage, qui le trouvait un peu trop différent.

– Elle a fort à faire, mon petit, insinua-t-il d'une voix mielleuse. Dis-moi, le nouveau magicien d'Émeraude est-il chez lui ?

– Il est là-haut. Je viens juste de le quitter.

– Aurais-tu la gentillesse d'aller le chercher pour moi ?

– Mais sa porte n'est pas fermée, surtout pour vous, maître. Je vous en prie, montez.

L'espace d'un instant, une lueur d'agacement traversa le regard vermillon de Nomar.

– Il y a des endroits où même les Immortels n'ont pas accès, tenta-t-il d'expliquer.

Mais cette révélation acheva d'alarmer l'hybride. Il n'était certes pas aussi instruit que ses compagnons d'armes qui avaient étudié toute leur vie, mais il portait une grande attention aux informations que Wellan voulait bien lui fournir. Et le grand chef avait été catégorique à ce sujet : les Immortels pouvaient se matérialiser où bon leur semblait, sauf sur Irianeth. Le continent rocailleux de l'Empereur Noir était protégé par une puissante sorcellerie. C'étaient les sorciers qui ne pouvaient pas entrer dans les endroits hautement protégés comme la tour d'Abnar et celle d'Élund.

– Maître, une chose me tracasse, répliqua plutôt Sage.

L'expression de Nomar recommença à se durcir. Cela aurait dû mettre le soldat en garde, mais le sort qu'il avait réservé à son peuple continuait de l'obséder.

– Pourquoi avez-vous déserté Espérita ? demanda Sage.

– Je ne suis pas venu ici pour m'entretenir avec toi, mais avec le magicien de ce château.

– Je suis retourné chez moi. Heureusement d'ailleurs, sinon, il n'y aurait eu aucun survivant.

– Mon pacte avec les hommes était terminé.

– Vous auriez au moins pu les libérer de la glace.

Nomar ravala son commentaire, mais Sage crut, pendant un instant, qu'il allait lui rétorquer que ce n'étaient que des humains. L'Immortel insista pour qu'il prévienne Hawke de sa visite.

– Ma famille a failli périr à cause de vous, lui reprocha le soldat, inconscient de la puissance de l'être à qui il s'adressait.

– Si tu ne veux pas m'obéir, Sage, je devrai sévir.

« Elles peuvent aussi nous protéger contre les dieux déchus ! » éclata la voix de Danalieth dans l'esprit de l'hybride. Il comprit le danger, mais en fier Chevalier d'Émeraude, il se posta devant l'escalier au lieu de fuir. Les magiciens étaient trop peu nombreux. Ils devaient être défendus.

– Je n'ai pas accès à votre esprit, déclara bravement Sage. Je ne connais donc pas vos véritables intentions.

– Elles concernent la sauvegarde de ce monde, alors fais ce que je te demande.

Chevaliers ! réclama Sage. De fulgurants éclairs jaillirent du bout des doigts de Nomar et le frappèrent à la poitrine. Mais, au lieu de le terrasser, ils enflammèrent la pierre qu'il portait au cou. « Des larmes versées par les dieux », se rappela le jeune guerrier que la force de l'impact avait fait basculer dans les marches. Le joyau créa une bulle dorée autour de lui, le protégeant de l'Immortel.

Irrité, Nomar éclata de rage. Il leva les bras pour redoubler son énergie, mais n'eut pas le temps de faire quoi que ce soit. Un faisceau d'un blanc étincelant le frappa dans le dos. Il fit volte-face. Farrell se tenait au milieu du couloir, l'air grave. La créature qui s'attaquait à Sage ne ressemblait plus à un Immortel : c'était maintenant un reptile au long museau parsemé de dents triangulaires. Un halo bleuâtre flottait autour de lui.

La lumière qui s'accumulait dans les mains du magicien devint insoutenable, même pour un dieu déchu. Nomar savait que cet homme qu'il avait formé lui-même n'hésiterait pas à lui opposer toute sa force.

– Je ne laisserai jamais personne, ami ou ennemi, s'attaquer aux sujets d'Émeraude ! rugit Farrell.

Il hésita toutefois à frapper, car si cet être maléfique avait le pouvoir de se volatiliser, c'est le Chevalier derrière qu'il tuerait. *Sage, monte dans la tour !* lui ordonna-t-il. L'hybride se retourna et grimpa prestement l'escalier.

Le magicien laissa partir le rayon mortel, mais le reptile s'évapora sous ses yeux. L'énergie explosa sur la pierre en émettant des sifflements assourdissants, puis elle disparut. Farrell sonda tout le château. Les Chevaliers accouraient, Wellan et Kira en tête, mais l'intrus s'était éclipsé.

– Un sorcier a tenté de s'en prendre au magicien d'Émeraude ! annonça Farrell, furieux. Trouvez-le !

Les soldats s'immobilisèrent, leurs sens magiques aux aguets, tandis que le magicien disparaissait et réapparaissait dans la tour. Il trouva Sage en compagnie de Hawke dans la salle de cours. La pierre de Jahonne avait cessé d'émettre son bouclier, probablement parce qu'elle sentait que son porteur n'était plus en danger.

– As-tu reconnu cette créature ? le questionna Farrell.

– C'était Nomar, balbutia Sage, surpris qu'il lui pose la question, puisqu'il connaissait cet Immortel.

– C'était un sorcier !

– Et si c'était les deux ? intervint Hawke.

– Pourquoi ne vous êtes-vous pas porté au secours de Sage ? lui reprocha Farrell, rouge de colère.

– Parce que contrairement à vous, je n'ai pas appris à me battre.

Farrell capta la présence de Wellan au pied de la tour. Il terminerait cette conversation plus tard avec son confrère magicien. La protection du château était plus importante. Il s'évapora de nouveau.

– Je suis désolé, Sage, s'excusa l'Elfe.

– Nous avons chacun notre rôle à jouer, maître Hawke. C'était le mien de vous défendre.

Il s'inclina respectueusement devant lui et s'empressa d'aller rejoindre ses compagnons.

55

UN CŒUR NOIR

Farrell et Sage racontèrent à Wellan et aux Chevaliers ce qu'ils avaient vu à l'entrée de la tour du magicien d'Émeraude. Malgré tout ce qu'il savait sur les Immortels, le grand chef ne pouvait pas s'expliquer cette soudaine métamorphose. La théorie des dieux déchus, par contre, chatouilla ses oreilles. Il demanda à ses soldats d'ouvrir l'œil pendant les fêtes de Parandar, mais rien d'anormal ne se produisit. Les marchands, les musiciens, les artistes et les paysans profitèrent de cette rare occasion de se divertir dans la grande cour du château sans être importunés.

Lorsque les Chevaliers furent prêts à repartir pour leurs nouvelles assignations sur la côte, Wellan s'entretint longuement avec Hawke pour s'assurer qu'il serait en sécurité au palais en leur absence. Le magicien d'Émeraude rassura le grand chef en lui disant qu'il avait découvert des incantations qui rendraient sa présence difficile à détecter. Wellan voulut ensuite savoir si Kevin était en état de se joindre à son groupe. Farrell secoua énergiquement la tête : le pauvre homme n'avait pas encore repris conscience. Cette situation ne plaisait guère au chef des Chevaliers, mais il décida de faire confiance au magicien.

Les vortex firent lever des nuages de pétales dans la cour tandis que les preux défenseurs d'Enkidiev retournaient à leurs postes. Farrell les regarda disparaître jusqu'au dernier avant de se diriger vers la bibliothèque. Il y avait sûrement quelque part un ouvrage traitant des dieux que Parandar avait exilés.

À des lieues de là, sur la ferme que le roi lui avait donnée, Maïwen n'avait cessé d'opérer des miracles. Elle avait nettoyé la maison, regarni le toit, solidifié les murs et construit un solide lit de bois. Kevin y était au chaud et en sécurité tandis qu'elle débroussaillait la propriété. Entre les rares réveils de son nouvel époux, la jeune Fée avait aussi défriché un lopin de terre et semé des légumes.

Lorsqu'il ouvrit finalement les yeux, Kevin trouva Maïwen à son chevet. Sa jeune sœur d'armes déposait du potage chaud sur la commode à quelques pas de lui. Il tenta de s'orienter et vit qu'il se trouvait dans une chambre inconnue. Ses yeux revinrent sur la jeune femme. Il admira son beau visage rond, ses grands yeux bleus et les boucles blondes retombant mollement sur ses épaules. Mais Maïwen aurait dû se trouver sur la côte avec les autres...

– Nous sommes revenus à Émeraude quand nous avons ressenti ton malaise, expliqua-t-elle. Wellan m'a demandé de rester avec toi.

– Je ne connais pas cet endroit...

– C'est une maison de ferme non loin de celle de Bergeau.

– Depuis combien de temps suis-je inconscient ?

– Depuis plusieurs semaines déjà.

Elle plongea une compresse dans un bol d'eau froide et la tordit.

– Farrell dit que tu vas bien, mais qu'il est préférable que tu passes ta convalescence dans un endroit retiré.

– Il ne m'aurait pas éloigné ainsi si je ne représentais aucun danger pour vous.

Le Chevalier voulut quitter son lit, mais Maïwen lui saisit fermement le bras pour l'en dissuader.

– Tu n'es pas assez fort, Kevin.

– Je suis encore contagieux, n'est-ce pas ? maugréa-t-il.

– Seulement au toucher.

Kevin baissa le regard sur la main de sa sœur d'armes qui le retenait.

– Je suis une Fée. Ce genre de sortilège ne peut pas m'affecter. C'est l'une des raisons pour lesquelles on m'a permis de te soigner.

– Quelles sont les autres ? s'informa le malade.

Il vit rougir Maïwen. « Elle est amoureuse de moi ? » s'étonna-t-il. Il tenta de sonder son cœur mais ne ressentit rien du tout. Pourtant, après Santo, il était le plus sensible de tous les Chevaliers. Il fit un nouvel essai mais n'y parvint toujours pas. C'était sans doute l'un des effets du poison que lui avait fait boire Asbeth.

– Je suis incapable de lire tes pensées, bredouilla-t-il tristement.

– Farrell a dit que tu ne serais pas tout à fait toi-même avant quelques mois.

Elle évita son regard.

– Depuis quand éprouves-tu de l'affection pour moi ? demanda Kevin, qui n'avait pas d'autre moyen de scruter ses sentiments.

– Depuis que mes yeux sont devenus ceux d'une femme...

Elle approcha le pansement humide du front du soldat pour l'éponger. Dès qu'il entra en contact avec sa peau brûlante, Kevin poussa un cri d'effroi, faisant sursauter Maïwen.

– Est-ce que je t'ai fait mal ? s'excusa-t-elle.

– Non... Je ne sais pas pourquoi, mais j'ai eu très peur, avoua-t-il avec embarras.

Maïwen approcha une fois de plus le morceau d'étoffe trempé de son visage. Les yeux remplis de terreur, son compagnon s'esquiva promptement.

– Kevin, que se passe-t-il ?

– On dirait que je crains l'eau...

Elle prit doucement sa main. Son visage passa subitement de la compassion à l'horreur : les ongles de son frère d'armes se transformaient en griffes blanches semblables à celles de Kira ! Kevin suivit son regard et eut la même réaction qu'elle.

– Mais qu'est-ce qui m'arrive ? s'alarma-t-il en se défaisant d'elle.

– Je pense qu'il faut prévenir Wellan tout de suite.

Comme un fauve, le jeune homme bondit, saisit la jeune Fée à la gorge et la plaqua sur le lit, son visage se transformant en un masque de cruauté.

– Non ! hurla-t-il. Tu ne le diras à personne !

Maïwen était si effrayée par sa soudaine transformation qu'elle ne songea même pas à appeler ses frères à l'aide.

– Jure-moi que tu ne me dénonceras pas ! cria-t-il de plus belle.

Maïwen le lui promit, n'articulant que la moitié des mots tellement la pression qu'il exerçait sur son cou était puissante. Constatant avec frayeur qu'il avait perdu la maîtrise de ses émotions, Kevin la relâcha. Sa sœur d'armes n'osait plus bouger.

– Maïwen, je suis navré...

Il recula piteusement jusqu'au mur et replia ses jambes contre lui en tremblant. Cachant son visage dans ses bras, il éclata en sanglots déchirants.

BIENTÔT

Les Chevaliers d'Émeraude

TOME VIII

LES DIEUX DÉCHUS

Ce qui aurait dû être un matin comme tous les autres allait bientôt devenir le début d'une journée mémorable au Royaume d'Émeraude. En ouvrant l'œil, Wellan décida qu'il avait assez perdu de temps. Tout comme Élund l'avait fait autrefois, il assignerait deux apprentis à ses soldats. Les Chevaliers pourraient donc retourner patrouiller sur la côte avant que l'ennemi ne profite de leur absence pour l'envahir. Mais, avant de s'asseoir une fois de plus devant sa pile de papiers, le grand chef voulut aller profiter de l'air matinal. Sans réveiller Bridgess, qui dormait encore profondément, il quitta sa chambre.

Le temps était magnifique. Le vent frais lui permettrait d'exercer son destrier sans l'épuiser. Il entra dans l'écurie et salua les palefreniers, déjà au travail. Tout en continuant de songer à ses plans militaires, Wellan sella son cheval. Ses gestes étant devenus mécaniques pour les avoir répétés si souvent depuis le début de sa carrière, il n'y porta d'abord aucune attention. Il conduisit l'animal dehors et constata qu'il avait oublié sa gourde. Il revint à l'intérieur et décrocha l'outre de peau du clou sur lequel il l'avait suspendue.

Lorsqu'il sortit du bâtiment, son cheval n'était plus attaché à la clôture de l'enclos. Avait-il défait ses rênes ? Wellan scruta toute la cour et ne vit la bête nulle part. Pourtant, il ne s'était absenté qu'une minute. Fronçant les sourcils, le grand chef retourna pour questionner les garçons d'écurie. À sa grande surprise, sa selle reposait sur son caisson. Au pas de course, le Chevalier regagna la stalle : sa jument alezan mangeait calmement sa ration de grain.

Wellan était en état de choc. Comment son destrier avait-il réintégré l'écurie et qui l'avait dessellé ? Il pivota vers l'un des jeunes palefreniers.

– Bien le bonjour, sire Wellan ! lança ce dernier comme s'il voyait le Chevalier pour la première fois ce jour-là. Vous devriez faire sortir Grizald ce matin. Elle a besoin d'exercice.

– C'est ce que je viens de faire, protesta le chef, mais un petit coquin a décidé de la rentrer.

– En êtes-vous certain ? demanda le garçon, étonné par cette accusation. Elle n'a pas quitté sa stalle depuis hier. Je viens juste de la nourrir.

« Cela n'a aucun sens, à moins que je sois encore endormi », songea Wellan. Utilisant ses sens magiques, il sonda son environnement. « Non, ce n'est pas un rêve... », conclut-il. La gourde en bandoulière, il harnacha sa jument dès qu'elle eut terminé son repas. Cette fois, il ne la quitterait pas une seconde. Enroulant les rênes dans ses mains, il la guida à l'extérieur. S'il s'agissait d'une farce de la part des serviteurs, ils devaient se rouler par terre.

Wellan mit le pied à l'étrier et grimpa sur le cheval. La sentinelle l'avait vu se préparer à partir. Elle ouvrit les portes, puis abaissa le pont-levis. Le grand Chevalier s'éloigna de l'enceinte fortifiée. Plus il repensait à ce curieux événement, moins il comprenait ce qui s'était passé. Il galopa le long de la rivière, à travers la forêt et dans les champs où l'herbe était maintenant bien haute. Les fleurs répandaient un délicieux parfum. La brise caressait l'homme et son destrier en leur permettant de fournir un effort supplémentaire.

Le Chevalier arrêta la jument sur la colline où il aimait se retirer pour réfléchir. À respectable distance du château, cet endroit lui permettait d'embrasser du regard une bonne partie de la campagne et de la forteresse. Il sauta à terre et laissa brouter la bête. Il contempla ce royaume pour lequel il se battait depuis bien des années déjà en se demandant si un jour il pourrait en profiter. Sa fille grandissait loin de lui, ce qui lui déchirait souvent le cœur. Il aurait tellement aimé vivre une vie normale...

Lorsqu'il se retourna, le cheval avait une fois de plus disparu. « Celui qui se paie ma tête va le regretter », maugréa-t-il en cherchant Grizald à l'aide de ses sens magiques. Elle n'était nulle part ! Mécontent, Wellan courut jusqu'à l'orée de la forêt. Il n'y capta que la présence de cerfs, de sangliers, de lièvres et d'autres petits animaux. Aucun signe de sa jument. Il rentra donc au palais à pied.

Au même moment, le capitaine Kardey éprouvait le même genre de difficulté. Après le déjeuner, il alla aiguiser ses armes, sentant que les Chevaliers allaient bientôt repartir en mission. Il se rendit à la forge où Morrison avait installé tout ce dont les guerriers avaient besoin pour procéder eux-mêmes à l'affûtage.

Il commença par son épée. Actionnant la grosse meule à l'aide de la pédale de bois, il affila la longue lame avec beaucoup de soin. Soldat de carrière, il savait qu'il était important de toujours être prêt pour le combat. Lorsque le métal fut suffisamment tranchant, il déposa l'épée sur la table et retira son poignard de sa ceinture. Il refit la même opération pour la dague. Mais, lorsqu'il voulut reprendre l'épée, il constata avec stupeur que sa lame était émoussée.

– Mais c'est impossible ! s'écria l'Opalin, incrédule.

Son éclat attira évidemment Morrison, qui craignait que son équipement soit défectueux. Le géant, les cheveux attachés sur la nuque, vint examiner sa meule.

– Elle ne semble pourtant pas endommagée, estima le forgeron en passant la paume sur la surface du disque.

– Elle ne l'est pas, assura le capitaine. C'est ma lame qui semble corrompue.

Morrison souleva l'épée. Son œil expérimenté inspecta le métal qui lui parut parfaitement normal. Il l'aiguisa lui-même. Kardey l'observa pour voir comment il s'y prenait. « Il fait pourtant la même chose que moi », s'étonna-t-il. Le forgeron lui tendit son arme, aussi reluisante que lorsqu'on la lui avait remise pour la première fois à Opale.

– Je vous bénis, Morrison, le remercia le capitaine, content du résultat.

Le soldat rengaina son épée et retourna à l'aile des Chevaliers. Il entra dans la chambre d'Ariane, son épouse. Pendant qu'elle s'habillait, il lui raconta sa curieuse aventure. En sortant l'épée de son fourreau, il vit qu'elle était une fois de plus émoussée !

– Encore ! s'exclama Kardey, irrité. Est-ce que tu ressens une mauvaise magie dans cette arme ?

– Seulement la force que les Immortels lui ont donnée, rien de plus. Nous devrions en parler à nos compagnons.

– J'y compte bien, car je n'ai pas l'intention d'affûter mes lames quatre fois par jour !

Ariane comprenait l'exaspération de son époux, mais ce qui l'inquiétait davantage, c'était la possibilité d'une infiltration ennemie au château. Wellan devait en être informé au plus tôt.